Les Fous dans la cité

DU MÊME AUTEUR

Les Règles de l'individualité contemporaine. Santé mentale et société, Presses de l'Université Laval, 2003.

Nouveau malaise dans la civilisation. Regards sociologiques sur la santé mentale, la souffrance psychique et la psychologisation (sous la direction de Marcelo Otero), Département de sociologie (UQAM), coll. « Cahiers de recherche sociologique », 2005.

Le Médicament au cœur de la socialité contemporaine. Regards croisés sur un objet complexe (codirection avec Johanne Collin et Laurence Monnais), Presses de l'Université du Québec, 2006.

L'Ombre portée. L'individualité à l'épreuve de la dépression, Boréal, 2012.

Qu'est-ce qu'un problème social aujourd'hui ? Repenser la non-conformité (codirection avec Shirley Roy), Presses de l'Université du Québec, 2013.

Marcelo Otero

Les Fous dans la cité

Sociologie de la folie contemporaine

Boréal

Dépôt légal : 4e trimestre 2015
Bibliothèque et Archives nationales du Québec

Diffusion au Canada : Dimedia
Diffusion et distribution en Europe : Volumen

Catalogage avant publication de Bibliothèque et Archives nationales du Québec et Bibliothèque et Archives Canada

Otero, Marcelo, 1960-

Les fous dans la cité : sociologie de la folie contemporaine

Comprend des références bibliographiques et un index.

ISBN 978-2-7646-2403-6

1. Santé mentale – Aspect social. 2. Maladies mentales – Aspect social. I. Titre.

RA790.O83 2015 362.2 C2015-941952-2

ISBN PAPIER 978-2-7646-2403-6

ISBN PDF 978-2-7646-3403-5

ISBN EPUB 978-2-7646-4403-4

Les fous passent, la folie reste.

SÉBASTIEN BRANT, *La Nef des fous*

Introduction

L'histoire des rapports entre folie et société est féconde en événements qui témoignent d'une profonde incompréhension, d'une grande méfiance anthropologique ainsi que d'une violence institutionnelle et symbolique persistante. Incompréhension profonde à l'égard des significations mobilisées par la folie : autres mondes possibles ? Autres cognitions, mœurs et normes ? Méfiance par rapport au véritable statut anthropologique du fou : différence de nature ou de degré ? Pathologie ou déviance ? Violence institutionnelle et symbolique persistante envers les fous : les traiter ou les enfermer ? Les judiciariser ou les abandonner ? Lorsque, dans un épisode récent à Montréal, un itinérant vraisemblablement en crise psychotique et brandissant un marteau est abattu par le Service de police de la Ville de Montréal (SPVM) de plusieurs balles dans la poitrine[1], on constate

1. Le 3 février 2014, Alain Magloire, un itinérant de quarante et un ans souffrant de problèmes de santé mentale, a été abattu par le SPVM devant la gare d'autocars du centre-ville de Montréal. Certains des sept policiers ayant participé à l'opération ont été traités pour choc nerveux. L'incident n'est malheureusement pas unique. Le 6 janvier 2012, Farshad Mohammadi, un sans-abri de trente-quatre ans également atteint de troubles mentaux est tombé sous les balles du SPVM à la station de métro Bonaventure. Il aurait assailli un agent de la paix avec une arme blanche. Le 7 juin 2011, toujours au centre-ville de Montréal, Mario Hamel a aussi été abattu

que ces questions n'ont toujours pas de réponses adéquates qui pourraient nous aider à mieux comprendre à quoi on a véritablement affaire des deux côtés, à savoir : les fous et leurs comportements, ainsi que nous-mêmes et nos réactions.

Peu importe la période historique, on s'est toujours méfié des fous, on a mis en doute à divers degré leur humanité et on a réagi par des gestes institutionnels, thérapeutiques, coercitifs et juridiques de mise à distance afin de nous en protéger ou de les protéger, de les bannir ou de les aider. De la Nouvelle-France au Québec contemporain, on a tout tenté : on a exorcisé les fous que l'on pensait possédés, on les a mis en prison, car on n'arrivait pas à les distinguer d'avec les criminels, on les a placés dans des cellules spéciales (les « loges » de la Nouvelle-France) pour les différencier des autres déviants, on les a attachés pour les protéger d'eux-mêmes et protéger les autres, on les a institutionnalisés afin d'assurer une prise en charge globale dont la société se montrait incapable, on les a désinstitutionnalisés pour favoriser leur intégration dans la communauté, on les a judiciarisés dans la collectivité afin de neutraliser leur potentiel de dangerosité, on les a abandonnés et on a permis qu'ils soient ballottés entre les familles, les hôpitaux et la rue, on les a contraints à suivre des traitements qu'ils refusaient, on a élaboré et mis en œuvre, à l'échelle communautaire, de nombreuses solutions de rechange à tous les moyens mentionnés.

Mais rien ne semble vraiment fonctionner, ni les prises en charge les plus traditionnelles et coercitives, ni les stratégies d'intervention les plus avant-gardistes et respectueuses, et encore moins les définitions de ce que le phénomène de la folie recouvre exactement. Les lois

---

alors qu'il éventrait des sacs à ordures avec un couteau. Il aurait menacé les policiers. L'une des balles tirées par le SPVM a du même coup atteint mortellement un simple citoyen, Patrick Limoges, qui se rendait au travail. Et des exemples semblables, aussi graves ou moins graves, sont récurrents.

québécoises concernant les tentatives d'encadrement et de gestion de la folie montrent une hésitation embarrassante entre deux attitudes idéologiquement opposées et empiriquement complémentaires : d'une part, la volonté sincèrement humaniste de prise en charge, de traitement et de protection d'une catégorie de personnes décrites comme essentiellement vulnérables ; d'autre part, la volonté clairement défensive de se protéger des fous, de les mettre à distance, de s'en distinguer et de les gérer comme l'une des populations problématiques les plus coriaces, menaçantes et indéchiffrables.

Depuis que la psychiatrie s'est constituée en Occident comme monologue de la raison sur la folie, celle-ci est devenue une simple maladie mentale coupée de son contexte social, culturel et relationnel. On essaie désormais d'identifier les pathologies mentales, de définir leurs frontières par rapport à la normalité, d'établir des classifications opérationnelles, de débusquer leurs causes dans le psychisme, le cerveau ou la génétique et, enfin, de mettre au point des traitements spécifiques allant de l'ancien traitement moral aux antipsychotiques actuels. Toutes les tentatives pour réduire la folie à la seule dimension de la maladie mentale, c'est-à-dire d'extirper l'esprit perturbé de sa gangue culturelle, sociale, relationnelle et morale, ont tour à tour échoué. Tout comme à l'époque héroïque des premiers asiles occidentaux, qui ont tenté de la réduire à l'expression « aliénation mentale », la folie continue à « former texte avec les problèmes de la cité », car elle continue d'être perçue, essentiellement, sur « l'horizon social de la pauvreté, de l'incapacité au travail, de l'impossibilité de s'intégrer au groupe » (Foucault, 1972, p. 109). Rien dans le déploiement complexe des multiples syndromes répertoriés par l'actuelle bible de la psychiatrie – la cinquième version du *Diagnostic and Statistical Manual of Mental Disorders* (American Psychiatric Association [APA], 2013) – et dans le développement spectaculaire des neurosciences n'a changé ce fait fondamental. La folie est toujours là.

Plusieurs classiques des sciences sociales ont comme objet d'étude les processus sociaux ayant mené aux définitions et aux prises en charge modernes de la folie, parfois dans le but de les dénoncer. Parmi ces ouvrages figurent les incontournables *Histoire de la folie* de Michel Foucault et *Asiles* d'Erving Goffman qui ont marqué profondément la réflexion sociologique, politique et philosophique sur le sujet. Au bout du compte, ces livres ne traitent toutefois pas du phénomène concret de la folie, mais des problématiques plus larges pour lesquelles la folie peut servir de révélateur, de cas de figure ou d'objet de réflexion sociologique, anthropologique ou philosophique. Les deux auteurs opèrent certes un déplacement fondamental en passant de la question ontologique « Qu'est-ce que la folie ? » à la question institutionnelle « Qu'est-ce qu'on a fait concrètement et historiquement des fous ? ». Mais ils le font avec l'objectif d'opérationnaliser le phénomène de la folie dans le cadre de leurs programmes de recherche philosophiques et sociologiques respectifs. Dans ce sens, d'autres phénomènes auraient pu jouer le même rôle et, de fait, cela a notamment été le cas avec le crime chez Foucault et le handicap chez Goffman. Pour ce qui est de la folie, le premier essaie de conceptualiser l'« Autre problématique » sans faire appel aux certitudes de la philosophie du sujet dans le cadre d'un vaste chantier de recherche historique où il s'agit de comprendre les dynamiques de partage entre le « Même » et l'« Autre »[2] (Foucault, 2001a). Le second tente de remettre en question les certitudes fonctionnalistes de l'adaptation primaire des individus aux rôles sociaux en montrant que même les fous reclus et soumis à toutes sortes d'aliénations et mortifications identitaires dans une institution dite totale sont toujours capables

2. Foucault parlera de l'objectivation des sujets dans les « pratiques divisantes » qui départagent les fous des sains d'esprit, les malades des individus en santé, les délinquants des honnêtes gens, etc. Dans le cadre de ce processus social, normatif et politique, le sujet est doublement divisé : des autres par la dépendance ou le contrôle (assujetti aux autres) et à l'intérieur de lui-même (assujetti à ses « propres identités »).

d'adaptation secondaire, c'est-à-dire d'une prise de distance de la norme (Goffman, 1968[3]).

Le plus lucide des psychiatres associés à la mouvance anti-psychiatrique, Franco Basaglia, lui-même directeur d'un hôpital psychiatrique, a tenu jusqu'à la fin de sa vie[4] à ne pas dissocier les trois dimensions bien réelles selon lesquelles toute personne ayant un problème de santé mentale grave devrait être considérée : les symptômes qui la font souffrir et l'empêchent de mener une vie minimalement fonctionnelle et supportable, l'exclusion sociale et la stigmatisation dont elle est victime de toutes parts et, enfin, le « symptôme social » qu'elle incarne malgré elle et qui devrait être « entendu » par les individus bien portants. Pour résumer : la folie et les fous n'existent *que* dans une société qui leur sert d'instance liminaire où se nouent et se dénouent empiriquement le normal et le pathologique, mais qui est également la condition rendant possible de les penser. Bref, il est aussi absurde de penser un individu sans corps (y compris son cerveau) que de penser un individu (y compris son corps) fou ou sain d'esprit sans société.

---

3. Il ne faut pas oublier que le sous-titre d'*Asiles* est « études sur la condition sociale des malades mentaux ». Pour l'auteur, sociologiquement parlant, un individu est un être capable de « distanciation », c'est-à-dire d'adopter une position intermédiaire entre l'identification et l'opposition à l'institution. Anthropologiquement parlant, cette « distance » caractérise toute vie humaine. Dans les mots de Goffman : « La conscience que l'on prend d'être une personne peut résulter de l'appartenance à une unité sociale élargie, mais le sentiment du moi apparaît à travers les mille et une manières par lesquelles nous résistons à cet entraînement » (p. 373-374).

4. *Le Malheur d'être fou et pauvre* est le titre que Basaglia a donné à son dernier livre réunissant quinze conférences qu'il a prononcées en 1979 au Brésil, un an avant sa mort. Les thèmes qui y sont abordés constituent un inventaire cruel et encore d'actualité à propos de la rencontre du fou avec trois univers, soit la société, la science et les institutions, traversée par l'incompréhension, la violence et la méfiance (Basaglia, 2008).

Il est important de rappeler que la querelle classique et virulente entre les psychiatres et les antipsychiatres tournait autour de trois questions qu'il est possible de schématiser comme suit : quelles sont les causes de la folie : cerveau ou société ? Qu'est-ce qu'on a fait des fous : tenté de les guérir ou de les neutraliser ? Comment les soigner : psychopharmacologie[5] ou thérapies alternatives comportant la prise en compte des dimensions sociales ? Toutefois, tout comme les classiques des sciences sociales évoqués plus haut, ces questions en laissaient une quatrième en suspens à laquelle, me semble-t-il, les sociologues sont les mieux outillés pour répondre : en quoi les fous posent concrètement problème aux sociétés ? Qu'est-ce que les fous font de problématique pour eux et pour les autres ? Ou encore : en quoi la folie a-t-elle toujours été, et est encore, un problème social à part entière ? Voilà la principale question à laquelle ce livre tentera de fournir une réponse.

De nos jours, les fous ne sont que rarement institutionnalisés, ils sont dans la « cité » et « forment texte » avec ses problèmes. Hier comme aujourd'hui, ils ne peuvent pas être pensés en faisant abstraction de ces problèmes. C'est dans ce sens empirique que nous parlerons de « folie civile » et de « fous civils » afin de signifier qu'ils font partie de la vie civile pour le meilleur et pour le pire. Même s'ils sont dans la cité, les fous ne sont pas tout à fait des citoyens sociaux comme les autres puisque, très souvent, ils ne participent que marginalement aux mondes ordinaires du travail, de l'école et de la vie familiale. Ils se situent souvent en porte-à-faux[6] avec les coordonnées générales de la

---

5. Et dans une moindre mesure la psychochirurgie et les thérapies de choc.

6. Une installation est dite en porte-à-faux quand l'une de ses parties ne repose pas entièrement sur son point d'appui. Dans le langage courant, cette expression évoque un risque de déséquilibre, voire de rupture, même lorsque la structure supporte un poids somme toute normal. Quelle partie se trouve au-dessus du vide ? Quelle est la nature de l'installation solide ? Ce sont des questions auxquelles cet ouvrage essaiera de répondre.

socialité ordinaire qui sont le dénominateur commun de la plupart des individus dans la cité. C'est ce qui les marque de manière non spécifique, c'est-à-dire qu'ils partagent ce sceau avec d'autres catégories d'individus dits problématiques (toxicomanes, délinquants, itinérants), et c'est ce qui leur est reproché en permanence explicitement ou implicitement. C'est ce qui permet également, au bout du compte, de les traiter dans les faits (stigmatisation, discrimination, préjugés, mépris, violence) et dans le droit (législations spécifiques à leur endroit) comme des citoyens de seconde zone.

Ce livre tient à réhabiliter le mot *folie* pour réaffirmer l'impossibilité d'étudier ce que nous appelons couramment les « troubles sévères et persistants » seulement en termes de pathologies mentales, psychiques ou psychiatriques, et proposer une manière sociologique d'aborder ce phénomène dans la société d'aujourd'hui. La remise en question de l'allusion désocialisée et désincarnée à la maladie mentale comme seul socle explicatif de ce qui pose problème dans la folie permet de penser celle-ci comme une imbrication concrète et à géométrie variable de la folie mentale (de la pathologie mentale formellement répertoriée par la psychiatrie jusqu'aux états psychologiques momentanément perturbés, mais problématiques) et de la folie sociale (de la vulnérabilité sociale extrême proche de la désocialisation jusqu'au comportement déviant proche de la criminalisation, en passant par les comportements ambigus, inquiétants, dérangeants ou dangereux). Folie mentale et folie sociale sont indissociables dans les situations problématiques concrètes qui se présentent à nous au sein de la cité et qui mobilisent toutes sortes de dispositifs d'intervention, de gestion, d'aide ou de coercition.

Qu'est devenue la folie qu'on enfermait dans les asiles jusqu'à la fin des années 1950 ? Qu'est-il advenu de ceux et celles en proie à ce qui est maintenant appelé des « troubles sévères et persistants » et qui ont été depuis toujours, tour à tour ou simultanément, exclus, ségrégués, emprisonnés, judiciarisés, stigmatisés, internés ou psychiatrisés ? De nos jours, en quoi la folie pose-t-elle problème aux personnes directement concernées et aux familles, à l'entourage, aux étrangers et à la société ? Selon nous, il est impossible de répondre à ces questions sans aborder une autre question encore plus fondamentale : de quoi est faite la folie telle qu'elle se présente à nous concrètement dans la cité ? Si Foucault insistait sur le fait que la folie dans la modernité « commence à former texte avec les problèmes de la cité », de quelle folie et de quels problèmes s'agit-il aujourd'hui ?

L'objet de cet ouvrage est de contribuer à la compréhension des liens actuels entre folie et société dans une perspective sociologique large des problèmes sociaux urbains (Otero et Roy, 2013) sans pour autant noyer la spécificité de la folie dans la foule de problèmes non spécifiques qui lui sont pourtant historiquement et empiriquement associés. Les données qui alimentent nos analyses sont issues de plusieurs recherches récentes menées à Montréal avec le financement notamment du Fonds de recherche du Québec – Santé (FRQS) et du Service aux collectivités de l'Université du Québec à Montréal.

* * *

Le premier chapitre de ce livre trace l'histoire des entrecroisements et des imbrications entre folie mentale et folie sociale, notamment dans le contexte québécois, ainsi que des modèles de normativité, d'institutions et de sociétés qui leur correspondent selon les périodes historiques. Le chapitre deux traite à la fois de la manière dont la folie civile est gérée par des moyens légaux, institutionnels et sociaux divers et de la façon dont on tente de former aujourd'hui un groupe cohérent à partir de ces dispositifs en fonction du critère de dangerosité mentale. Le chapitre trois analyse les caractéristiques écologiques urbaines de la folie civile afin de montrer comment elle s'épanouit, s'imbrique et parfois se confond avec la pauvreté, la marginalité et la vulnérabilité sociale au point où il n'est plus possible de les différencier. Le chapitre quatre aborde la question de la composition même de la folie civile en tentant de montrer les matériaux mentaux et sociaux spécifiques et non spécifiques qui la constituent. Les chapitres cinq, six et sept examinent les figures concrètes de la folie civile actuelle en distinguant systématiquement, autant que faire se peut, les dimensions mentales et sociales problématiques, tant pour les individus directement concernés (les personnes soupçonnées de souffrir de problèmes de santé mentale graves) que pour les autres (familles, proches, étrangers, société). Le chapitre cinq porte plus particulièrement sur les situations problématiques, qui vont du délire au suicide, menant à la limite du dérèglement du rapport à soi dans un contexte général de vulnérabilité matérielle et sociale où psychose et détresse profonde se confondent. Le chapitre six se penche sur les figures de la folie civile qui se caractérisent massivement par les conflits avec les autres (étrangers, voisins, passants) dans le cadre d'un continuum de situations problématiques complexes allant du dérangement banal à la violence inquiétante. Le chapitre sept étudie les situations problématiques de la folie civile qui sont les plus fréquentes : celles qui se définissent par des conflits variés et importants avec les membres de la famille. Que ce soit des situations devenues invivables ou de franche violence, les dimensions sociales et mentales s'entrecroisent pour baliser inéluctablement ce qui pose problème aux individus concernés et aux autres. Le chapitre huit porte sur l'univers de prise en charge des personnes qui refusent de se plier aux traitements psychiatriques et qui y sont forcées par la loi en raison de leur incapacité supposée de prendre des décisions éclairées sur leur propre santé. Enfin, nous concluons par une interprétation globale du sens et de la fonction des dispositifs actuels de gestion de la folie civile, y compris de leurs aspects encourageants et décourageants.

CHAPITRE PREMIER

Le fou social et le fou mental

L'internement désigne un événement décisif : le moment où la folie est perçue sur l'horizon social de la pauvreté, de l'incapacité au travail, de l'impossibilité de s'intégrer au groupe ; le moment où elle commence à former texte avec les problèmes de la cité.

MICHEL FOUCAULT, *Histoire de la folie à l'âge classique*

S'il est de moins en moins fréquent de faire appel au terme « fou » pour désigner certains individus que nous considérons comme à la fois psychologiquement perturbés et socialement problématiques, ce à quoi ce terme a toujours référé et réfère encore n'a, en revanche, certes pas disparu. La nature et le fonctionnement de certains dispositifs d'interpellation, de traitement et de prise en charge de ces individus nous rappellent que le champ de significations, de représentations et de pratiques que recouvre l'univers classique de la folie continue d'être réinvesti, redéfini et réactualisé. Malgré certains changements terminologiques et institutionnels majeurs survenus au cours des cinquante dernières années, dans la foulée du phénomène connu sous le nom de désinstitutionnalisation psychiatrique, les fous et la folie ne se sont pas volatilisés.

Ces individus, dont la vulnérabilité sociale, la propension à déranger l'ordre public ou privé et, plus rarement, la dangerosité potentielle ou réelle sont associées explicitement à l'univers large et imprécis du mental pathologique ne constituent pas un groupe particulier. Toutefois, ils ont été historiquement, et sont encore, soit regroupés physiquement dans des lieux spécifiques, soit interpellés matériellement et symboliquement tant par des dispositifs réfléchis à « leur endroit » (législation *ad hoc*, équipes d'intervention, diagnostics, techniques de contention, médications, thérapies, interventions sociales aidantes) que par des gestes viscéraux déployés à « leur endroit » (discriminations, stigmatisations, préjugés, profilages médiatiques). Lorsque nous disons à « leur endroit », on ne désigne pas une population particulière, mais bel et bien un « endroit » au sens littéral du terme, qu'on peut imaginer comme un dense carrefour à la fois social et mental à travers lequel certains individus plutôt hétéroclites et singuliers circulent de manière durable ou sporadique au milieu de fermes balises sociales, médicales, sécuritaires et juridiques.

L'angle mort de la psychiatrie : la normativité sociale

Peu importe la période historique considérée, le fou dans la cité n'est pas nécessairement fou ; parfois, il n'est pas principalement fou et, encore moins, seulement fou. Pour comprendre l'impossibilité logique et empirique de faire entrer la folie civile dans les catégories étroites de la nosographie psychiatrique, il faut tenir compte de trois points fondamentaux : les importants problèmes épistémologiques de définition de ce qu'on appelle un trouble mental, l'hybridation empirique inéluctable des dimensions du mental perturbé et du social problématique dans toute forme concrète de folie et, enfin, la nécessité de prendre au sérieux le fait banal qu'il n'y a pas de folie sans société pour en tirer toutes les conclusions qui s'imposent.

En ce qui concerne le premier point, il peut être formulé simplement comme l'impossibilité de parvenir à une définition consensuelle de la notion de « trouble mental ». En effet, la principale autorité en la matière, c'est-à-dire les auteurs du *DSM,* évoque ouvertement les difficultés extraordinaires que pose la définition du concept de « trouble mental[1] », à savoir : « la distinction entre les troubles mentaux et les troubles physiques est un anachronisme réducteur du dualisme corps et esprit » ; « aucune définition ne spécifie de façon adéquate les limites précises du concept de trouble mental » ; « pour ce concept, il n'existe pas de définition opérationnelle et cohérente qui s'appliquerait à toutes les situations » ; et « les troubles mentaux ont été définis par des concepts variés (souffrance, mauvaise capacité de contrôle de soi, désavantage, handicap, rigidité, irrationalité, modèle syndromique, étiologie et déviation statistique), mais aucun n'est équivalent au concept et différentes situations demandent différentes définitions » (APA, 2000, p. xxxv-xxxvi). Malgré ces réserves, on a quand même choisi le terme *trouble mental* comme étant le plus adéquat en dépit du fait que le qualificatif *mental* est anachronique, que le concept ne peut être délimité, qu'aucune définition n'est opérationnelle ni cohérente pour l'ensemble des phénomènes visés et, enfin, que les critères de sa justification demeurent fort variés et de nature différente. Ces mises en garde quant à la validité, ou plutôt à l'invalidité, du concept de trouble mental n'empêchent pas les auteurs de définir de manière pragmatique environ 350 troubles mentaux d'affilée. Il est cependant clair que toute définition épistémologiquement cohérente, voire consensuelle, des phénomènes composant l'univers du mental pathologique, même dans le champ spécifique de la psychiatrie contemporaine, reste une tâche improbable.

1. Le terme *trouble mental (mental disorder)* était présent dès la parution du *DSM-I* en 1952, mais il n'est problématisé et défini qu'à partir du *DSM-III* publié en 1980. Sa définition a peu varié au fil des versions successives du manuel, y compris dans la plus récente, le *DSM-5*, parue en 2013.

Pour ce qui est du deuxième point, on constate que les définitions disponibles du trouble mental et de ses équivalents (déséquilibre mental, affection mentale) renvoient bel et bien à l'hybridation d'une symptomatologie pensée comme cohérente (syndrome, maladie, affection) et à un dysfonctionnement social (ou à une souffrance) éprouvé comme problématique par l'individu concerné, par les autres ou par les deux. L'alliance empirique entre mental pathologique et social problématique, qui définit toute forme concrète de folie, est non seulement fort difficile à démêler, mais aussi variable sur le plan historique. En effet, ces deux dimensions sont à la fois bien réelles, ontologiquement distinctes et historiquement changeantes tant dans leur contenu que dans leur agencement. Par exemple, la définition officielle du *DSM-IV-TR* est que « chaque trouble mental est conçu comme un modèle ou un syndrome comportemental ou psychologique cliniquement significatif, survenant chez un individu et associé à une détresse concomitante (p. ex., symptôme de souffrance), à un handicap (p. ex., altération d'un ou plusieurs domaines du fonctionnement) ou à un risque significatif élevé de décès, de souffrance, de handicap ou de perte importante de liberté » (APA, 2000, p. xxxv).

Toutefois, aujourd'hui, des expressions telles que *problème de santé mentale, désordre mental, déséquilibre mental, détresse psychologique* et bien d'autres se sont substituées à celle foncièrement médicale et restreinte de *maladie mentale.* À bien y regarder, il s'agit d'un processus en quelque sorte inverse à celui qui était censé transformer la folie, ou plutôt une partie de celle-ci, en maladie mentale à la fin du XVIIIe siècle par des procédures ontologiques (comment valider la nature des maladies mentales), épistémologiques (comment les connaître et les étudier) et méthodologiques (comment les diagnostiquer, les classer, les organiser, les mesurer). Durant cet âge héroïque de la psychiatrie occidentale, les pères fondateurs de la discipline ont circonscrit, identifié et défini un certain nombre d'entités cliniques (catégories psychopathologiques) à partir de l'observation d'un univers hétérogène de comportements et d'attitudes aux limites instables constitué, entre autres, de déviances, d'étrangetés, d'extravagances, de différences dérangeantes, de criminalité et de pauvreté extrême. Il s'agissait alors de séparer le « mental pathologique » spécifique tant de sa gangue sociale et morale problématique (pauvreté, criminalité, débauche) que des problèmes psychologiques qui n'étaient pas à la hauteur de la vraie folie (l'ancienne aliénation mentale) en raison, notamment, de leur proximité suspecte avec le malheur ordinaire, de leur prévalence trop importante et de leurs conséquences moins graves pour les personnes touchées[2].

Il est évident que les correspondances, chevauchements et cloisonnements entre comportements non conformes et maladies mentales sont nombreux, discutables et variables en fonction des époques. Mais le déplacement actuel de la maladie mentale (un univers en principe restreint au domaine du médical pathologique) vers la santé mentale problématique (univers inclusif ouvert à des souffrances psychologiques et sociales fort variées et multiformes) aggrave le problème déjà aigu de la définition des frontières entre mental pathologique et social problématique. Le sociologue, par exemple, se posera essentiellement trois questions. Premièrement, en quoi tel comportement défini comme problème de santé mentale est-il socialement problématique ? Pour qui représente-t-il un problème : un ordre normatif dominant, certains groupes sociaux, les proches, la personne même qui en souffre ? Deuxièmement, pourquoi tel comportement

2. On pense ici aux névroses, souvent méprisées par les aliénistes pionniers de la psychiatrie à cause de leur sémiologie ambiguë et de leurs liens avec les revers courants de la vie qui ne sont pas forcément pathologiques. Dans un sens, ce destin n'est pas tout à fait immérité lorsque l'on sait que certaines « misères psychologiques » telles que les troubles de l'humeur et les troubles anxieux atteignent aujourd'hui des proportions massives, au point d'agiter le soupçon sociologique quant à la justesse de leur statut véritablement psychopathologique et médical plutôt que culturel et social. Nous avons longuement étudié les anxiodépressions contemporaines dans *L'Ombre portée, l'individualité à l'épreuve de la dépression* (Otero, 2012a).

défini comme problème de santé mentale est-il mental plutôt que social, culturel ou relationnel ? Troisièmement, pourquoi tel comportement est-il défini comme problème de santé mentale dans certains groupes sociaux ou même certaines cultures mais pas dans d'autres, et, de ce fait, pourquoi les réactions sociales vis-à-vis du même comportement problématique (thérapeutique, tolérance, répression, sanction sociale, indifférence, abandon) varient-elles en fonction de la position sociale ou de l'horizon culturel considéré ? Dans ce contexte, la psychiatrie et la sociologie se positionnent comme des systèmes de savoir ouverts l'un sur l'autre qui peuvent certes s'ignorer et se contester, ce qui arrive très fréquemment, mais qui demeurent malgré eux intimement associés dans l'expression même de *problème de santé mentale.* La dimension du mental pathologique intéresse plus le psychiatre alors que celle du social problématique attire davantage le sociologue, mais tous deux sont obligés de jeter un coup d'œil dans le champ de l'autre parce que ces deux dimensions sont empiriquement indissociables.

Quant au troisième point, soit les conclusions à tirer du fait banal que les fous n'existent qu'en société (Foucault, 2001, p. 195-197) et que celle-ci agit et réagit tantôt de manière réfléchie (en les désignant, les traitant, les aidant, les gérant), tantôt de manière viscérale sans se laisser distraire par des problèmes de définition (en les stigmatisant, les excluant, les abandonnant, les enfermant), il implique de bien cerner la dimension qui est et demeurera opaque pour la psychiatrie. Tout comme un cerveau dans un bocal n'est pas un être humain, nul déprimé, psychotique ou psychopathe n'existe par soi-même, et ce, peu importe les avancées des neurosciences. Un aspect de ce qui est problématisé par la psychiatrie, par la psychologie et par la médecine dans leurs catégorisations scientifiques leur échappe et leur échappera toujours. En effet, la nature problématique d'un comportement social codé comme problème de santé mentale reste obscure pour la psychiatrie, en ce sens qu'aucun psychiatre ne peut expliquer (pas plus qu'il n'en a d'ailleurs besoin) pourquoi le fait d'avoir des pensées suicidaires, de désirer s'engager dans des rapports sexuels avec les morts ou de ne pas éprouver de la culpabilité après avoir commis un meurtre est socialement problématique. C'est la société qui le fait à sa place et qui lui impose, normativement parlant, cette dimension.

En revanche, la nature proprement pathologique d'un comportement social codé comme problème de santé mentale constitue la dimension spécifique que la psychiatrie définit, explique et mesure. Les techniques scientifiques qui se consacrent à cerner le mental pathologique (nosologie, nosographie, étiologie, pathogénie) permettent d'une certaine façon de trouver un terrain à la fois ontologique et symbolique où il est possible de maîtriser le phénomène étudié défini comme problème de santé mentale en se concentrant sur certaines dimensions plutôt que d'autres. Ainsi, l'incongru social, l'incompréhensible, l'inexplicable (délires, pensées suicidaires, certaines formes de violence, désirs sexuels inhabituels, peurs sans motifs apparents, comportements alimentaires étranges) deviennent significatifs, mesurables, intelligibles. Cependant, ce processus demeure toujours partiel, car une partie du caractère incompréhensible et problématique d'un comportement défini comme problème de santé mentale doit être délaissée lorsqu'on se concentre sur la description, la mesure et la manière de le traiter sous l'angle exclusif du mental pathologique.

L'avant-propos de l'édition française du *DSM-III*, qui a inauguré une nouvelle ère pour la psychiatrique moderne, ère dans laquelle nous vivons encore, nous rappelle judicieusement qu'on ne doit pas confondre trouble mental et déviance sociale, car lorsque la perturbation mentale « est réduite à un conflit entre un individu et la société, cela peut correspondre à une déviance qui peut, ou non, être socialement approuvée sans être, en soi, un trouble mental » (APA, 1980, p. iv). Or, le manuel ne fournit aucun critère médical pour distinguer les perturbations qui correspondent à un conflit individu-société des perturbations proprement cliniques. Toutes les éditions subséquentes du *DSM* (*III-R, IV, IV-TR* et *5*) s'adaptent très bien au flou entre trouble mental et conflit individu-société en l'escamotant à l'intérieur même des définitions des catégories nosographiques répertoriées[3]. La situation se complique encore davantage lorsque les auteurs du *DSM-III* affirment qu'ils ne postulent en « aucune façon que chaque trouble mental soit une entité circonscrite, nettement limitée, avec une discontinuité entre celui-ci, les autres troubles mentaux ou l'absence des troubles mentaux ». Ils nous disent clairement que les limites entre les troubles de même que les limites entre la présence et l'absence de troubles mentaux sont floues. En effet, la définition de ce qui constitue ou non un trouble mental est une question qui est loin d'être tranchée par la psychiatrie de manière autonome sans le concours des dimensions sociales qu'il n'est jamais possible d'éluder complètement.

La section intitulée « Code V pour des situations attribuables à un trouble mental motivant un examen ou un traitement », figurant dans le *DSM-IV-TR*, et la section équivalente du *DSM-5* comprennent des

3. Par exemple, les troubles de conduite de l'enfance comprennent des types tels que « mal socialisé-agressif », « mal socialisé-non agressif », « socialisé-agressif », « socialisé-non agressif ». Quant au groupe des troubles des fonctions psychosexuelles chez les adultes, il comporte des catégories telles que « inhibition du désir sexuel » et « inhibition de l'excitation sexuelle ». Or, comment concevoir un enfant mal socialisé ou des inhibitions sexuelles sans se référer aux exigences générales de l'enfance et de la sexualité ordinaires qui ne se trouvent qu'à l'échelle du social ? Le manuel permet en partie de contourner cette question élémentaire grâce à la définition même du trouble mental, pièce cardinale de toute nosologie psychiatrique : « Chaque trouble mental est conçu comme un syndrome ou un ensemble significatif, comportemental ou psychologique survenant chez un individu et typiquement associé à un symptôme de douleur (détresse) ou à un handicap dans l'un, au moins, des principaux domaines du fonctionnement (incapacité) » (APA, 2000, p. xxv). L'enfant mal socialisé (agressif ou non) soit est dysfonctionnel à certains degrés et dans certains contextes (école, famille, activités entre pairs), soit souffre de sa condition. De même, l'adulte atteint d'inhibitions sexuelles est dysfonctionnel, souffrant ou, souvent, les deux à la fois. Ainsi, cet enfant et cet adulte ont un handicap par rapport à ce qui est normalement attendu d'eux en tant qu'individus dans les domaines concrets qui les concernent (par exemple, les activités scolaires pour le premier et les activités sexuelles pour le second). Et cette attente normative est l'angle mort de la psychiatrie.

catégories, si on peut les appeler ainsi, telles que « problème scolaire ou universitaire », « problème conjugal », « problème parent-enfant », « problème en rapport avec une étape de la vie et problème économique ou de logement » (APA, 2000, p. 850-854 ; 2013, p. 715-806). Cette pseudo-catégorisation témoigne explicitement du flou existant entre le trouble dûment catégorisé et le problème motivant un examen ou un traitement. À l'intérieur de ces frontières mal définies et souvent faites de social et de relationnel problématiques où psychiatres et psychologues interviennent quotidiennement, *tout* peut être problématisé, évalué, coté, codé comme problème de santé mentale, lequel est en quelque sorte l'antichambre du vrai trouble[4]. Voilà le terreau aussi fertile qu'incertain dans lequel la psychiatrie plonge ses racines, lesquelles sont entremêlées au point d'être confondues avec celles de la normativité sociale, des tensions sociales, de la conflictualité sociale, de la vie sociale même.

Toutefois, cela ne signifie nullement que les pathologies mentales n'existent pas et qu'elles sont *seulement* des catégorisations médicales de comportements culturellement et normativement problématiques, comme certaines analyses constructivistes le laissent entendre. En revanche, la définition d'un comportement problématique comme relevant du champ spécifique de la santé mentale est un processus social, culturel et médical complexe, incertain, voire périlleux, qui ne peut être laissé entre les mains d'une seule discipline, en l'occurrence la psychiatrie. Le cas classique de l'homosexualité, encore considérée comme une maladie mentale dans plusieurs pays, le démontre bien[5]. L'inverse, c'est-à-dire le fait d'ignorer obstinément la

---

4. L'axe V, nommé « niveau d'adaptation et de fonctionnement le plus élevé dans l'année écoulée », permet de coter carrément la vie ordinaire de tout individu dans ses nuances normales. Cet axe a été éliminé du *DSM-5*.

5. Jusqu'au milieu de années 1970, l'homosexualité était répertoriée dans les manuels de psychiatrie comme catégorie psychopathologique. Dans le *DSM-I*, paru en 1952, elle est considérée comme une déviation sexuelle et placée dans la même

dimension psychologique perturbée de certaines situations sociales affectant les individus et qui justifie une intervention spécifiquement « psy » (psychiatrique, psychologique, psychothérapeutique), montre également les misères du sociologisme. Le stress post-traumatique, qui a fait l'objet de revendications de la part des personnes atteintes afin que cette affection soit reconnue comme un problème médical leur permettant de bénéficier des assurances sociales et de soins psychologiques, en est un exemple classique (Young, 1995).

Les cas à statut incertain, qui donnent lieu à d'âpres discussions entre les différents individus et instances concernés (personnes souffrantes, parents, proches, médecins, gouvernements, assureurs), sont nombreux et emblématiques. Les diagnostics de plus en plus fréquents de troubles de l'attention avec ou sans hyperactivité chez les enfants sont-ils, par exemple, une tentative de médicalisation de la sous-performance scolaire (différences normales entre les individus) et de l'indiscipline en classe (problème d'organisation et de méthode

---

classe nosographique que la pédophilie, le fétichisme, le viol, le travestisme et l'agression sexuelle. En 1968, les auteurs du *DSM-II* l'enlèvent de cette classe de psychopathologies inquiétantes en la mettant entre parenthèses et en spécifiant qu'elle n'est pas un trouble mental en soi, mais seulement dans certaines conditions. Douze ans plus tard, le *DSM-III* utilise le concept d'homosexualité ego-dystonique pour signaler que seules les pulsions homosexuelles plongeant l'individu dans le désarroi sont à proprement parler pathologiques. Dans le *DSM-IV*, publié en 1994, il n'y a aucune allusion à l'homosexualité dans la classe des paraphilies, ni nulle part ailleurs. Qu'est-ce qui a changé en un peu plus de trente ans ? Le comportement homosexuel ou les conditions normatives non psychiatriques qui poussaient néanmoins la psychiatrie à le pathologiser ? Au cours des dernières décennies, l'homosexualité est devenue, du moins en Occident, une identité plus acceptée et moins stigmatisée, c'est-à-dire socialement moins problématique. La situation s'est même inversée : aujourd'hui, si un psychiatre occidental pathologise l'homosexualité, c'est son propre comportement qui risque d'être pathologisé comme homophobe. En revanche, d'autres anciennes paraphilies inoffensives telles que le fétichisme demeurent classées dans le *DSM*, sans aucun fondement dans l'univers du mental pathologique pour le justifier.

de gestion) ? Ou bien, au contraire, un moyen de ne pas responsabiliser indûment les élèves qui ont de réelles difficultés d'apprentissage en évitant de les affubler d'étiquettes morales dénigrantes comme par le passé ? Ou encore, s'agit-il tout simplement d'un renouvellement de la nature de l'étiquetage autrefois moral (enfant turbulent, travailleur paresseux) et aujourd'hui médical (enfant hyperactif, travailleur déprimé) ? Que penser des polémiques intenses sur les troubles envahissants du développement dans le cadre desquelles les parents d'enfants autistes et autistes dits de haut niveau ayant réussi à mener une vie satisfaisante discutent des limites, voire de la nature, de la pathologie handicapante et du droit à la différence cognitive et affective ? Définir les points de coupure psychométrique ou sociométrique en fonction de l'intensité du handicap et de ses conséquences sociales est une stratégie pragmatique qui renvoie aux contraintes empiriques de gestion (sociale, scolaire, relationnelle) ne pouvant pas attendre le règlement intellectuel de telles *disputationes* qui ne viendra peut-être jamais. Mais là encore, on est moins dans la psychiatrie que dans l'ajustement de la définition des syndromes (contours, limites, registre, portée) aux exigences incontournables de la normativité sociale et, par conséquent, des dispositifs d'aide (thérapeutiques, sociaux, communautaires) et de coercition (lois, institutions, seuils de tolérance) qui l'incarnent.

Il est au moins possible d'affirmer ceci : les univers de la folie sociale (de la vulnérabilité sociale extrême proche de la désocialisation au comportement déviant proche de la criminalisation, en passant par les comportements sous-performants, ambigus, inquiétants, déplacés ou encore proches de l'immoralité) et de la folie mentale (de la pathologie mentale officiellement répertoriée en psychiatrie aux états psychologiques flous momentanément ou durablement perturbés, incohérents ou souffrants) semblent à plusieurs égards indissociables historiquement, théoriquement, institutionnellement et empiriquement. Pour cette raison, les efforts épistémologiques disciplinaires pour distinguer le mental pathologique du social problématique doivent être constamment renouvelés en fonction notamment des transformations de la normativité sociale (évolution des mœurs, seuil moyen de performance sociale, nature et degré des déviances tolérées). Ce renouvellement est nécessaire pour évaluer le poids relatif du mental et du social dans les incarnations concrètes des figures de la folie ou pour comprendre les dynamiques relationnelles entre l'un et l'autre (déterminations, surdéterminations, entrecroisements, superpositions, emboîtements, interactions) qu'on soupçonne être à l'origine des formes de vie psychologiquement et socialement vulnérables, souffrantes, non conformes ou problématiques. Cela permet de minimiser les effets ravageurs d'un double acharnement sur le plan de la définition des stratégies d'intervention tour à tour psychologisantes (tenter de régler des problèmes sociaux bien réels ou de nier des différences légitimes à coup de thérapeutiques psychiatriques, notamment de médicaments psychotropes) et sociologisantes (tenter de régler des problèmes psychologiques bien réels à coup d'interventions populationnelles qui négligent les spécificités des individus et la singularité de leurs situations) (Otero, 2013).

De l'asile à la communauté

Michel Foucault (1972) a rendu célèbre le thème du « Grand renfermement » indifférencié des pauvres, des invalides, des délinquants et des fous afin de souligner la véritable fonction de l'Hôpital général créé en 1656 par un édit du roi de France Louis XIV. Cet établissement, qui n'avait de thérapeutique que le nom, selon l'acceptation actuelle du terme, répondait au contexte inquiétant des bouleversements produits par l'accumulation primitive capitaliste dont la description donnée par Marx dans la section VIII du *Capital* demeure saisissante (Otero, 2006). Cette accumulation a essentiellement consisté en la séparation brutale et rapide des producteurs directs (paysans) de leurs moyens de production (terres) pour aboutir à la création d'une importante force de travail obligée de se vendre (futurs salariés) et d'une poignée d'individus (futurs capitalistes) capables de l'acheter. Ce changement majeur, à plusieurs égards fondateur de la modernité occidentale, a provoqué le déplacement massif de populations depuis les campagnes en transformation vers les villes modernes en formation. L'une des conséquences de ce phénomène a été la mise en mouvement d'une masse d'individus provenant d'un peu partout qui n'ont trouvé nulle part où aller, s'installer et vivre décemment. Des populations désormais flottantes, qui ont donné un visage nouveau à la marginalité urbaine, à l'errance moderne ainsi qu'à la transgression morale et comportementale, se sont ajoutées aux figures déjà connues de la pauvreté, de l'exclusion, de la maladie et de la débauche morale.

À ce geste plutôt fruste, étatique et royal, qui entremêlait concrètement dans la force et l'urgence la folie mentale et la folie sociale au sein d'un même établissement, a succédé un autre geste célèbre, du moins dans l'histoire de la psychiatrie : le retrait des chaînes assujettissant les fous à la fin du XVIIIe siècle. Cet acte accompli par l'un des pionniers de la psychiatrie occidentale, l'aliéniste Philippe Pinel[6], était moderne, scientifique et républicain. S'il est vrai que les aliénés n'étaient pas « désenfermés », ils étaient séparés des autres pensionnaires de circonstance (pauvres, handicapés, délinquants, libertins) qui étaient acheminés dans d'autres filières institutionnelles (prisons, hôpitaux, hospices) ou retournés à la rue. En enfermant certains individus spécifiques, les aliénistes réformateurs ne voulaient pas seulement contribuer à la gestion des groupes non spécifiques dans une

---

6. Les fameux tableaux illustrant la libération des fous par Pinel à Bicêtre en 1793 (*Pinel fait enlever les fers aux aliénés de Bicêtre* de Charles-Louis Muller) et à la Salpêtrière en 1795 (*Pinel délivrant les aliénés à la Salpêtrière en 1795* de Tony Robert-Fleury) témoignent de l'importance accordée à ce geste. S'il est vrai que ces libérations relèvent davantage du mythe que de l'événement historique, cet acte symbolique fait au nom de la science et de la raison convient très bien à l'esprit qui animait les pionniers de la psychiatrie occidentale.

optique de sécurité ou d'assistance à des personnes dont les comportements menaçaient avant tout l'ordre public. Ils voulaient surtout traiter scientifiquement les causes de l'aliénation de ces sujets. Le caractère odieux de l'enfermement indiscriminé, illégitime et arbitraire était momentanément aboli par les promesses de guérison de la thérapeutique spécifique, même si les aliénés continuaient comme auparavant à être physiquement enfermés, socialement minorisés et juridiquement privés de leurs droits.

Toutefois, à peine un demi-siècle plus tard, l'optimisme thérapeutique et l'assurance scientifique des premiers réformateurs concernant la distinction entre le fou mental et le fou social ont de nouveau cédé la place à l'enfermement tout court de populations non spécifiques dérangeantes, vulnérables et occasionnellement dangereuses. Sous l'influence des paradigmes organicistes, entre autres les théories de la dégénérescence (Morel, 1857) et du darwinisme social (Spencer, 1898), les autorités ont recommencé à enfermer tant les individus marqués par la fatalité biologique et héréditaire que ceux frappés par la fatalité sociale et acquise, qui sont redevenus difficiles à différencier. En fonction de cette redéfinition quasi désespérée de la folie qui, une fois de plus, se mêlait aux ratés de la socialité ordinaire jusqu'à s'y méprendre et à s'y perdre, l'intraitable était de plus en plus traité par des moyens grossièrement expérimentaux (thérapies de choc, psychochirurgies, etc.). Le fou social était encore oublié dans l'hôpital psychiatrique, redevenu asile, dépotoir, décharge où s'entassaient ceux et celles qui n'avaient pas de place dans la société de l'époque.

Le Québec n'a pas échappé à cette cyclothymie scientifique et institutionnelle faite de promesses et de déceptions, de thérapeutique et de coercition, d'humanisme et d'intolérance. Les populations flottantes et inquiétantes se sont vu en effet offrir un espoir lorsque le premier établissement consacré spécifiquement aux aliénés, le Montreal Lunatic Asylum, a annoncé en 1839 un enviable taux de guérison de 90 % (Cellard, 1991 ; Keating, 1993). Mais même en ces temps héroïques et optimistes, on peut se demander ce qui était guéri au juste, alors que les plus prestigieux psychiatres de l'époque peinaient à circonscrire de manière convaincante et spécifique ce que la folie signifiait, englobait, désignait. James Douglas, cofondateur de l'Asile provisoire de Beauport, associait la folie à la dissension religieuse, au vice secret (masturbation), à l'hérédité, à l'intempérance ou aux passions excessives (Cellard et Thifault, 2007). Henri Howard, le premier surintendant médical du plus grand établissement psychiatrique au Québec, l'Hôpital Saint-Jean-de-Dieu, admettait volontiers qu'« il est difficile de distinguer la folie de la dépravation morale[7] ». Loin de chercher à susciter le sourire par un anachronisme facile, nous sommes au contraire prêts à reconnaître que ces interrogations restent entières aujourd'hui, bien que formulées dans des termes plus contemporains. La nature de ce que nous avons appelé folie, et qui existe encore de nos jours, n'est pas en effet réductible à la seule consistance du mental pathologique et ne le sera jamais, peu importe les percées scientifiques.

De la fin du XIXe siècle jusqu'au milieu des années 1950, l'optimisme thérapeutique n'était plus de mise. Par exemple, seulement 30 % des femmes et 24 % des hommes admis ont quitté l'Hôpital Saint-Jean-de-Dieu avec la mention « guéri » entre 1890 et 1910[8]. Peu importe l'endroit, le portrait était souvent le même : les admissions étaient quotidiennes, les départs rarissimes, et l'engorgement obligeait l'ouverture d'asiles satellites (Wallot, 1998 ; Malouin, 1996 ; Boudreau, 2003). Il y avait de plus en plus de « maisons de santé réservées aux exclus de la société » (Cellard et Thifault, 2007, p. 74) et de moins en moins de lieux de traitement pour un problème médical

7. Le fait que les prisons aient servi d'intermédiaire pour la majorité des admissions dans les hôpitaux psychiatriques au cours des années 1840, 1850 et 1860 n'est donc pas un hasard (Cellard et Thifault, 2007, p. 29-32).

8. Le Verdun Protestant Hospital affichait quant à lui un taux de guérison de 35 % (Cellard et Thifault, 2007, p. 75).

spécifique comme les pionniers de la psychiatrie le souhaitaient. Même si les thérapeutiques avaient été à la hauteur, ce qui n'est certes pas le cas, le personnel médical était nettement insuffisant, voire « symbolique » dans ces établissements surpeuplés. Dans le cas du Québec, une armée de femmes non salariées issues des communautés religieuses s'affairait à prendre soin de ce que la société structurellement rejetait. En l'espace d'un demi-siècle, cette forme de prise en charge globale à la fois de la folie mentale et de la folie sociale est cependant devenue institutionnellement invivable, scientifiquement injustifiable, politiquement illégitime et moralement insupportable.

À la fin de la Deuxième Guerre mondiale, les expériences de « désenfermement » des pensionnaires des asiles, hommes et femmes aux mille visages et aux mille problèmes, ont commencé progressivement à prendre forme. Ce processus, dont la promotion a principalement été assurée par les psychiatres réformateurs, les antipsychiatres (eux-mêmes souvent des psychiatres asilaires[9]) et les regroupements de patients, est graduellement devenu une politique d'État. Robert Castel (1973) parle ironiquement de « Grand désenfermement » pour désigner ce nouveau retournement institutionnel généralisé ayant conduit à la remise en circulation dans la cité des fous mentaux et des fous sociaux qui étaient tenus jusque-là loin des yeux du public. On assiste alors à l'émergence d'une nouvelle forme d'optimisme, à cause des thérapeutiques encourageants des premiers antipsychotiques et antidépresseurs, de la capacité d'accueil et de tolérance de la communauté vis-à-vis des pensionnaires désinstitutionnalisés et, enfin, de la capacité de ces derniers à redevenir par eux-mêmes des citoyens autonomes à la recherche de leur place légitime dans la société.

Toutefois, au cours de la deuxième moitié des années 1970, une triple frustration s'est fait jour : les nouveaux médicaments psychotropes, l'abolition des systèmes de prise en charge autoritaires et le

9. Parmi lesquels figurent Franco Basaglia et David Cooper.

rétablissement du contact entre les populations enfermées et la collectivité n'avaient pas donné les résultats escomptés. Tout d'abord, la disponibilité de médicaments plus performants avait certes enrichi la palette des soins de la psychiatrie, mais les modalités d'accompagnement et de soutien social pendant et après les crises psychotiques (ou psychosociales) n'étaient pas à la hauteur des conditions de vie concrètes des personnes désinstitutionnalisées. Ensuite, s'il est vrai que l'institutionnalisation de la folie ajoutait une aliénation supplémentaire (dépersonnalisation, perte d'habiletés sociales, violences symboliques multiples) à l'aliénation mentale réelle ou supposée (comme Erving Goffman l'a bien montré), elle n'était pas la cause principale du problème éprouvé par bien des personnes placées en institution qui avaient été préalablement rejetées par la société. Enfin, le retour du fou dans la communauté, avec les changements nécessaires sur le plan de la législation qui le minorisait de manière intolérable, avait rétabli le minimum de respect juridique et d'égalité formelle que tout individu mérite dans une société de droit, mais cela ne faisait pas de lui un citoyen à part entière et ne constituait pas un soutien réel à l'autonomie sociale minimale que la société lui réclamait désormais avec insistance en lui faisant porter, parfois cyniquement, des utopies et des idéologies communautaires qui le dépassaient.

Les mille visages du fou dans la cité

Au Québec, le mouvement de désinstitutionnalisation qui s'est enclenché au tournant des années 1960 (Bédard *et al.*, 1962) a abouti à la même déception en dépit des nombreux réaménagements, réformes et rectifications politiques et administratives qui ont été entrepris. Au départ, ce mouvement véhiculait une définition précise de la maladie mentale qui ne faisait pas de différence entre maladies somatiques et mentales, affirmant que « la maladie mentale est une maladie comme les autres ». Comme pour les autres maladies, le traitement de la maladie mentale devait être offert dans le milieu plutôt que dans un contexte institutionnel coercitif et stigmatisant devenu médicalement injustifiable. Mais dans les faits, la maladie mentale n'a jamais été une maladie tout à fait comme les autres, car le milieu thérapeutique qui lui était réservé était déjà différent puisqu'il était sectorisé.

Lorsqu'on justifie la sectorisation des services psychiatriques, on sous-entend que chaque individu est inscrit dans l'espace, lié significativement à un territoire déterminé et plus ou moins intégré à une communauté spécifique, et que tout cela, déjà fort hypothétique, est à la fois souhaité et souhaitable autant pour la communauté que pour l'individu. Toutefois, seuls les soins psychiatriques sont concernés par la sectorisation, les malades somatiques pouvant se promener librement d'un secteur à l'autre, d'une collectivité à l'autre, d'un milieu à l'autre pour se faire soigner, sans besoin de prouver leur appartenance à une région administrative particulière. De ce fait, même pour les personnes souffrant de problèmes de santé mentale appartenant durablement à un secteur déterminé, la dispensation des soins psychiatriques en fonction d'un critère géographique s'est avérée d'emblée difficile à légitimer sur le plan citoyen, éthique et légal. La figure emblématique du code postal, véritable mot de passe donnant accès aux soins psychiatriques de chaque secteur, est très vite devenue l'un des marqueurs de ceux et celles qui, autrefois, auraient été captés par le dispositif asilaire.

La sectorisation a connu très tôt des difficultés importantes non seulement dans sa justification philosophique, qui désavouait la supposée non-spécificité de la maladie mentale, mais surtout dans sa mise en application concrète[10]. Loin d'être de simples ajustements tech-

10. Avec l'adoption du *Plan d'action en santé mentale 2005-2010,* qui redéfinit en profondeur les contours des soins et des services en réseau de première, deuxième et troisième ligne, la question de la sectorisation est reléguée au second plan.

niques inhérents à l'implantation d'un nouveau système de dispensation de soins psychiatriques, ces difficultés mettaient en lumière des transformations sociétales de fond qui se sont accentuées au cours des décennies suivantes (individualisme croissant, mobilité des populations vers les centres urbains, redéfinition des configurations familiales, augmentation du nombre de personnes vivant seules, fragilisation des systèmes de protection sociale, précarisation des conditions d'emploi). L'une des manifestations concrètes de la dynamique de ces transformations, conjuguée au désenfermement des populations autrefois tenues à l'écart du public, a été l'apparition des populations urbaines marginales et marginalisées remettant en question l'image harmonieuse, tolérante et accueillante que la communauté pouvait avoir d'elle-même.

Ces catégories de personnes identifiées explicitement dans les années 1980, un peu à la manière d'une liste d'épicerie de l'École de Chicago, comme malades mentaux, itinérants, ex-détenus, toxicomanes, déficients intellectuels et mésadaptés socioaffectifs (Amyot *et al.*, 1985) n'ont pas d'adresse fixe durant des périodes suffisamment longues pour être aisément admissibles aux services psychiatriques administrativement désignés lorsqu'elles en ont besoin. Elles n'appartiennent à aucun secteur, mais elles existent et sont dans la cité à défaut d'être dans la communauté. En plus, elles ont des besoins énormes, éprouvent des difficultés importantes et posent problème aux autres[11]. Les centres urbains sont en effet les espaces où les nouvelles populations vulnérables, mouvantes et visibles, que nous asso-

11. La transformation du profil des populations parmi d'autres phénomènes aussi complexes mais d'un autre ordre (fermeture de départements de psychiatrie, évolution des besoins de la population, modification des ressources disponibles, etc.), entraîna plusieurs révisions de la politique de sectorisation de soins psychiatriques, notamment en 1991, 1996 et 2003 (Otero *et al.*, 2005), sans pour autant résoudre les difficultés éprouvées par les usagers qui excèdent largement la question de l'accès aux soins psychiatriques.

cions de plus en plus à l'univers de la santé mentale perturbée, à la toxicomanie, à la marginalité et à la pauvreté extrême, circulent et évoluent avec plus de fréquence qu'ailleurs même si elles viennent de partout (Roy et Hurtubise, 2007).

Dans les villes, ces individus trouvent non seulement des ressources d'hébergement, d'intervention et de soutien, mais également une moindre intolérance, même si leur présence est souvent considérée comme étant non souhaitable, dérangeante et parfois menaçante par le voisinage, les commerçants et les passants. Le cœur du problème, soit les nombreux besoins de certaines populations qui sont irréductibles aux seuls soins psychiatriques, ne peut donc être réglé par des réorganisations administratives successives, aussi ingénieuses et bien intentionnées soient-elles. Le fou dans la cité n'est pas obligatoirement fou, parfois il n'est pas principalement fou et encore moins seulement fou. Il a mille visages qu'on ne peut réduire à une population homogène de malades mentaux et mille problèmes qu'on ne peut régler avec le seul geste psychiatrique, sectorisé ou non, même si l'accès aux services était disponible, efficace et démocratique. De plus, aujourd'hui comme par le passé, il existe mille raisons pour que la communauté ne veuille pas de lui, car même s'il n'est pas nécessairement fou, ne serait-ce que par ses seules conditions d'existence fort précaires qui l'obligent à se comporter autrement, il n'est assurément pas comme les autres.

La loi et l'ordre

Le concept de maladie mentale défendu par les psychiatres réformistes des années 1960 a éclaté simultanément des deux côtés : la maladie mentale a récupéré progressivement sa qualité de maladie qui n'est pas comme les autres et les problèmes concrets des personnes souffrant de troubles de santé mentale se sont révélés être des problèmes qui n'étaient pas seulement psychiatriques. Une *spécificité* a refait obstinément surface, car le mental perturbé se distinguait de nouveau clairement du somatique pathologique, ramenant l'ancienne figure du fou qui hante celle du malade mental telle que saisie par la médecine mentale. Un *brouillage* s'est installé durablement puisque les problèmes psychiatriques ont recommencé à se fondre dans la complexité et la gravité des problèmes sociaux.

D'une part, on constate l'impossibilité de médicaliser les problèmes de santé mentale, soit pour de bonnes raisons (en finir avec la stigmatisation des maladies psychiatriques par rapport aux autres maladies), soit pour de mauvaises raisons (réduire la complexité des problèmes de santé mentale à la seule dimension médicale). D'autre part, on s'est rendu compte qu'il n'était pas possible d'escamoter la référence à un autre univers que celui du médical (défavorisation sociale, vulnérabilité sociale, tensions sociales, comportements problématiques, isolement social, manque de ressources, troubles relationnels) lorsqu'il s'agissait de donner un sens au terme *problème* dans l'expression de plus en plus courante de « problème de santé mentale ».

Au-delà des plans symbolique, scientifique et conceptuel, la définition de la maladie mentale voulant qu'elle soit une maladie comme les autres impliquait des transformations majeures non seulement dans l'organisation et la dispensation des services psychiatriques[12], mais également dans la législation concernant les malades mentaux évoluant désormais librement dans la cité sans aucune autre contention que les hypothétiques amortisseurs de la consistance communautaire. Ce qui, encore une fois, rappelait la difficulté de penser la maladie mentale comme non spécifique même en ce qui a trait au

12. La mise en œuvre de cette politique a donné lieu à plusieurs lacunes, résistances et difficultés. Les principales ont été le manque de services dans la communauté, le manque de concertation entre les services rendant difficile des interventions suivies et intégrées et, enfin, le manque de ressources de soutien pour les familles et les proches des malades, ce qui a favorisé ou provoqué un désengagement progressif devant la lourdeur de la tâche (Guberman *et al.*, 1987 ; Dorvil *et al.*, 1997).

droit. En effet, le Québec a adopté en 1972 la Loi sur la protection du malade mental qui a remplacé la précédente et désuète législation de la période asilaire. Celle-ci avait certes donné lieu à toutes sortes d'abus, mais elle reflétait largement les dynamiques sociales propres de la société québécoise d'avant la Révolution tranquille (Boudreau, 2003).

Si la nouvelle législation visait sans conteste la protection du malade mental, les populations désinstitutionnalisées étaient très hétéroclites et aux prises avec des problèmes multiples et variés. Pauvres, démunis, abandonnés, handicapés, mères seules, épileptiques, orphelins et vieillards, qui faisaient tous partie des pensionnaires des anciennes institutions asilaires, n'étaient que partiellement concernés par une loi protégeant spécifiquement les malades mentaux. D'autres dispositifs, essentiellement la police, les tribunaux et les prisons, ont pris la relève par défaut dans la gestion et la prise en charge de ces populations dont le dénominateur commun était moins la santé mentale perturbée que le fait qu'elles n'étaient les bienvenues nulle part et qu'elle n'avait aucun endroit où aller. Peut-on encore affirmer qu'il s'agit de « populations », comme une certaine sociologie et certains dispositifs administratifs nous ont habitués à les conceptualiser ? Ou devrait-on plutôt parler d'individus à part entière avec de nombreux besoins et posant de multiples problèmes, évoluant dans une société d'individualisme de masse qui n'a pas de place pour eux et qui doit se doter d'une grammaire administrative pour les gérer[13] ?

En Amérique du Nord, plusieurs études ont constaté le rôle croissant joué par les services de police dans la gestion de situations pro-

13. Nous utilisons le terme *populations* par commodité, mais il est inadéquat. Les personnes touchées par les dispositifs de psychiatrie-justice sont des individus singuliers qui éprouvent des problèmes variés et complexes. Nous faisons la critique de l'utilisation sociologique de la notion de *populations* dans « Repenser les problèmes sociaux » (Otero, 2012b).

blématiques impliquant des personnes soupçonnées de souffrir d'un problème de santé mentale[14]. Dès 1975, c'est-à-dire à peine une quinzaine d'années après le début de la désinstitutionnalisation, la Commission de réforme du droit du Canada a dénoncé explicitement les abus, les iniquités et les discriminations dont les individus atteints de troubles de santé mentale étaient victimes et a prôné une politique dite de « déjudiciarisation de la maladie mentale ». Au Québec, au tournant des années 1980, les ministères de la Santé et des Services sociaux, de la Justice et de la Sécurité publique ont mis sur pied une « table de concertation psychiatrie-justice », terme qui désigne deux dimensions du problème certes importantes, mais qui élude du moins symboliquement la dimension sociale des situations problématiques judiciarisées.

Les contextes de la déjudiciarisation amorcée dans les années 1990 et celui de la désinstitutionnalisation lancée trente ans plus tôt sont à la fois différents et semblables. Si la Loi sur la protection du malade mental promulguée en 1972 traduisait les inquiétudes politiques et sociales liées à l'internement abusif par un dispositif asilaire clos sur lui-même, la législation qui lui succéda en 1998 reflétait plutôt les préoccupations politiques et sociales liées à la judiciarisation abusive du dispositif sécuritaire ouvert sur la communauté. Mais tant le dispositif asilaire que le dispositif judiciaire géraient en termes généraux

14. Les indicateurs de la pratique de judiciarisation de la maladie mentale évoqués dans la littérature sont habituellement : taux d'arrestation, poursuites judiciaires et présence relativement élevée de prévenus et de détenus en milieu carcéral ayant manifestement des problèmes de santé mentale, ainsi qu'un usage fréquent de la disposition relative à l'évaluation de l'aptitude à subir son procès (Lefebvre, 1985 ; Laberge et Morin, 1993 ; Wachholz et Mullaly, 1993). Périodiquement, certains cas retentissants défraient la manchette au Québec et mettent en lumière la réalité du problème de la judiciarisation des personnes souffrant de maladie mentale (un itinérant en crise qui meurt à la suite d'une arrestation musclée, un jeune déficient mental incarcéré à cause d'aveux incriminants induits par la police, un jeune schizophrène qui meurt après une crise dans sa cellule).

les mêmes lignes de faille sociétales incarnées par l'existence tenace d'individus sans feu ni lieu qui dérangent, sont vulnérables, peuvent sembler menaçants et parfois dangereux, et ce, peu importe les causes (santé mentale, pauvreté, isolement, marginalité), la combinaison de celles-ci ou la primauté de certaines par rapport à d'autres sur lesquelles il n'y a pas consensus. Les tentatives administratives pour remédier aux ratés de la désinstitutionnalisation et de la communautarisation psychiatriques, et plus tard de la déjudiciarisation, ont escamoté un fait majeur : les « ratés » de la socialité courante ont eux aussi été désinstitutionnalisés.

À la recherche de la dangerosité mentale

L'une des réponses données à la judiciarisation des problèmes de santé mentale et, en partie, à celles de certains problèmes sociaux difficiles à distinguer des premiers a curieusement été juridique : le renouvellement de la législation sur l'internement civil[15]. Les études concernant les pratiques d'internement civil involontaire dans l'après-désinstitutionnalisation ont souligné l'ambiguïté des interventions concrètes mettant en scène plusieurs acteurs (policiers, ambulanciers, médecins, psychiatres, psychologues, travailleurs sociaux, familles, voisins, organismes de défense, juges) portant des regards différents sur les événements (Cardinal, 2001 ; Teplin, 2001). S'il y avait consensus sur l'existence d'un problème, la solution proposée fluctuait quant à elle énormément en fonction de variables fort disparates, contingentes et contextuelles. Par exemple, citons les cadres interprétatifs de

15. Depuis les années 1960 et 1970, une vaste réforme concernant l'intervention juridique en matière de maladie, de santé mentale et de dangerosité civil e a été menée un peu partout en Occident (Barreau du Québec, 1998 ; Dallaire *et al.*, 2001).

la situation (sens commun des proches, expérience de terrain des intervenants, savoirs scientifiques, législation), le lieu où l'incident survenait (rue, établissement, ressource communautaire, domicile privé), la logique concrète des négociations qui s'engageaient durant l'intervention (police, familles, médecins), l'information dont les intervenants disposaient (renseignements sur la personne interpellée, sur son histoire, ses problèmes) et, enfin, le type de ressources disponibles au moment précis de la prise en charge de l'individu (refuge, urgence psychiatrique, centre de crise, poste de police).

Il n'est pas surprenant d'apprendre que l'élément le plus controversé de ces pratiques était le passage du constat de l'existence d'un problème à la définition du type de problème dont il s'agissait : mental, social, culturel, criminel, psychosocial ? Au Québec, la Loi sur la protection des personnes dont l'état mental présente un danger pour elles-mêmes ou pour autrui (loi P-38[16]), adoptée en 1998, se présentait comme une réponse à un double besoin : fournir un outil d'intervention légal pour les situations problématiques au statut incertain et contrer la judiciarisation des personnes souffrant de troubles de santé mentale. Parmi les modifications importantes apportées à la législation, celle jugée la plus novatrice concernait l'article 8, qui mettait de l'avant une procédure de déjudiciarisation du processus à l'étape du renvoi initial. En effet, la loi autorisait désormais un agent de la paix à amener contre son gré et sans l'autorisation d'un tribunal une per-

16. La Loi sur la protection des personnes dont l'état mental présente un danger pour elles-mêmes ou pour autrui a d'abord été le projet de loi n° 39. La loi a été adoptée le 18 décembre 1997 par l'Assemblée nationale (L.Q., 1997 c. 75) et est entrée en vigueur le 1er juin 1998 (RLRQ, c. P-38.001). Elle remplace la Loi sur la protection du malade mental promulguée en 1972 et s'harmonise avec d'autres réformes ou législations importantes, dont la Charte des droits et libertés de la personne du Québec, la Charte canadienne des droits et libertés ainsi que le nouveau Code civil du Québec, particulièrement en ce qui a trait aux dispositions en matière de garde en établissement et d'évaluation psychiatrique.

sonne dans un établissement de santé (CLSC ou centre hospitalier) « à la demande d'un intervenant d'un service d'aide en situation de crise qui estime que l'état mental de cette personne présente un danger grave et immédiat pour elle-même ou pour autrui ». Cela dit, tous les acteurs du milieu savaient que les policiers et les ambulanciers transportaient régulièrement des individus à l'hôpital pour qu'ils y subissent des évaluations psychiatriques en ayant recours à d'autres législations, notamment la *common law,* une pratique plus ou moins contestée que la nouvelle loi prétendait encadrer.

Cette nouvelle loi maintenait la centralité du critère de dangerosité pour procéder à la suspension des droits de la personne, mais elle modifiait quatre éléments clés, signe que le contexte social avait évolué : l'association quasi automatique entre maladie mentale et dangerosité, l'identité professionnelle des intervenants désignés pour évaluer le danger mental, le registre d'application de la loi et les droits des individus interpellés[17]. Si la notion de dangerosité, malgré les nombreux problèmes de définition qu'elle pose[18], demeurait en théorie le

17. Sur le plan des droits des personnes visées, la loi a énoncé de nouvelles règles, notamment celles relatives au droit d'être informées des mesures prises à leur égard, des motifs qui les sous-tendent et au droit de communiquer avec leurs proches et un avocat, et ce, dès le début des procédures. Cette obligation d'informer l'individu concerné incombe à l'agent de la paix et à l'établissement qui le prend en charge. Elle se répète lorsque de nouvelles mesures de garde sont prises. La loi a prévu à cet effet un document (annexe de la loi) à remettre à la personne visée. Les restrictions ou interdictions de communiquer pendant les mesures de garde ont également été révisées. La loi précise leur caractère temporaire et indique le statut des interlocuteurs à qui elles ne peuvent pas s'appliquer, soit le représentant de l'individu concerné, la personne habilitée à consentir aux soins requis par son état de santé, un avocat, le curateur public et le Tribunal administratif du Québec. Toute garde ou décision prise dans le cadre de cette loi peut être contestée. Ces droits ne sont que partiellement respectés par les différentes instances d'intervention. Nous traitons de cet aspect de l'application de la loi dans *Protection ou cœrcition ? Le point de vue des personnes interpellées par la loi P-38* (Dorvil *et al.*, 2007).

18. La loi a retenu deux notions, soit la dangerosité régulière (Ménard, 1998),

principal critère justifiant l'application de la loi, d'autres notions semblaient être devenues inadéquates pour désigner le caractère mental de la dangerosité présumée. Sur le plan de la terminologie, la loi P-38 utilisait en effet le terme d'« état mental » plutôt que celui de « maladie mentale ». En principe, on pourrait croire que la procédure de déjudiciarisation prévue explicitement par la loi se doublait d'une procédure de démédicalisation de la dangerosité mentale. L'association malheureusement courante et non fondée entre dangerosité et maladie mentale avait effectivement été évacuée du texte de la loi. Toutefois, cette dissociation s'accompagnait forcément d'un élargissement potentiel du registre d'application de la loi, somme toute une loi d'exception[19], s'appliquant aux personnes dont l'état mental pouvait être perturbé au point de constituer un danger sans qu'il soit possible de parler de maladie mentale. Ce changement de registre signalait une autre transformation plus large : le passage de la référence à la maladie mentale à la référence à la santé mentale comme ancrage symbolique pour justifier de nombreuses interventions sociales, urgentes ou non, qui visaient des situations problématiques complexes, dangereuses ou non, et des personnes dont le profil était inclassable, souffrant ou non de problèmes de santé mentale.

En toute cohérence avec la transition de la maladie mentale vers

---

devant être constatée par deux médecins pour justifier une ordonnance de garde, et le danger grave et immédiat. Pour ce dernier cas, l'article 8 autorise le transport d'une personne à l'hôpital contre son gré si les intervenants jugent qu'elle représente un danger grave et immédiat pour elle-même ou pour autrui. Cette disposition correspond à un processus de déjudiciarisation de la procédure puisque, dans ces circonstances définies comme exceptionnelles, elle permet d'éviter de faire appel à un tribunal pour obtenir une ordonnance de garde en établissement afin que la personne visée y subisse un examen psychiatrique.

19. La loi P-38 autorise la suspension des droits fondamentaux d'une personne en raison de sa dangerosité mentale sans faire appel à un tribunal. Elle est donc une loi d'exception puisqu'elle contrevient aux chartes des droits et libertés, et doit être appliquée lorsque toutes les autres options ont échoué.

l'état mental perturbé, la nouvelle loi a abandonné la notion de cure fermée au profit de celle de garde en établissement (garde préventive, provisoire ou régulière), choix qui tient compte de la dimension éthique du consentement de la personne interpellée à se soumettre à une thérapeutique et, la plupart du temps, à la prise de médicaments psychotropes. En effet, la loi P-38 n'autorise pas le traitement involontaire, ce que pouvait laisser entendre la notion de cure fermée de la précédente loi (Ménard, 1998 ; Migneault et O'Neil, 1988). Toutefois, ces nouveaux droits sur le consentement au traitement ont été nuancés par la possibilité d'utiliser d'autres outils légaux telles les demandes d'autorisations judiciaires de soins (AJS) adressées à un juge de la Cour supérieure du Québec par les hôpitaux ou les médecins traitants (Otero et Dugré, 2012). Comme nous le verrons dans le chapitre huit, le recours à ces outils juridico-psychiatriques a réintroduit un déséquilibre structurel entre institutions traitantes et individus souffrants qui vient confirmer le caractère spécifique de la maladie mentale, qui est périodiquement remis en question.

Dans ce contexte de déjudiciarisation des états mentaux dangereux, il a également fallu désigner des experts et établir l'expertise adéquate pour que les intervenants puissent s'assurer qu'ils ont bel et bien affaire à un état de dangerosité mentale plutôt qu'à autre chose (criminalité, pauvreté, déviance). La nouvelle législation a en effet introduit un nouvel acteur et un nouvel acte à poser : l'intervenant d'un service d'aide en situation de crise (ISASC) et l'estimation[20] de la dangerosité mentale pas forcément pathologique. Il n'était désormais plus nécessaire d'être médecin ou encore psychiatre pour estimer la dangerosité mentale, car ce geste ne présuppose pas de

20. La question de savoir s'il s'agit d'estimer ou d'évaluer la dangerosité, ce dernier terme étant plus proche du diagnostic, donc d'actes réservés à certaines catégories professionnelles, a fait l'objet d'un débat (Otero *et al.*, 2005, p. 75). Pour ce qui est du texte de la loi, c'est le verbe *estimer* qui a été retenu.

diagnostic médical officiel ni aucun autre acte réservé à un ordre professionnel quelconque. Ce n'était donc plus seulement les familles ou les proches, au moyen d'une requête d'évaluation psychiatrique adressée à la Cour du Québec, les psychiatres dans leurs établissements ou encore les policiers dans la rue[21], en vertu d'autres codes légaux, qui possédaient la prérogative de demander la suspension des droits d'une personne en raison d'un état de dangerosité mentale conformément à la loi, mais également un certain nombre d'intervenants psychosociaux de formations variées : les ISASC.

Si la loi n'a pas résolu les questions de l'identité socioprofessionnelle et de la désignation[22] des ISASC, elle a en revanche créé un nouveau champ d'action, en prescrivant à différents acteurs de travailler ensemble et en spécifiant certains des actes à poser. Ceci témoigne indirectement de la complexité de ce qui est appelé « problème de santé mentale » dans sa manifestation concrète durant une crise pour laquelle la simple observation et l'intervention médicale demeurent

21. Selon la loi P-38, lorsqu'il n'y a pas d'ISASC de disponible pour estimer la dangerosité en temps utile, c'est le policier, à la demande du titulaire de l'autorité parentale, du tuteur au mineur ou de l'une ou l'autre des personnes visées par l'article 15 du Code civil du Québec qui peut faire la demande de garde préventive à la Cour.

22. Après l'adoption de la loi, la Régie régionale de Montréal-Centre a joué un rôle central dans la clarification, et parfois la redéfinition, de ces critères. Au début, les centres de crise (CIC) se présentaient comme les acteurs tout désignés pour devenir les ISASC au sens de la loi tel que spécifié, par ailleurs, dans les plans régionaux d'organisation des services (PROS). Toutefois, le manque de financement de la part du ministère de la Santé et des Services sociaux pour développer les services de crise en santé mentale a modifié brusquement ce scénario. La décision finale de nommer l'Urgence psychosociale-justice (UPS-J) comme ISASC à Montréal s'appuyait clairement sur le statut d'institution publique directement imputable de cette équipe d'intervention mobile disponible en tout temps, mais également sur sa grande expérience de travail en psychiatrie-justice de concert avec la police dans le cadre du mandat de déjudiciarisation en vigueur depuis 1996. Pour plus de détails, voir Otero *et al.*, 2005.

insuffisantes. Or, parmi ces actes, certains reviennent fréquemment dans la pratique des intervenants des centres de crise et des ressources communautaires déjà en place (désamorcer la crise, diriger vers des ressources adéquates) tandis que d'autres, tels que l'estimation du danger grave et immédiat en raison de l'état mental, sont plus rares. Bien entendu, sur le terrain, les intervenants de crise n'ont pas attendu une loi spéciale pour trancher dans ce type de situations, estimant *de facto* le danger et prenant les mesures nécessaires, mais la loi P-38 a reconnu explicitement la pertinence de ces actes en déclarant officiellement l'estimation du danger comme étant un geste « spécialisé ».

La loi est tout de même ambiguë quant au partage de responsabilités entre les médecins, la police et les ISASC. Elle indique que le policier peut transporter la personne contre son gré après l'estimation du danger par l'ISASC, mais n'exige pas qu'il le fasse. De plus, l'identité professionnelle de l'ISASC demeure floue. Les avis juridiques demandés par les différents acteurs concernés par l'application et l'implantation de la loi ont mis en lumière les conflits interprétatifs aussi bien que les réflexes corporatifs présents dans le nouveau scénario d'intervention établi par la législation. Pour le Service de police de la Ville de Montréal, la loi n'a pas clarifié les bases du pouvoir d'intervention des policiers dans les appels concernant des situations délicates qui seraient des soubresauts de la désinstitutionnalisation et des transformations sociales récentes (familles en détresse, itinérants, jeunes en difficulté). L'intention du législateur était-elle de subordonner l'action de la police à la demande d'un ISASC ou visait-elle à développer un travail de collaboration entre les policiers et les intervenants du milieu de la santé et des services sociaux ? Quoi qu'il en soit, les registres du social, du mental et du criminel, d'une part, et ceux de l'urgence et du danger, de l'autre, semblent de plus en plus difficiles à délimiter dans le cas d'une crise concrète.

Les experts juridiques consultés par les ambulanciers (Azancot et associés, 1998) ont de leur côté attiré l'attention sur l'absence d'une hiérarchie claire dans le processus décisionnel impliquant le policier, le médecin et l'ISASC. Plus encore, ils ont trouvé impensable, voire insupportable, que l'instance médicale puisse être subordonnée à l'instance psychosociale. Selon eux, il semble évident qu'il s'agit d'un oubli du législateur et que ce n'était pas l'intention de ce dernier de placer l'instance médicale, peu importe où elle se trouve, sous l'autorité d'un intervenant en situation de crise. Dans son propre avis juridique (1998), l'Association des CLSC et CHSLD du Québec a pour sa part affirmé que le policier était subordonné à l'ISASC lorsqu'il était question de décider de la présence d'un danger mental grave et immédiat. Dans le cas où la demande provient d'un tiers (famille, ressource communautaire) plutôt que d'un ISASC, l'Association soutenait que le policier devait faire appel à l'expertise d'un ISASC.

Pour l'Association des hôpitaux du Québec (1998), le changement de titre de la loi ne devait pas être interprété comme une transformation de son champ d'application. Cette modification visait plutôt à moderniser la terminologie pour mieux signifier la primauté des droits et libertés des personnes concernées. L'Association a noté, comme plusieurs autres groupes d'acteurs, que la loi, tout comme le Code civil du Québec, ne définissait pas la notion de danger grave et immédiat. De son point de vue, il appartenait donc au médecin et non à l'ISASC de juger de la gravité de la dangerosité que présente l'état mental d'une personne. De plus, elle était d'avis que le médecin devait établir un lien entre la dangerosité et l'état mental, comme c'était le cas dans l'ancienne législation. Même si la nouvelle loi avait exclu le terme « maladie mentale », l'Association des hôpitaux du Québec affirmait que le fait qu'une personne soit violente ne pouvait pas justifier la garde et qu'il fallait aussi que la dangerosité soit secondaire à la maladie mentale. Or, seul un médecin est habilité à constater la présence d'une maladie, c'est-à-dire à diagnostiquer.

D'une façon ou d'une autre, tous les acteurs et ordres professionnels semblaient être obligés de se positionner par rapport à « l'intrus » somme toute modeste en termes d'identité socioprofessionnelle et de pouvoir : l'ISASC. Mais ce nouveau joueur était là pour rester, car il incarnait à lui seul toute l'ambiguïté de la conflictualité psychosociale vulnérable, dérangeante, en danger et dangereuse que la médecine psychiatrique prétend souvent réduire à une seule dimension : le mental pathologique. À Montréal, la Régie régionale de la santé et des services sociaux[23] a désigné en juin 2001 l'UPS-J comme service d'aide en situation de crise pour réaliser les estimations de dangerosité mentale et, ainsi, rendre effective la nouvelle législation. D'autres services (le Centre Dollard-Cormier, les centres de crise, les services externes de l'Institut Philippe-Pinel de Montréal, le Centre de psychiatrie légale de Montréal) ont également été nommés plus tard afin de s'acquitter de cette tâche, mais en principe uniquement pour leurs clientèles « connues et en présence ». Tout comme les populations interpellées qui ont mille visages, mille problèmes et mille besoins, les ISASC ont également mille visages et autant d'expertises, parfois acquises dans le feu des situations problématiques qu'ils doivent affronter.

La vulnérabilité et la conflictualité psychosociales chroniques

Ces avis juridiques, et les conflits socioprofessionnels dont ils témoignent, ont marqué le début d'une nouvelle période que nous pourrions appeler « l'ère de la post-déjudiciarisation », caractérisée par la montée du psychosocial dangereux, en danger et dérangeant (Otero, 2007). Dans ce contexte, la police était invitée par la loi à chercher un terrain d'entente, voire un partenariat, avec de nouveaux acteurs psy-

---

23. Après la réforme de la santé (projet de loi 25) de 2004, la Régie régionale de la santé et des services sociaux a pris le nom d'Agence de développement de réseaux locaux de services de santé et de services sociaux. Depuis l'adoption de la réforme de 2015 (projet de loi 10), les agences ont été remplacées par les centres intégrés de santé et de services sociaux (CISSS).

chosociaux, les ISASC, pour gérer des situations problématiques complexes. La médecine, elle aussi, était encouragée par la loi à partager avec l'ISASC certains de ses pouvoirs et expertises (estimation de la dangerosité mentale) et même à lui en déléguer. Les familles, qui devaient remplir en cas de besoin le formulaire de requête d'évaluation psychiatrique et le soumettre à un juge, avaient aussi le devoir de maîtriser le nouveau langage de la dangerosité mentale afin de justifier leurs demandes de garde et de les voir exaucées. Les frontières entre troubles relationnels, conflits sociaux, problèmes de santé mentale et certaines formes de criminalité devaient être reproblématisées en termes de vulnérabilité psychosociale, crise psychosociale et dangerosité mentale.

Ainsi, l'acte à poser dans le cadre d'une intervention visant des situations de dangerosité mentale telles que définies par la loi semblait maintenant triple : estimer le danger mental, désamorcer la crise mentale et diriger l'individu vers le lieu approprié (de l'hôpital psychiatrique au domicile de la personne interpellée, en passant par les diverses ressources disponibles). Lorsque la loi était bien appliquée, il s'agissait de « garder » (« neutraliser » le danger souvent potentiel) plutôt que de « traiter » (déployer des thérapeutiques, donner des remèdes) la personne considérée comme source d'un danger pour elle ou pour autrui. Sans surprise, ce triple acte d'intervention (estimer, désamorcer, référer) constituait avant tout un travail de gestion de risques psychosociaux plutôt qu'une stratégie de résolution des situations problématiques (y compris la personne problématique) qui y sont associées. D'une manière plus générale, nous étions de nouveau dans l'acceptation implicite du caractère en quelque sorte chronique d'une certaine conflictualité et vulnérabilité psychosociales irréductibles au seul mental pathologique, au traitement médical et à la psychiatrie. Comme il en sera question à maintes reprises plus loin dans ce livre, ce psychosocial problématique chronique est aujourd'hui traduit en termes de dangerosité mentale, non pas parce qu'il constitue l'univers symbolique décrivant le mieux les situations (ou personnes) problématiques, mais plutôt parce que cette référence est efficace pour justifier l'intervention et fait l'objet d'un certain consensus, faute de mieux.

Les législations de 1972 (désinstitutionnalisation) et de 1998 (déjudiciarisation) témoignent respectivement de deux représentations différentes de l'intervention par rapport au mental problématique qui correspondent à deux contextes historiques, normatifs et institutionnels distincts. En 1972, c'était une maladie mentale réellement ou potentiellement dangereuse (pour la personne affectée ou pour les autres) à traiter et idéalement à guérir. Vingt-six ans plus tard, c'était devenu un état mental réellement ou potentiellement dangereux (pour l'individu concerné ou pour autrui) à gérer et idéalement à résorber (désamorcer la crise psychosociale, référer à une ressource spécifique). Le pouvoir de la psychiatrie comme autorité compétente dans la décision cruciale portant sur la détermination de la dangerosité mentale d'une personne s'est redistribué en fonction de la consolidation d'un nouveau contexte social dont les ISASC et les populations multiproblématiques (groupes inclassables) étaient les révélateurs non pas majoritaires, mais les plus symptomatiques.

Cette redistribution de pouvoir et de compétences n'était pas un simple détail. Elle correspondait à une réalité sociale bien ancrée concernant certaines populations défavorisées, isolées, marginales ou marginalisées dont les problèmes étaient loin de se réduire à la seule dimension du mental perturbé, pathologique ou non, vulnérable ou non, dérangeant ou non, dangereux ou non. Ces personnes, qui à une autre époque auraient sans doute été captées par le dispositif asilaire, avaient souvent pour seul univers de vie l'ensemble des ressources disponibles à leur égard (refuges, comptoirs d'alimentation, roulottes de dépannage, centres de crise), notamment dans les villes (Namian, 2012 ; Grimard, 2011[24]). Les intervenants œuvrant pour ces ressources

24. La notion sociologique de « vie moindre » (Namian, 2011) et la description

étaient donc parfois les seules personnes pouvant témoigner non seulement sur leur dangerosité mentale éventuelle, mais surtout sur leurs problèmes, leur état de santé, leurs parcours, leurs habitudes, voire leur simple existence.

Ainsi, le registre d'application de la législation de déjudiciarisation, tout comme la palette d'intervenants potentiels, s'est élargi, brouillé et complexifié. La conflictualité psychosociale peut à son tour s'épanouir plus librement dans l'univers de plus en plus inclusif de la santé mentale (état mental perturbé, trouble mental, problème de santé mentale, déséquilibre mental, crise psychosociale, détresse psychosociale, souffrance sociale) qui ne cesse de s'enrichir et de s'étendre à ses dépens. C'est maintenant au tour de la dangerosité mentale de tenter d'avaler[25] l'univers du psychosocial problématique, tâche à laquelle la psychiatrie (asile, diagnostics, médicaments) et le juridique (police, loi, règlements) ont successivement échoué. Mais qui est en train d'avaler qui exactement ? Nous essaierons de répondre à ces questions dans les chapitres suivants.

Les populations flottantes d'hier et d'aujourd'hui ne sont pas les mêmes, mais elles ne sont pas très différentes non plus. À vrai dire, il ne s'agit pas de populations, mais d'individus avec des trajectoires diverses qui ne semblent trouver leur place nulle part, qui existent péniblement et circulent parfois, qui ont des besoins criants et sont souvent dérangeants, ou encore qui paraissent menaçants, voire dangereux dans certains cas. Bref, ils ont des problèmes (pauvreté, vulnérabilité sociale, symptômes psychologiques, handicaps, marginalisa-

---

ethnographique du cas de figure du noyau dur de la clientèle habituelle des refuges d'itinérants montréalais (Grimard, 2012) illustrent ce phénomène.

25. Claude Lévi-Strauss distinguait les sociétés qui avalent les individus (anthropophagiques) de celles qui crachent les individus (anthropoiémiques). Des antipsychiatres comme David Cooper (1970) ont montré que les sociétés modernes combinaient les deux processus : les familles crachent le schizophrène et l'hôpital psychiatrique l'avale.

tion, isolement, dépendances, santé fragile) et ils posent problème à la société sur le plan des normes de conformité et des exigences sociales qui leur sont contemporaines (comportements déplacés, styles de vie non conformes, incapacité à subvenir à leurs besoins, passages à l'acte violents). C'est toutefois sous l'effet des multiples politiques sociales, sanitaires (y compris en santé mentale) et sécuritaires qu'ils ont été regroupés en catégories administratives répondant davantage aux logiques concrètes d'intervention, de prise en charge, d'aide, de soins et de contrôle des autorités qui les gèrent qu'aux hypothétiques caractéristiques intrinsèques censées les définir.

En ce sens, les lois successives mises au point pour ces personnes illustrent davantage le type de société en cause que le type de population (ou plutôt d'individu) qui est catégorisé, identifié et visé. La législation d'internement asilaire (tutelle institutionnelle) déléguait au tout-puissant surintendant médical de l'asile l'autorité nécessaire pour enfermer des personnes sans feu ni lieu ou rejetées par leurs proches et souvent à bout de ressources. La législation de désinstitutionnalisation (volonté d'intégration) tentait de retourner dans la communauté ceux et celles qui en avaient été arrachés pour des raisons diverses afin de les soigner et de les réinsérer. La législation de déjudiciarisation (gestion de risques) permet maintenant l'interpellation au cas par cas des nouveaux fous civils, qui ne doivent pas être forcément traités puisqu'ils ne sont pas nécessairement fous, ni obligatoirement punis, car ils ne sont pas automatiquement délinquants, mais qui incarnent un danger et des risques devant être gérés. Trois sociétés, trois normativités et trois manières historiques d'assumer institutionnellement les entrecroisements concrets entre folie mentale et folie sociale.

CHAPITRE 2

La dangerosité mentale : nouveau visage de la folie civile

La plupart des hommes sont incapables de se former une opinion personnelle, mais le groupe social auquel ils appartiennent leur en fournit de toutes faites.

GUSTAVE LE BON, *Aphorismes du temps présent*

Les sociétés démocratiques libérales dans lesquelles nous vivons sont des sociétés où les conflits, les dysfonctionnements et les multiples vulnérabilités des personnes qui les composent sont régulés, gérés ou pris en charge par des dispositifs complexes qui font référence à des valeurs positives largement consensuelles telles que la santé physique et mentale, le respect des normes communes, l'autonomie et la responsabilité des individus. Depuis au moins trois décennies, la référence à la santé mentale, au psychosocial et à la souffrance psychique, sans qu'on parvienne à définir clairement les limites de ces univers, joue un rôle capital dans la gestion des conduites qui posent problème à certaines personnes, à leur entourage ou à la société.

Toutefois, nous vivons également dans des sociétés de droit. Pour cette raison, s'il est question d'intervenir auprès d'un citoyen en s'appuyant sur l'autorité d'une discipline ou d'une expertise particulière (médicale, psychiatrique, psychologique) parce que son état de santé mentale ou son comportement sont jugés susceptibles de lui porter préjudice ou de causer du tort à un tiers, il faut disposer soit de son consentement, soit d'instruments légaux conçus pour de telles situations. Lorsqu'il s'agit d'associer des comportements problématiques à l'univers de la santé mentale afin de légitimer un acte sécuritaire, thérapeutique ou social, plusieurs variables qui ne sont pas toujours clairement dissociables et qu'il faut nécessairement hiérarchiser durant l'intervention entrent simultanément en jeu, ce qui rend la chose fort complexe.

Il faut penser à la volonté de la personne, à ses droits juridiques, à sa réelle capacité ou non à consentir à une intervention qui la concerne, à l'information dont elle doit disposer pour prendre une décision éclairée, au rapport de forces dans lequel elle est placée (savoirs experts, appareil judiciaire, normativité sociale) et à la possibilité de recourir à d'autres types d'intervention que celles proposées. Il faut aussi tenir compte des soucis légitimes (ou de l'épuisement après de longues années de soutien) de l'entourage ou des proches en ce qui a trait à certains comportements problématiques ou inquiétants d'une personne aimée ou connue, aux risques de santé ou de sécurité présumés qui découlent de la non-intervention pour l'individu visé ou pour autrui et aux avantages d'offrir de l'aide bénéfique au bon moment à une personne dans une situation difficile risquant de se dégrader si rien n'est fait. Tous ces éléments sont fortement imbriqués lorsqu'il s'agit de comprendre la légitimité, la pertinence et les bienfaits d'une intervention non souhaitée par l'individu concerné, mais demandée par d'autres (famille, entourage, médecins, policiers, intervenants sociaux, institutions). Dans les cas de crises psychiques, psychosociales ou psychiatriques, les variables risque, danger, temps, dommages potentiels ou réels pour l'individu en cause ou pour autrui se combinent sur le registre de l'immédiateté (il faut agir dans l'ici et le maintenant), de l'incertitude (renseignements inexistants, insuffisants ou imprécis sur la personne et sur son histoire) et de la complexité intrinsèque de la situation-problème (difficulté à distinguer un danger réel d'un comportement étrange, imbrication des problèmes relationnels et sociaux avec des problèmes de santé mentale).

Les grammaires du droit et de la psychiatrie

Peu importe la stratégie d'intervention et la manière dont est qualifié le comportement la justifiant (maladie mentale, crise psychosociale, trouble mental, dangerosité mentale), lorsqu'il est question de la gestion concrète de ce type de situations problématiques mêlant mental perturbé et social problématique, les grammaires du droit et de la psychiatrie sont mobilisées pour baliser un univers qui a souvent été appelé « psychiatrie-justice ». La grammaire du droit est l'une des manières courantes de réduire la complexité d'une expérience problématique multidimensionnelle en fonction d'un certain nombre de critères préalablement déterminés par les juristes au détriment d'autres éléments jugés non pertinents.

En ce sens, des parallèles peuvent être établis entre l'application d'un critère légal (ou administratif) et celle d'un critère diagnostique médical (psychiatrique ou psychologique) pour appréhender une situation problématique complexe. Tous les deux font appel à des technologies autoréférentielles qui permettent un codage dans une terminologie très spécialisée inaccessible aux profanes et, par la suite, habilitent des intervenants à prendre certaines décisions et à accomplir certains actes avec une autorité symbolique et matérielle légitimée par des disciplines scientifiques prestigieuses (suspendre des droits, prescrire des thérapeutiques, ordonner des tests ou des examens, exclure ou inclure tel ou tel autre programme, donner ou bloquer l'accès à des ressources), que ce soit pour le bien de la personne visée, la protection des tiers, le respect des lois, d'un certain ordre social ou de certaines valeurs.

Ainsi, une plainte ambiguë faite devant un clinicien (souffrances psychologiques, dysfonctionnements, fragments d'histoire significatifs, douleurs physiques et morales) peut être transformée par réduction phénoménologique (sélection de quelques dimensions de la réalité considérées comme pertinentes) en un diagnostic formalisé (codage disciplinaire) qui stabilise la situation, rend légitime la prescription d'un traitement et autorise la formulation d'un pronostic (hypothèse scientifiquement fondée permettant de prévoir comment les choses vont se dérouler désormais selon la logique de la maladie identifiée). S'il est vrai que les manuels de diagnostics en psychiatrie demeurent des outils libres d'accès et que le clinicien devrait expliquer en long et en large (ce qui n'est pas toujours le cas) les caractéristiques du trouble mental diagnostiqué ainsi que les raisons de recourir à telles thérapeutiques plutôt qu'à d'autres, il reste que le patient ne maîtrise pas les logiques du savoir qui définit, ou du moins nomme, au bout du compte ce dont il souffre. Il se trouve donc structurellement placé dans une position subordonnée, c'est-à-dire en déficit de savoir et de pouvoir par rapport à sa plainte (une partie de lui et de sa vie) devenue catégorie technique (diagnostic) avec toutes les conséquences (bonnes ou mauvaises) qui en découlent pour lui.

Dans la même optique, une situation complexe exposée devant un juge peut se muer aussi, par réduction phénoménologique et codage disciplinaire, en une figure du droit (crime, infraction, contravention) permettant l'application d'une sentence, la prise de certaines mesures punitives ou coercitives (amende, arrestation, tutelle, garde) et la formulation d'un pronostic (comment les choses vont se dérouler désormais en fonction de la procédure formalisée dans les lois, les codes, les jurisprudences). Les matériaux bruts pour parvenir à une décision sont les éléments de preuve mis à la disposition du magistrat (avis d'un expert, déposition de la famille, des proches et, moins fréquemment dans le cas de la dangerosité mentale, les propos de l'intimé lui-même). Même si les manuels de droit, les codes de procédure et les lois peuvent être consultés par le public et que le juge est censé expliquer clairement ce qui est en train de se passer dans le cadre d'une audience (ce qui n'arrive pas toujours), le défendeur ne connaît pas les logiques du savoir permettant de déterminer ce dont il responsable, passible, imputable ou coupable avec toutes les conséquences (bonnes ou mauvaises) qui en résultent pour lui une fois que le verdict est tombé. Bref, il se retrouve structurellement placé dans une position subordonnée en raison de ses lacunes en matière de savoir et de pouvoir concernant l'interprétation juridique de ce qu'il a fait, de ce qui lui est imputé et qui pourrait se traduire par une sentence ou une ordonnance.

L'application d'un diagnostic à une plainte ambiguë, tout comme l'application d'une loi à une situation toujours phénoménologiquement plus large, s'inscrit dans un dispositif matériel (tribunaux, hôpital, police, cliniciens) et symbolique (savoirs, expertises, codes) de classement de personnes (incarnant ce qui est pathologique, illégal, déviant, reproché ou ce qui doit être protégé) et de modulation de conséquences (sanctions, gestes d'intervention, thérapeutiques, exclusions, inclusions) hautement ritualisé et autoréférentiel. Depuis fort longtemps, psychiatrie et droit contribuent, avec leurs institutions, leurs savoirs et leurs catégories, à délimiter et formaliser le champ de compétence du secteur de la psychiatrie-justice en légitimant les arrimages entre les dimensions du mental perturbé et du social problématique qui autorisent des interpellations sécuritaires, sociales ou thérapeutiques selon des critères souvent larges (risque, danger, protection, besoin de traitement ou de protection). Il s'agit d'un triple geste de définition (détermination du contenu ontologique de la folie civile à chaque époque avec inclusion de nouveaux phénomènes et exclusion d'autres), d'identification (méthodes de reconnaissance, mesure et interpellation) et de distinction des autres phénomènes voisins (crime, maladie, pauvreté, marginalité).

Comment recrute-t-on aujourd'hui les individus présumés fous au point de constituer un danger pour eux-mêmes ou les autres ? Comment les autorités actionnent-elles les dispositifs de triage à l'échelle du social pour repérer les personnes qui semblent mentalement dangereuses selon la législation en vigueur ? Quelle est l'interface concrète entre le psychosocial dangereux, dérangeant et en danger, véritable contenu de la folie civile contemporaine, et les dispositifs de prise en charge, de tutelle et de soins légitimes et disponibles ?

La garde provisoire : interface entre folie civile et société

Au Québec, un consensus s'est établi au cours des années 1990, notamment dans le cadre de la table de concertation psychiatrie-justice mentionnée dans le chapitre précédent, pour contrecarrer l'usage de la police et du système pénal comme réponse aux situations d'urgence qui ne relèvent pas clairement, voire pas du tout, du registre pénal et sécuritaire. Une politique de déjudiciarisation en santé mentale s'est alors développée, ce qui a entraîné des réformes majeures de la législation relative à l'internement civil involontaire, marquées par une tendance à restreindre l'application de la loi au seul critère de dangerosité mentale. Depuis 1998, la Loi sur la protection des personnes dont l'état mental présente un danger pour elles-mêmes ou pour autrui a redéfini les règles, les pouvoirs et la procédure du processus d'internement civil pour cause de risques liés à l'état mental d'une personne[1].

La loi retient deux notions de dangerosité, celle que certains juristes ont qualifiée de « régulière » (Ménard, 1998), qui doit être constatée par deux médecins pour justifier une ordonnance de garde, et celle dite « grave et immédiate », qui déclenche une procédure expéditive. Dans ce dernier cas, la loi ajoute une nouvelle disposition (l'article 8) qui autorise le transport d'une personne contre son gré à un service de santé si les intervenants, par exemple un ISASC, estiment qu'elle représente un danger grave et immédiat pour elle-même ou

---

1. Pour un état des lieux sur les enjeux de la législation en matière de santé mentale au Québec, voir Bernheim (2015).

Tableau 1. — Caractéristiques des trois types de garde

	Garde préventive	Garde provisoire	Garde en établissement
Situation visée	Le cas d'une personne dont l'état présente un danger grave et immédiat pour elle-même et/ou pour autrui	**Elle permet de soumettre une personne à une évaluation psychiatrique**	Elle est ordonnée lorsque l'évaluation conclut à la nécessité de garder la personne en raison de sa dangerosité mentale
Moyen d'obtenir la garde	Décision d'un médecin d'un centre hospitalier sans nécessité d'obtenir le consentement de la personne ou une ordonnance d'un juge, et sans l'obligation de faire subir un examen psychiatrique	Ordonnance d'un juge sur preuve d'un risque sérieux de danger	Ordonnance d'un juge basée sur deux rapports psychiatriques qui concluent à la dangerosité de la personne
Qui peut demander la garde ?	Médecin	**Médecin ou toute autre personne intéressée (famille, intervenant, proche). Une requête* est nécessaire**	Directeur de l'établissement (ou personne déléguée)
Durée de la garde	Maximum 72 h	Soit 96 h à partir de l'ordonnance, soit 48 h s'il y a eu garde préventive. Deux examens psychiatriques doivent être effectués dans ce laps de temps.	Le tribunal fixe la durée. Pour plus de vingt et un jours, des examens périodiques doivent être faits pour statuer sur la pertinence de la garde
Prolongation de la garde	Aucune	Aucune	Nouvelle démarche auprès d'un tribunal
Levée et fin de la garde	En tout temps, avant l'expiration des 72 h	Si un des deux examens conclut à la non-dangerosité	Certificat du médecin traitant ; rapport psychiatrique manquant dans les délais établis ; fin de la durée de l'ordonnance ; décision d'un tribunal, du TAQ

* La requête d'évaluation psychiatrique pour la dangerosité mentale fait partie de cet univers normatif spécifique, hautement codifié et ritualisé qui compte quatre régulations juridiques explicites : la Loi sur la protection des personnes dont l'état mental présente un danger pour elles-mêmes ou pour autrui, le Code civil du Québec, la Loi sur les services de santé et les services sociaux et le Code de procédure civile.

pour autrui. Cette disposition correspond à un processus de déjudiciarisation de la procédure puisque, dans ces circonstances définies comme exceptionnelles, elle permet d'éviter de se présenter devant un tribunal pour obtenir une ordonnance de garde en établissement afin que la personne visée y subisse un examen psychiatrique.

Dans ce contexte légal général, il existe trois types de garde : préventive, provisoire et en établissement. Cette version simplifiée du tableau proposé par le Tribunal administratif du Québec sur le sujet fournit les principales caractéristiques de chacune.

La garde provisoire est un outil de l'univers de la psychiatrie-justice qui fait appel tant aux derniers développements des deux disciplines (diagnostics et législation) qu'à la longue histoire d'hybridation entre techniques psychiatriques et judiciaires pour gérer des situations problématiques où le mental perturbé et le social problématique sont entremêlés. À la différence des deux autres types de garde, qui sont le privilège des médecins traitants ou des directeurs des centres hospitaliers dans leurs contextes institutionnels et cliniques, la garde provisoire est la véritable interface entre les individus présumés dangereux, en danger et dérangeants, et la psychiatrie, parce que ce dispositif les recrute là où ils posent problème, soit au sein de leur famille, dans leur logement, dans les ressources communautaires ou dans la rue. La garde provisoire n'est pas l'apanage des médecins et du monde médical puisqu'elle permet aux particuliers de demander à un tribunal d'ordonner deux examens psychiatriques pouvant attester la présence d'un cas de dangerosité mentale. Comme l'explique le document *Qu'est-ce que l'ordonnance d'examen psychiatrique ?* publié par le Collège des médecins :

> La requête d'examen psychiatrique est une démarche légale qui, sanctionnée par un juge, permettra aux policiers d'amener le patient dans un établissement de soins de santé pour subir une évaluation psychiatrique. Cette démarche doit être initiée par une personne intéressée (le requérant) et portée à la connaissance du conjoint, d'un membre

de la famille, du tuteur ou du curateur (appelés le « mis en cause » dans la requête). Si le requérant et le mis en cause s'entendent sur la nécessité d'un examen psychiatrique, la procédure est rapide. Souvent, dans la même journée, il est possible de remplir la requête, de la présenter au juge et de la faire exécuter. Une lettre d'appui d'un médecin qui connaît le patient peut être utile, mais n'est pas nécessaire[2].

Les particuliers sont largement majoritaires lorsqu'il s'agit de recourir à ce type de « procédure légale rapide », laquelle, si la requête est acceptée, trace *de facto* la frontière entre, d'une part, problème privé, public, social ou relationnel et, d'autre part, trouble mental, de personnalité ou crise psychosociale dangereuse. Ce sont surtout eux, membres de la famille, proches ou amis, qui devront remplir le formulaire requis pour obtenir l'ordonnance de garde provisoire du tribunal en décrivant le mieux possible ce qui ne va pas dans le comportement ou dans la vie de la personne concernée. Bref, le dispositif de la garde provisoire est celui qui permet soit de fournir à l'individu visé les soins dont il a besoin, soit de psychiatriser une situation caractérisée par de multiples dimensions problématiques autres que mentales en évoquant la figure inquiétante de la folie civile actuelle : la dangerosité mentale.

Le site gouvernemental Justice Québec[3] insiste sur l'obligation d'agir et le besoin de recourir à un médecin dans un spectre de situations plutôt larges et variées :

Lorsqu'une personne a visiblement des troubles mentaux graves, vous devez intervenir pour qu'elle voie rapidement un médecin. Il peut

---

2. Collège des médecins, *Qu'est-ce que l'ordonnance d'examen psychiatrique ?*, [www.cmq.org/~/media/630AA11D11584CA4814F3B1F6B10C354.ashx].

3. Justice Québec, « Justice et troubles mentaux », [www.justice.gouv.qc.ca/francais/publications/generale/troubl-ment.htm].

s'agir, par exemple, d'un inconnu qui veut se suicider sur la place publique, d'un voisin qui menace de sauter par la fenêtre ou d'une bonne amie qui semble avoir perdu contact avec la réalité au point de refuser de se nourrir.

La logique séquentielle réelle de l'utilisation de la requête pour obtenir une ordonnance du tribunal semble claire : soupçon de trouble psychiatrique, danger présumé attribué à ce trouble, refus de consulter un psychiatre de la part de la personne concernée, requête d'évaluation psychiatrique, ordonnance du tribunal et évaluation psychiatrique. Qui sont les principaux utilisateurs des requêtes de garde provisoire que le jargon administratif appelle les « requérants » ? L'étude de l'ensemble des requêtes adressées à la Cour du Québec à Montréal durant deux années complètes, soit 2003 et 2007[4], permet de mieux comprendre le rôle qu'ils sont censés jouer. En effet, dans environ 81 % des dossiers présentés en 2003 et dans presque 77 % de ceux soumis en 2007, le requérant est un membre de la famille. La deuxième catégorie significative de requérants est celle des intervenants sociocommunautaires (12 % des dossiers en 2003 et 17 % des dossiers en 2007), dans laquelle nous regroupons les travailleurs sociaux ainsi que les intervenants communautaires œuvrant dans des refuges, des centres de crise et d'autres ressources d'aide. Ces derniers s'occupent souvent de clientèles spécifiques, parfois appelées « clientèles connues et en présence », qui sont aux prises avec des problèmes multiples (pauvreté extrême, précarité résidentielle, itinérance, toxicomanie, alcoolisme, problèmes de santé mentale graves). Pour le reste des demandes de garde provisoire, soit environ 5 % du total en 2007, ce sont les médecins (2,78 %), l'entourage « physique » de la personne, catégorie qui inclut les propriétaires d'immeubles, les

4. Nous avons pu étudier exhaustivement la totalité des demandes de garde provisoire déposées en 2003 et en 2007 au Palais de justice de Montréal.

concierges, les responsables de logements collectifs et les voisins (2,56 %), les policiers (0,64 %) et le représentant légal (0,21 %) qui agissent comme requérants.

En outre, la loi exige qu'une requête pour évaluation psychiatrique soit soutenue par deux personnes : le requérant, qui est en quelque sorte le principal demandeur, et un « mis en cause », c'est-à-dire une deuxième personne « intéressée » qui peut appuyer la demande. Encore une fois, c'est un membre de la famille qui joue ce rôle dans la majorité des cas (75 % en 2003 et 71 % en 2007) et, en deuxième lieu, les intervenants sociaux tels que définis plus haut (10 % en 2003 et 18 % en 2007). Ces données sur le requérant et le mis en cause montrent que la plupart des individus qui font l'objet d'une requête sont encore liés à un réseau social même si, comme nous le verrons dans les autres chapitres, cette démarche rend compte d'un univers de conflictualité, d'usure et de tensions sur le plan des relations interpersonnelles dont la dynamique peut faire craindre à court

Graphique 1. — Utilisateurs des requêtes pour évaluation psychiatrique à Montréal en 2007

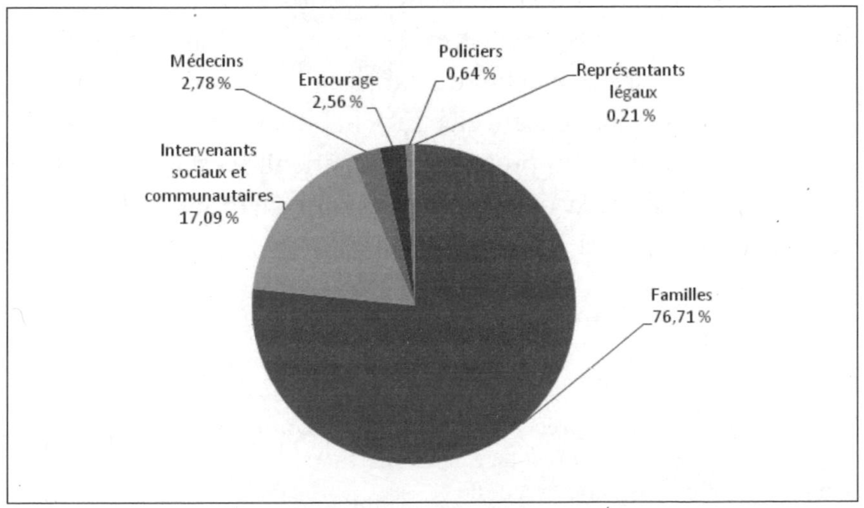

ou moyen terme une fragilisation encore plus grave et même une rupture des liens. Autrement dit, ces résultats indiquent qu'au moins les trois quarts des personnes visées par une requête d'évaluation psychiatrique ne sont pas socialement isolées à cette étape de leur existence, tandis qu'environ le quart semblent déjà dépendre fortement du réseau institutionnel ou communautaire incarné par les intervenants sociocommunautaires. Parmi ces dernières figurent des individus éprouvant de multiples problèmes ou problématiques particulières (itinérance, dépendances, problèmes de santé mentale lourds) qui ont été amenés à interrompre les liens avec leur famille en raison de leur trajectoire de vie difficile, de même que des personnes plus âgées et plus isolées dont les proches sont décédés ou dans l'impossibilité de leur venir en aide. Dans ce dernier cas, nous constatons que le travailleur social comme requérant principal ou mis en cause gagne en importance au fur et à mesure que l'âge des individus augmente.

Il n'est pas inutile de rappeler qu'à cet égard le dispositif asilaire québécois dans ses premières versions institutionnelles et le dispositif actuel encadré par la loi P-38 remplissent en apparence une fonction sociale semblable, soit celle de gérer et de prendre en charge un certain nombre d'individus qui, pour des raisons diverses, n'ont pas de place dans la société, du moins vu la manière dont elle fonctionne pour la majorité des personnes, avec ses exigences et possibilités moyennes. De la fin du XIXe siècle au début du XXe siècle, les demandes d'admission à l'asile au Québec étaient en effet « habituellement remplies par un parent, un ami ou un protecteur du patient. Il est à noter que le requérant était dans la majorité des cas un membre de la famille de l'aliéné » (Cellard et Thifault, 2007, p. 38[5]).

5. Lorsque des chiffres précis sont disponibles, comme c'est le cas pour les années 1898 et 1921, le pourcentage de dossiers dans lesquels un membre de la famille agit comme requérant est de 86 %.

L'efficacité du dispositif : *rubber stamping* ou filtre institutionnel ?

Au Palais de justice de Montréal entre 1997 et 2007, une moyenne d'un peu plus de 376 requêtes pour évaluation psychiatrique ont été déposées annuellement et de manière relativement régulière selon les mois et les saisons, ce qui constitue un matériau riche pour mieux comprendre ce que la folie civile signifie aujourd'hui, sous sa nouvelle formulation juridique de dangerosité mentale.

Ce qui étonne à première vue en ce qui concerne le recours à la requête pour évaluation psychiatrique est l'efficacité du mécanisme, qui fait en sorte que les juges acquiescent presque systématiquement à la demande du requérant. De l'ensemble des dossiers analysés pour 2003 (393 dossiers) et 2007 (465 dossiers), nos deux années de référence, le taux d'acceptation des demandes est supérieur à 98 % en 2003 (387 requêtes accordées et 2 rejetées) et à 97 % en 2007 (453 requêtes accordées et 3 rejetées[6]).

D'un point de vue extérieur, il serait facile de conclure que la requête pour évaluation psychiatrique constitue une procédure automatique dans laquelle les autorités de circonstance acceptent les demandes des familles les yeux fermés *(rubber stamping)*. Or, il existe un ensemble de mesures et de pratiques bien implantées qui ont pour effet de filtrer les demandes en amont, de telle sorte que celles qui aboutissent devant le juge remplissent les conditions nécessaires pour respecter la définition légale de la dangerosité mentale. En effet, les requêtes pour évaluation psychiatrique font l'objet d'un « accompagnement institutionnel[7] » rigoureux qui se déploie à plusieurs étapes

6. Les autres dossiers se sont soldés par un abandon des procédures : le requérant a laissé tomber, la personne concernée a accepté les soins ou a mis fin à ses jours.

7. Il est possible de faire le parallèle avec l'accompagnement relatif à l'utilisation des diagnostics du *DSM-IV-TR* : directives, formations, cas cliniques, brochures

Graphique 2. — Requêtes pour évaluation psychiatrique déposées à Montréal entre 1997 et 2007

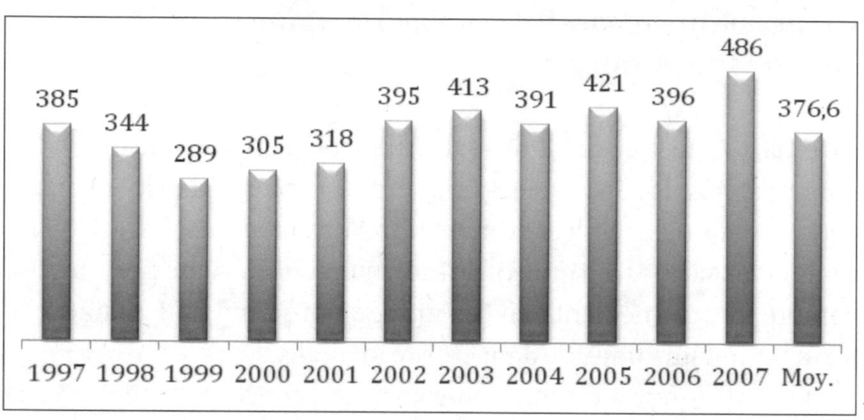

et niveaux, tantôt de manière officieuse, tantôt de manière officielle, et qui semble expliquer, du moins en partie, le taux d'acceptation effarant des demandes. À vrai dire, le processus actuellement en vigueur ne répond pas seulement à l'application scrupuleuse de la loi, notamment en ce qui concerne les droits des individus visés, mais aussi à une série d'opérations administratives qui facilitent l'efficacité de la démarche entreprise.

Depuis la réforme adoptée en 1998, la loi exige que la personne faisant l'objet de la requête soit prévenue afin qu'elle puisse préparer une défense, ce qui s'appelle dans le jargon juridique « signifier à l'intimé ». Le site Justice Québec indique quant à lui que « la signification est une formalité par laquelle une partie porte un acte de procédure (ou une décision) à la connaissance de l'autre partie en observant des formes légales ; la signification est normalement effectuée par un huissier de justice ou par courrier recommandé[8] ». Dans la pratique,

simplificatrices des diagnostics disponibles pour les patients dans la salle d'attente… Ainsi, ce dont les personnes souffrent est arrimé aux syndromes répertoriés et formalisés.

8. Justice Québec, « Justice et troubles mentaux », [www.justice.gouv.qc.ca/francais/publications/generale/troubl-ment.htm].

l'obligation de prévenir la personne concernée semble toutefois une formalité dans le sens ordinaire du terme, car la norme est de demander au juge, et de l'obtenir presque systématiquement, une dispense de signifier à l'intimé qu'une démarche judiciaire est en cours contre lui. Le formulaire de demande de requête d'évaluation psychiatrique offre un espace pour justifier brièvement une telle dispense, laquelle peut être demandée pour trois raisons : la signification serait nuisible à la santé ou à la sécurité de l'intimé, à la santé ou à la sécurité d'autrui, ou bien l'urgence de la situation ne permet pas de prévenir l'individu visé.

Dans la même veine, le formulaire permet d'expliquer succinctement les raisons pour lesquelles le requérant demande à la Cour de renoncer également à l'interrogatoire de l'intimé, à savoir : il est présentement introuvable ou en fuite, il est inutile d'exiger son témoignage en raison de son état de santé, il y a urgence ou il pourrait être

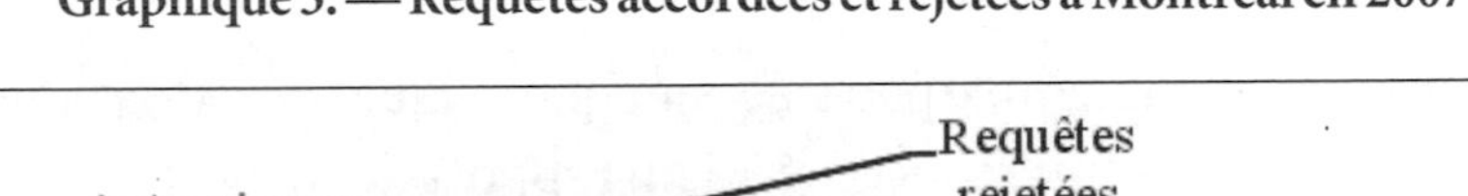

Graphique 3. — Requêtes accordées et rejetées à Montréal en 2007

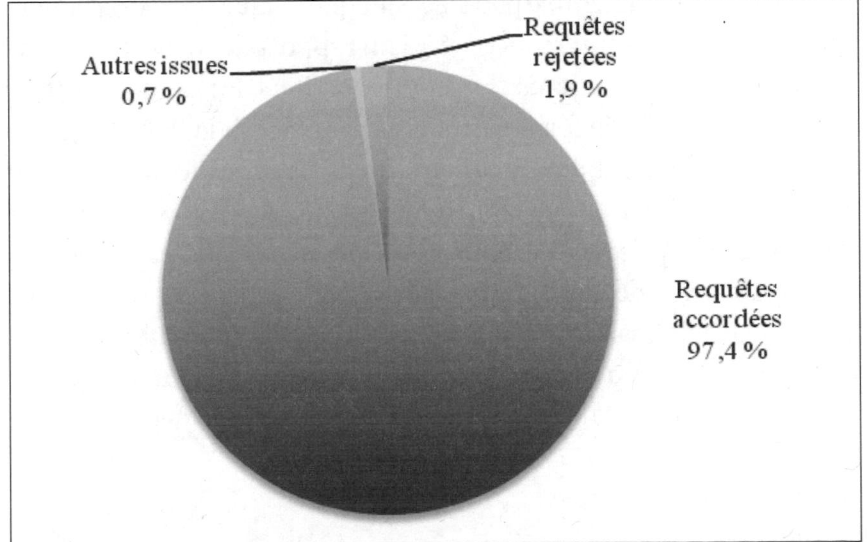

dangereux pour sa santé ou sa sécurité ou pour la santé ou la sécurité d'autrui d'exiger ce témoignage. Même si le formulaire, tout comme la loi P-38, mentionne clairement que la dispense tant de signification que d'interrogation « constitue une mesure exceptionnelle », dans la pratique elle semble plutôt être la norme.

Il s'agit donc d'orientations claires menant souvent à une mise en forme standardisée des contenus qui cherchent à atteindre les objectifs fixés. Ainsi, les mêmes arguments qui permettent de respecter les critères justifiant le contournement de certains des droits de l'individu concerné se retrouvent souvent d'une requête à l'autre. Le site Justice Québec propose néanmoins une formulation plus pragmatique et réaliste de la norme juridique telle qu'appliquée en pratique, formulation qui reflète le poids réel de l'avis médical dans la démarche :

> Le juge doit, si c'est possible, entendre la personne visée par la requête à moins que cela paraisse inutile. C'est notamment le cas si la requête est accompagnée d'un rapport signé du médecin confirmant la nécessité d'avoir une évaluation psychiatrique[9].

Dans les faits, il semble peu fréquent qu'un juge procède à l'interrogatoire de la personne concernée si un rapport du médecin accompagne la demande. Dans ce contexte, la section « En cas d'insatisfaction » située à la fin du formulaire tient davantage de la rhétorique que d'une véritable possibilité de contestation. Elle offre le conseil suivant à l'individu déjà gardé en établissement : « Si vous n'êtes pas satisfait d'une décision prise à votre endroit ou que vous n'êtes pas en accord avec le maintien de votre garde en établissement, vous pouvez vous adresser au Tribunal administratif du Québec [lien conduisant au site du Tribunal]. » Non seulement le Tribunal administratif du Québec a des compétences dans bien d'autres domaines que les cas de garde

---

9. *Ibid.*

en établissement, ce qui fait qu'il est très difficile de s'y retrouver, mais les conditions d'accès sont aussi complexes.

Les objectifs de la signification sont de permettre à la personne d'obtenir toute l'information nécessaire à la compréhension autant des faits qui lui sont reprochés que du processus judiciaire qui l'attend pour pouvoir préparer sa défense dans les meilleures conditions. Tout cela reste évidemment très hypothétique en ce qui concerne l'application concrète de la loi P-38 puisque les individus visés sont, pour la plupart, des gens vulnérables, démunis et aux prises avec toutes sortes de problèmes. Et l'enjeu n'est pas que juridique. Si la demande de ne pas signifier la démarche à l'intimé est acceptée, ce dernier est conduit par les forces de l'ordre jusqu'au tribunal, ce qui a l'effet immédiat d'entacher sa réputation dans son voisinage, en plus des aspects traumatisants que peut comporter un déplacement forcé en voiture de police. La distinction entre les types de garde et leurs caractéristiques, le chevauchement des cadres juridiques, les compétences des différents acteurs en fonction de la loi P-38 et les notions clés telles que la dangerosité mentale, tout cela n'est pas clair et fait parfois l'objet de débats même chez les intervenants[10]. Comment une personne censée souffrir de troubles de santé mentale importants pourrait-elle s'y retrouver dans ce contexte complexe, ambigu et autoréférentiel ? Par contre, le requérant est à plusieurs égards mieux outillé, car l'imposition d'un formulaire standardisé (espaces prédéfinis réservés à la présentation de certaines informations, thèmes très orientés des rubriques) l'induit à une forme particulière d'argumentation assurant l'efficacité de la démarche pour obtenir la garde provisoire.

10. Pour les débats, l'ambiguïté et les imprécisions par rapport à la lettre et à l'application de la loi, voir Dorion, 2005, p. 28-30.

Dire la dangerosité : apprendre à formuler la folie civile contemporaine

Quoi qu'il en soit, pour que fonctionne la logique séquentielle de la garde provisoire que nous schématisons en cinq étapes (soupçon de trouble psychiatrique, danger présumé relié à ce dernier, refus de consulter un psychiatre, requête pour évaluation psychiatrique, ordonnance du tribunal et évaluation psychiatrique), il faut mettre au point et diffuser dans le réseau de la santé et des services sociaux un langage qui n'est plus celui de la folie classique, de la maladie mentale ou de la contravention de la loi, mais celui ni tout à fait médical ni tout à fait juridique de la dangerosité mentale. Il s'agit alors de réussir à rassembler dans un même document, soit la requête pour évaluation psychiatrique, les arguments étayant le soupçon de dangerosité mentale chez un individu, c'est-à-dire la crainte qu'il soit mentalement troublé au point de représenter un danger pour lui-même ou pour autrui. Ces arguments ont recours à des termes clés et à des descriptions orientées d'événements qui permettent ainsi de dire la dangerosité mentale dans un format admissible, lisible et signifiant pour l'univers du droit. Ils constituent donc la première traduction d'une expérience brute posant problème en raison de son côté fort éprouvant tant pour la personne concernée que pour son entourage soucieux, ébranlé et parfois épuisé.

L'un des moyens privilégiés dans la mise en application de la réforme de 1998 a été la formation des différents acteurs appelés à y jouer un rôle. Cela répondait notamment à l'un des aspects les plus fréquemment critiqués de la situation qui prévalait avant la refonte de la loi, soit les disparités des pratiques d'une région à l'autre et au sein d'une même région. À Montréal, la Chambre civile de la Cour du Québec a décidé d'élaborer et de donner une formation spécialisée sur la préparation de la requête pour évaluation psychiatrique à l'intention des professionnels du réseau de la santé et des services sociaux, principalement les intervenants des CLSC. Il s'agissait d'opérer un arrimage entre les langages des instances juridiques et des milieux de vie des intimés et des requérants afin de soutenir ces derniers dans la formulation de la requête devant la Cour. À cet effet, le formulaire a été reconfiguré de concert avec la Régie régionale de la santé et des services sociaux, et la quasi-totalité des CLSC de l'île auraient reçu la formation depuis 2002-2003.

L'usage d'un formulaire précis constitué d'un ensemble de rubriques faisant écho tantôt aux dispositions de la loi elle-même, tantôt aux réalités administratives ou aux objectifs d'efficacité du dispositif, tend à la fois à asseoir et à fusionner le statut légal, administratif et légitime de la démarche. Ce formulaire, de même qu'un guide d'utilisation pour bien le remplir, est disponible désormais dans tous les CLSC, les palais de justice du Québec et de nombreux organismes communautaires en santé mentale.

Le but de la formation est donc de permettre aux divers intervenants d'être en mesure de préparer des dossiers complets et appropriés au déroulement et aux exigences de la procédure. Comme l'explique l'un des responsables de la formation à la Cour du Québec : « Qu'on nous raconte une histoire qui va avoir de l'allure pour passer devant le juge. Ça, on s'attend à ce que les CLSC le fassent[11]. » En effet, désignés pour soutenir les familles et l'entourage dans leurs démarches à la Cour, mais aussi pour aider les intervenants psychosociaux des nombreuses autres ressources, les CLSC ont porté et diffusé dans leur accompagnement institutionnel la lecture officielle de la dangerosité mentale. À Montréal en 2007, presque 85 % de l'ensemble des requêtes pour évaluation psychiatrique provenaient de trois ressources : les CLSC (53,91 %), les organismes communautaires en

11. Citation tirée d'une entrevue réalisée en novembre 2004. Par ailleurs, les données de 2007, qui présentent les requêtes selon les lieux d'où elles proviennent, tendent à démontrer que les CLSC ont effectivement joué de plus en plus ce rôle (voir le graphique 4 sur la provenance des requêtes).

santé mentale (18,93 %) et le greffe du Palais de justice (11,93 %). Le reste des requêtes, soit environ 15 % du total, a été présenté par l'Urgence psychosociale-justice (UPS-J), des médecins ou le curateur public.

Comme on l'a vu dans le chapitre précédent, la loi P-38 ne vise pas seulement à contrer la judiciarisation des personnes atteintes de troubles de santé mentale impliquant une certaine dangerosité, mais également à rendre disponible un outil légal d'intervention efficace afin de gérer des situations problématiques à dimensions multiples. Par rapport à ce dernier objectif, plusieurs professionnels et intervenants suggèrent ouvertement aux familles et aux proches de la personne présumée mentalement dangereuse de lancer le processus conduisant au dépôt d'une requête pour évaluation psychiatrique afin

Graphique 4. — Requêtes pour évaluation psychiatrique selon la provenance en 2007

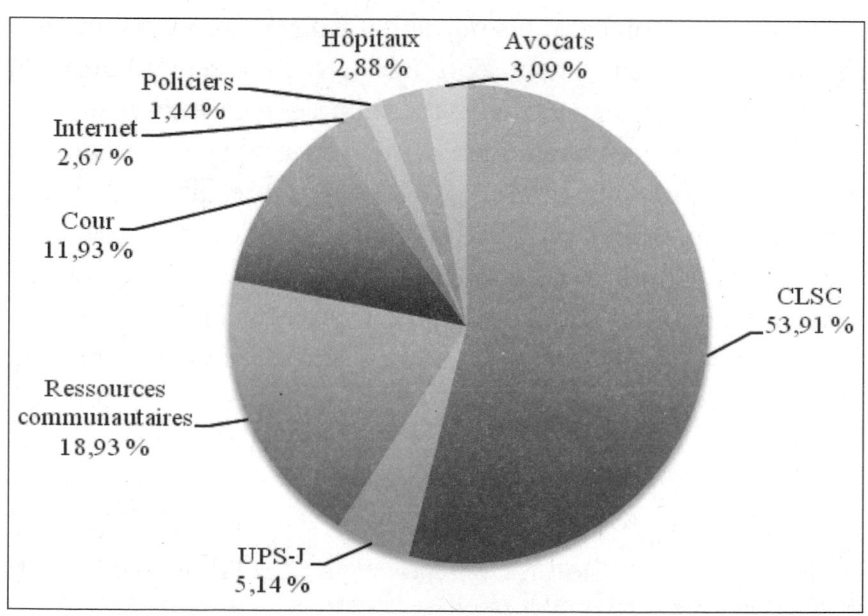

de pouvoir traiter des cas complexes ou des individus réfractaires aux soins. La présence fréquente de la phrase « la démarche nous a été recommandée par tel ou tel professionnel » dans les requêtes reflète cette réalité. Ces recommandations émanent essentiellement d'intervenants ou de médecins ne pouvant contraindre leur patient à se présenter à une consultation autrement que contre leur gré, ou encore d'ambulanciers, de policiers ou de membres de l'UPS-J ne pouvant invoquer le principe du danger grave et immédiat pour conduire directement l'individu visé aux services d'urgence. Le recours à la requête se retrouve ainsi en partie géré par l'évaluation d'une « temporalité acceptable » de la part de ces professionnels ou intervenants habitués à agir dans des situations problématiques d'urgence. Si ces derniers jugent que la nature du danger permet d'attendre encore, ils choisissent de passer par la requête pour évaluation psychiatrique au lieu d'agir immédiatement en s'appuyant sur d'autres codes légaux ou de demander la garde préventive.

Enfin, le Tribunal administratif du Québec met à la disposition du public (famille, entourage, professionnels du réseau de la santé et des services sociaux, milieux communautaires, police) une ressource directe d'accueil et de soutien pour les personnes qui souhaitent obtenir de l'information et déposer une requête pour évaluation psychiatrique en vertu de la loi P-38. À la Cour du Québec, c'est le greffier du Tribunal qui assume cette fonction par téléphone ou en personne. Tant les professionnels formés pour rédiger les requêtes que le représentant du Tribunal chargé de la liaison avec les différents milieux peuvent évaluer les chances de réussite de cette procédure selon les caractéristiques de la situation. Les cas d'individus ne respectant pas les critères de la loi et de la jurisprudence sont donc écartés dès le départ et orientés vers d'autres dispositifs. Dans nos observations sur le terrain, nous avons constaté que les personnes-ressources qui conseillent les requérants jouent un rôle crucial, et ce, à plusieurs égards. En ce qui a trait au formulaire, si un requérant rédige les arguments de manière un peu large et vague, il peut se faire conseiller de les préciser ou encore d'insister sur un point en particulier qui va dans le sens de la définition de la dangerosité mentale[12]. Quant à la situation en tant que telle, le requérant peut se faire recommander d'appuyer sa requête par un avis médical si la version qu'il donne des événements ne semble pas justifier sa demande, ou encore de diriger la personne visée vers d'autres ressources dans le cas où la dangerosité ne serait pas clairement associée à l'état mental, mais plutôt à une dépendance ou à une dégradation générale des conditions de vie de l'individu en question.

Souvent, les situations problématiques qui poussent un professionnel ou un particulier à envisager de présenter une requête pour évaluation psychiatrique comptent de nombreuses dimensions intriquées. Dans certains cas, les intervenants peuvent tenter de démontrer que la garde n'est pas la solution à une situation complexe donnée. Par exemple, une travailleuse sociale communique avec la personne-ressource[13] au sujet d'une femme allophone qui semble délirer. Elle a des enfants de douze et quinze ans, leur bail arrive bientôt à échéance et, puisqu'elle n'a pas signé un autre bail, sa famille et elle-même se retrouveront à la rue. La travailleuse sociale est fort inquiète et veut remplir une requête pour trouver un début de solution au problème. La personne-ressource lui conseille plutôt d'appeler la direction de la protection de la jeunesse (DPJ) ou du moins de tenter de se coordonner avec elle, parce que si elle dépose une requête, le psychiatre va

12. Dans le cas où le formulaire serait incomplet, les personnes-ressources pourraient suggérer au requérant de revoir sa copie et lui rappeler que le but de la démarche est de convaincre un juge. Le matin, au palais de justice, les employés discutent souvent des magistrats qui siègent ce jour-là. Certains ont la réputation d'être plus difficiles que d'autres, et lorsque l'un d'eux est en poste les demandeurs ont intérêt à présenter des dossiers solides s'ils ne veulent pas se faire réprimander pour avoir fait perdre son temps au juge.

13. Il s'agit de cas dont nous avons été témoins lors de nos terrains de recherche au Palais de justice de Montréal.

laisser sortir la dame de l'hôpital tout de suite après l'évaluation et la situation ne sera pas réglée.

Dans d'autres cas, le problème se situe sur le plan de la nature spécifique de la dangerosité mentale qui inquiète le requérant. Ainsi, prenons l'exemple d'une femme en détresse parce que son mari gravement alcoolique refuse de se faire soigner et qu'elle a essuyé un refus tant de la part des organismes communautaires que des médecins. « Vous êtes mon dernier espoir », dit-elle à la personne-ressource, qui doit toutefois lui expliquer qu'elle n'a pas cogné à la bonne porte puisque l'ordonnance de traitement (désintoxication) concerne un autre palier judiciaire, que c'est très difficile à obtenir et qu'elle ne peut malheureusement rien pour elle. Très émotive, la femme proteste et le ton monte. Elle finit par laisser échapper au détour d'une phrase que son mari délire, qu'il ne va pas bien et que c'est peut-être pour cela qu'il boit plus ces temps-ci. La personne-ressource fait alors une pause : « Ah, là, c'est différent. Vous me dites qu'il n'irait pas bien *mentalement,* qu'il délire et que c'est *ça* qui le ferait boire ? » La dame acquiesce tout de suite. La personne-ressource lui explique alors qu'il faudrait vraiment illustrer et prouver que son époux ne va pas bien *mentalement,* qu'il représente un danger même s'il ne buvait pas et que cet *état mental* le pousse à boire. Ces deux personnes s'emploient ici à démêler une situation problématique et à mettre au point la bonne argumentation pour la présenter comme relevant davantage de la psychiatrique que de l'alcoolisme.

Le codage de la situation en termes de dangerosité mentale n'est pas simple même pour ceux et celles qui sont habitués à la côtoyer, et la rédaction des arguments pour le formulaire ne se fait pas de façon autonome et isolée par les requérants. L'ajout à la dernière minute de certaines formules d'usage dans les requêtes le montre de manière explicite. Ces formules ont souvent trait à la détérioration rapide de l'état physique et mental de l'intimé, à l'inobservance de la prise de la médication psychiatrique, à un risque imminent de fuite, à l'incapacité de l'intimé à vivre en situation d'itinérance en raison de son état de santé physique et, finalement, à la nature inquiétante du contenu de ses hallucinations. Il arrive aussi que des remarques sur les antécédents psychiatriques, les problèmes dans le fonctionnement au quotidien (alimentation, hygiène, poids, notion du temps et sens de l'orientation), les risques de feu, de violence ou de suicide, les paroles et idées délirantes et le déni de la situation par l'intimé soient ajoutées au formulaire, mais dans une moindre proportion. Ces remarques semblent plus fréquentes et décisives lorsque les requêtes contiennent peu ou pas d'antécédents psychiatriques documentés. Bien que la loi P-38 concerne les états mentaux dangereux plutôt que les troubles psychiatriques diagnostiqués, les juges se fient souvent à l'expertise psychiatrique disponible passée ou actuelle qui est apportée par la partie demanderesse.

L'analyse des requêtes démontre que la marque du temps constitue un critère élémentaire du dispositif de garde civile. Il est en effet nécessaire de légitimer le danger immédiat, l'urgence d'agir et le caractère d'exception de cette mesure par une temporalité institutionnelle précise devant être dite (ou codée) d'une certaine façon par le requérant et entendue (ou décodée) d'une certaine façon par le juge. Le déclenchement d'une procédure permettant de suspendre certains droits fondamentaux exige de l'État qu'il s'impose des règles très strictes et documente de manière formelle le respect de celles-ci. Comme nous l'avons vu plus haut dans le cas de la signification et de l'interrogatoire, l'existence de règles claires n'empêche pas leur contournement dans les faits. L'évocation de nombreux repères temporels à divers moments de la rédaction de la requête pour évaluation psychiatrique peut étonner le profane, mais il s'agit d'une dimension capitale pour justifier la demande. Par exemple, il est courant de préciser en quoi la situation s'est détériorée *récemment*, quels événements *récents* ont poussé le requérant à entreprendre la démarche et en quoi la situation est *urgente*.

L'importance de la temporalité dans la narration des événements de la situation problématique demeure centrale, car la dangerosité mentale doit être exposée de manière à satisfaire certaines conditions de détérioration, d'imminence et d'urgence. Dans bien des requêtes, la structure du texte est souvent quasi séquentielle, et trois formes courantes peuvent être identifiées. La première commence par le constat d'une situation décrite comme étant problématique, suivi du constat d'une détérioration de cette même situation et de l'évocation des risques qui en découlent, pour enfin se terminer avec l'urgence d'agir (constat – détérioration – risque – urgence d'agir). La deuxième forme s'amorce avec le constat de la répétition préoccupante d'une situation problématique soupçonnée d'entraîner des conséquences similaires à ce qui a déjà été observé par le passé en termes de détérioration et de risques, et se conclut avec l'urgence d'agir (répétition – détérioration – risque – urgence d'agir). La troisième forme consiste à évoquer l'identité psychiatrique de l'intimé (antécédents, diagnostics, trajectoire institutionnelle, prise de médicaments psychiatriques), à rendre compte ensuite des ruptures dans le traitement (inobservance ou interruption dans la prise de la médication) ou dans le suivi (manquement aux rendez-vous), puis à décrire la dégradation de l'état de la personne visée découlant de ces ruptures, à prédire que cette détérioration risque de se poursuivre et, finalement, à affirmer l'urgence d'agir (identité psychiatrique – ruptures thérapeutiques – détérioration – prédiction d'aggravation – urgence d'agir).

Les requêtes pour évaluation psychiatrique comprennent généralement les opinions, les avis, les estimations, les mises en garde, les craintes, les projections et les anticipations des requérants. Plusieurs formulations sont récurrentes dans la narration des événements. Souvent, elles se fondent, se confondent et se télescopent, mais elles convergent toujours vers l'idée générale qu'il y a un « risque mental » important défini à la fois comme flou, mais imminent et certain. Même s'il est question de danger pour soi ou pour autrui, voire de dangerosité mentale, il ne s'agit pas d'un danger, mais plutôt d'un risque. Le danger est une incertitude relevant de l'imprévisible parce qu'il n'y a pas de manière connue de l'estimer. Le risque est une incertitude qu'il est possible de prévoir moyennant des calculs, des méthodologies d'évaluation ainsi que des systèmes de mesure et de comparaison. Le risque est donc un danger que nous avons appris à apprivoiser par le biais soit des disciplines scientifiques de la prévention, soit de la systématisation empirique ou symbolique de certaines expériences. Voici quelques-uns des marqueurs saillants de la formulation séquentielle de l'existence d'un risque mental, c'est-à-dire de la manière symbolique d'apprivoiser ce qui est un danger et qu'il faut éviter.

Déclenchement : l'importance du marqueur temporel

Le point de départ de la situation problématique décrite dans les requêtes pour évaluation psychiatrique est présenté sous forme d'un repère temporel clair afin de préciser quand la situation s'est amorcée et ainsi attirer l'attention soit sur la proximité des événements dans le temps (« depuis le 5 janvier »), soit sur le fait qu'ils persistent (« comportement impulsif depuis la mi-décembre jusqu'à ce jour »). Ce marqueur est la première étape nécessaire à l'énonciation d'un ensemble de faits appuyant la logique de détérioration réelle ou imminente de l'état de l'intimé, et ce, bien plus souvent que celle de l'état de la situation.

Fréquence des comportements problématiques

Évoquer la répétition des comportements dits dangereux est de toute évidence la stratégie narrative, dans le rapport au temps, la plus utilisée. En outre, c'est principalement l'augmentation de la fréquence de ces comportements que les requérants cherchent à souligner. Pour ce faire, ils ont recours à une variété d'expressions : à plusieurs reprises, à plusieurs occasions, souvent, constamment, continuellement. La répétition sert également à affirmer que le comportement est connu et qu'il est possible d'associer ce qui se passe présentement à ce qui s'est déjà passé et à ce qui pourrait se reproduire, avec les conséquences que cela implique.

Projections du danger

Le danger potentiel se traduit par des formules fortes et affirmatives qui sont naturellement rédigées au présent ou au futur. Il est parfois fondé sur le dénouement de situations semblables survenues dans le passé, sur l'avis d'un expert ou sur la présence claire d'une maladie mentale. Le danger envers soi-même s'exprime par des formules telles que :

- Il n'est pas en mesure de vivre comme un itinérant à cause de ses problèmes de santé mentale.
- Son médecin dit qu'il va se suicider d'ici deux jours.
- Il se perdra dans la nature
- Il met sa vie en danger.
- Il a parlé de mourir.

Le danger envers autrui s'exprime par des formules telles que :

- Vu qu'il est malade, il devient de plus en plus agressif.
- Elle attaquera et même tuera son conjoint si son état persiste.
- Il a été violent par le passé et, depuis une semaine, il est extrêmement violent.
- Il a fait deux passages à l'acte sur autrui dernièrement.
- Je suis sa cible de choix, il m'a déjà pris par le cou une fois et a menacé de me tuer en plusieurs occasions.

Probabilités de danger : risque, peur, imprévisibilité

Ici c'est le conditionnel (« pourrait se suicider ») qui a préséance ou encore le subjonctif annonçant de manière fataliste ce qui arrivera (« avant qu'elle ne se tue »). Quatre autres expressions sont aussi utilisées pour formuler la forte probabilité d'un danger : le « risque » (« il risque de devenir violent »), la « peur que » (« j'ai peur qu'il se suicide »), le « devenir » (« l'intimée peut devenir violente ») et l'« imprévisibilité » (« nous ne pouvons pas prévoir sa réaction »). Parfois, les requérants affirment des choses en se basant sur les antécédents ou les actions passées ou actuelles de l'individu concerné.

- Certains de ses gestes laissent croire qu'elle pourrait se suicider.
- Il a retiré les calorifères de son logement, ce qui pourrait provoquer un incendie dans l'immeuble.
- Il n'a pas payé son loyer et il risque d'être évincé de son appartement.
- Elle pourrait devenir agressive et il faudra agir avant qu'elle ne s'enlève la vie.
- Il faudra agir avant qu'il nuise à autrui.
- J'ai peur qu'elle se suicide.

Détérioration de la situation

La figure de la détérioration, présente dans presque toutes les requêtes, est un incontournable de la mise en paroles de la temporalité spécifique de la situation problématique décrite dans la demande. Il s'agit de démontrer que la situation, le dysfonctionnement de la personne ou l'état de crise dans lequel elle se trouve va s'aggravant et que des conséquences sérieuses, voire irréparables, sont à craindre. La construction du danger dans le temps prend donc une forme précise : il faut démontrer qu'en comparaison avec un passé très rapproché (quelques jours) ou moyennement rapproché (quelques semaines ou mois), il y a eu aggravation, dégradation ou détérioration de l'état de l'intimé ou de sa situation.

Lorsqu'il s'agit d'un passé très rapproché :

- Il y a trois jours, elle a encore quitté la maison.
- Nous craignons pour sa sécurité, particulièrement depuis ces trois dernières journées.
- Le propriétaire de l'appartement était d'avis que l'état mental de l'intimé s'était détérioré de façon importante depuis environ une semaine.
- Il est en crise psychotique depuis deux semaines.
- Elle a fait quatre tentatives au cours des deux dernières semaines.
- Au cours des deux derniers mois, il a posé des gestes laissant croire qu'il pourrait se suicider.
- Elle n'a pas payé son loyer de février, de mars et d'avril. Elle risque d'être évincée de son logement.
- La situation se détériore depuis deux mois.
- Depuis deux mois, il y a dégradation de son état.

Plus rarement, la mise en perspective de la détérioration concerne une période longue (six mois ou plus). Si toute détérioration suppose forcément une dimension temporelle, elle ne s'accompagne pas toujours de repères temporels précis. Lorsque c'est le cas, le requérant souligne la dynamique de la progression de la détérioration de manière générique par l'expression vague « de plus en plus ».

- La situation se détériore de plus en plus.
- Les menaces sont de plus en plus rapprochées et haineuses.
- La détérioration mentale progresse de plus en plus.
- Son état se détériore. La situation empire. Il est de plus en plus agressif et de moins en moins connecté avec la réalité.
- Il est de plus en plus désorganisé.
- Nous avons observé une détérioration de plus en plus rapide de son état de santé.
- Son état se dégrade de plus en plus.

Porte d'entrée aux soins psychiatriques et prise de médicaments

Les affirmations concernant la détérioration de la situation donnent l'impression que la montée de la dangerosité mentale ne peut cesser sans l'intervention du tribunal, une interprétation tout à fait cohérente avec l'objectif du requérant. Si la loi P-38 ne permet pas d'autoriser le traitement sans le consentement de la personne, la garde provisoire peut tout de même s'avérer une porte d'entrée dans le système de soins psychiatriques auquel il n'est pas possible d'accéder autrement. Bien que la requête constitue en soi une demande formelle adressée au tribunal pour qu'il agisse, plusieurs formulaires comprennent une formule d'injonction (« c'est très urgent qu'il soit évalué par un psychiatre », ou « sans l'intervention de la Cour, la situation ne peut que continuer à se détériorer ») associée au désir d'obtenir un traitement psychiatrique à long terme, un diagnostic plus précis (deuxième avis), une hospitalisation ou même un placement pour la personne concernée.

- Une prise en charge psychiatrique à long terme est urgente.
- Nous souhaitons une hospitalisation.
- Elle nécessite une attention médicale urgente.
- Nous souhaitons qu'il soit placé en foyer d'accueil.
- Nous croyons qu'elle souffre de schizophrénie. D'après nous, l'évaluation n'a pas été assez poussée et la médication prescrite lors de son séjour en établissement et à sa sortie était inadéquate.
- En raison de ses problèmes psychiatriques, il doit être suivi régulièrement.

L'inadéquation ou l'inobservance de la médication psychiatrique est souvent évoquée dans l'espoir de remédier à la situation par le biais de l'ordonnance du tribunal, même si ce n'est pas la vocation de la requête pour évaluation psychiatrique ni de la loi P-38.

- Sans un dosage adéquat de sa médication, la situation se détériore de plus en plus.
- Sans sa médication et selon l'état dans lequel nous l'avons vu, la situation ne peut que se détériorer.
- Sans une médication adéquate, la situation ne peut que continuer à dégénérer.
- Sans médicaments, il n'y a aucun espoir d'amélioration.
- Sans un dosage adéquat de la médication, la situation ne peut que se détériorer.
- Il faut réinstaurer une médication pour diminuer sa symptomatologie.
- Il ne prend probablement pas sa médication.

Les deux principales raisons pour lesquelles l'intimé refuse de prendre les médicaments qui lui ont été prescrits et de se présenter à ses rendez-vous médicaux sont les suivantes : il n'est pas d'accord avec sa condition de personne mentalement dérangée et il manipule les autres.

- Elle nie qu'elle est malade.
- Il refuse d'admettre qu'il souffre d'un trouble de santé mentale.
- Parfois, il semble bien, il convainc les autres, mais ses problèmes continuent.
- Inutile d'insister avec lui, il nie avoir besoin d'aide.
- Il refuse de se faire soigner.
- Il pense que c'est le médecin qui est malade.
- Elle dit être consciente de sa maladie, mais affirme qu'il n'y a pas de cure.
- Madame est très habile à convaincre par manipulation.

Le langage dans lequel la folie civile doit être énoncée pour respecter les critères de sa forme actuelle, soit la dangerosité mentale, est forcement structuré par la recherche de l'efficacité du dispositif de gestion que la loi P-38 s'efforce d'encadrer. Nous pourrions sans doute dire la même chose de tout dispositif d'interpellation, de gestion ou de prise en charge de comportements qui s'avèrent problématiques pour un ordre normatif donné, y compris la volonté sincère de protéger des personnes placées dans un état de vulnérabilité et d'aider leur entourage confronté à une situation devenue ingérable ou épuisante. Toute la formalisation technique, administrative et opérationnelle de la requête pour évaluation psychiatrique n'enlève rien au fait qu'il s'agit de situations problématiques complexes bien réelles par rapport auxquelles il n'est pas possible de rester indifférent. Pour déterminer si l'évaluation psychiatrique et la possibilité subséquente d'un traitement médical par le biais d'autres dispositifs constituent ou non la meilleure réponse à ces situations socialement problématiques, tant pour les personnes concernées et que pour les autres, nous devons les analyser systématiquement afin de tenter de mieux les comprendre.

Dans les chapitres trois à sept, nous examinerons en détail les contextes, les composantes mentales et sociales ainsi que les profils des individus qui incarnent et donnent un sens à la folie civile contemporaine, surtout dans le but de comprendre en quoi cette dernière pose problème aujourd'hui aux uns et aux autres.

CHAPITRE 3

L'écologie de la folie civile : individus et milieux

La folie n'existe que dans une société. Chaque culture a la folie qu'elle mérite.

MICHEL FOUCAULT, « La folie et la société »

Le *Mulheur d'être fou et pauvre*[1] est le titre que Franco Basaglia a choisi pour son dernier livre, publié un an avant sa mort. L'homme, qui compte parmi les représentants les plus perspicaces de la mouvance critique de la psychiatrie asilaire, a tenu jusqu'à la fin de sa vie à ne pas dissocier deux dimensions qui sont empiriquement et historiquement soudées. Basaglia pensait, comme d'autres avant lui, que la folie et les fous n'existent *que* dans une société qui leur façonne un statut déterminé à chaque moment de l'histoire, statut qui est souvent marqué par la vulnérabilité, la stigmatisation et l'exclusion sociale. Il s'agit donc bel et bien d'individus singuliers avec leurs problèmes et leurs caractéristiques bien à eux, mais situés dans des conditions écologiques larges qui encadrent leurs trajectoires possibles avec des balises de nature multiple (sociales, économiques, normatives,

1. Franco Basaglia (2008), *La condena de ser loco y pobre.* Ce livre réunit quinze conférences données en 1979 au Brésil.

psychiatriques, judiciaires, sécuritaires, « assistancielles ») qui peuvent tantôt contribuer à rendre leur existence moins pénible, tantôt à la rendre intolérable.

La combinaison de problèmes de santé mentale sévères, de pauvreté matérielle et de vulnérabilité sociale soumet les personnes touchées à d'importantes tensions qui les fragilisent de manière significative et souvent durable. Parfois, une crise psychotique ou dépressive ou encore certains traits de personnalité problématiques peuvent lancer, aggraver ou accélérer une trajectoire de vulnérabilisation matérielle et sociale. Dans d'autres cas, c'est la vulnérabilisation matérielle et sociale qui peut être à l'origine des symptômes psychologiques graves ou accélérer leur dégradation. Ces dynamiques complexes produisent des effets dévastateurs sur la vie des individus aussi bien sous forme de contre-performances sociales (famille, travail, école, relations) que de souffrances psychiques et de dysfonctionnements comportementaux douloureux et stigmatisants (troubles mentaux, comportements étranges ou problématiques envers soi et les autres, effritement de l'estime de soi). Parfois, ce processus de dégradation globale est accentué, marqué et sanctionné par des dispositifs sécuritaires, psychiatriques et judiciaires qui mettent en évidence du même coup la fragilité des droits citoyens de ceux et celles qui se trouvent dans des positions de vulnérabilité sociale et économique (avec ou sans folie) parfois proches de l'invisibilité sociale.

Ainsi, lorsque les problèmes de santé mentale, de vulnérabilité sociale et de pauvreté se combinent, se réalimentent et façonnent en profondeur l'esprit et le corps des personnes concernées, il ne s'agit plus de la vie sociale ordinaire, mais d'un régime de survie assisté par une multitude d'organismes, d'institutions et de ressources qui constituent un milieu de vie spécifique pour ceux et celles qui ne semblent plus avoir leur place dans la société (Namian, 2012 ; Grimard, 2011). Nous avons vu dans le chapitre précédent que deux grands groupes se dessinent lorsqu'il est question de problèmes de santé mentale graves : les individus possédant encore des réseaux sociaux, mais qui semblent soumis à un processus de détérioration important puisque les trois quarts des requêtes pour évaluation psychiatrique sont faits par les familles, et ceux dont la vie semble déjà essentiellement prise en charge par des ressources spécialisées comme les centres de crise, les refuges, les CLSC et les organismes communautaires. Nous avons également vu que cette association empirique entre conditions de vie précaires (pauvreté, vulnérabilité, exclusion) et problèmes de santé mentale graves est historiquement récurrente et particulièrement mise en lumière durant les périodes de transformations et de bouleversements sociaux ou de crises économiques qui affectent le marché du travail, les configurations familiales et les systèmes de protection sociale.

Dans ce chapitre, nous tenterons de caractériser de manière minimale le profil des personnes touchées par le dispositif de la requête pour évaluation psychiatrique sur l'île de Montréal en fonction des données disponibles – toujours fragmentaires et difficiles à recueillir lorsqu'il s'agit d'individus aux prises avec des problèmes multiples. Nous dresserons ce portrait notamment en fonction du sexe, de l'âge, des antécédents psychiatriques et judiciaires ainsi que des caractéristiques de leurs milieux de vie. Bref, nous mettrons en évidence quelques traits sociodémographiques et écologiques généraux permettant de mieux cerner les dangereux mentaux qui incarnent la folie civile contemporaine.

Les fous civils : âge, sexe, psychiatrie et justice

À partir des données issues des requêtes pour évaluation psychiatrique en 2003 et en 2007 ainsi que de la base de données informatisée de la juridiction 40 du réseau du ministère de la Justice du Québec (pour 2003 seulement[2]), il est possible de connaître certains aspects

2. Ces sources comprennent peu de données sociodémographiques et, dans cer-

du profil des personnes touchées par ce dispositif. En 2003[3], 378 individus ont fait l'objet d'une demande d'évaluation psychiatrique afin de déterminer si, en raison de leur état mental, ils représentaient un danger pour eux-mêmes ou pour autrui. En 2007[4], ce nombre a grimpé à 431. Rappelons que ces demandes ont été acceptées par les juges dans plus de 97 % des cas. Il y a un peu plus d'hommes (55 %) que de femmes (45 %), et aucune différence importante entre les deux années considérées.

Quant à l'âge médian des personnes concernées, il est de 40 ans en 2003, l'individu le plus jeune étant âgé de 11 ans[5] et le plus vieux de 93 ans. Pour ce qui est de 2007, il est de 41 ans, l'intimé le plus jeune étant âgé de 14 ans et le plus vieux de 93 ans. Si on classe les requêtes par groupes d'âge, on constate que les demandes d'évaluation psychiatrique ont tendance à diminuer graduellement avec l'âge, même si le groupe de 70 ans et plus connaît une recrudescence importante. Cela pourrait être lié à l'augmentation de l'espérance de vie, mais aussi à l'attention plus grande portée aux difficultés d'autonomie physique et cognitive des personnes âgées et aux défis quotidiens qui en découlent (logement, allocations de revenus, soutien) dans un contexte sociétal général d'individualisme de masse. L'importance réelle et

---

tains cas, ces dernières sont manquantes. Par exemple, l'âge n'est pas mentionné pour 11 % des intimés.

3. Pour un total de 396 requêtes, car des individus ont été visés par plus d'une requête au cours de l'année. En comparant avec la banque de données informatisée du réseau du ministère de la Justice, nous constatons une différence de 17 requêtes entre les deux sources, la banque du greffe en dénombrant 413. Cet écart peut sans doute s'expliquer par le fait que certains dossiers, notamment ceux du mois de janvier 2003, n'étaient pas classés aux archives au moment de notre cueillette.

4. Pour l'année 2007, 486 requêtes ont été déposées selon la Cour du Québec, alors que nous avons retracé et compilé 469 dossiers concernant 431 individus, certains d'entre eux ayant été visés par plus d'une requête au cours de l'année.

5. Les cas de individus de moins de 18 ans sont rarissimes et sont référés immédiatement à d'autres filières d'intervention spécialisées en enfance et adolescence.

Graphique 5. — Distribution des individus selon l'âge, en 2007

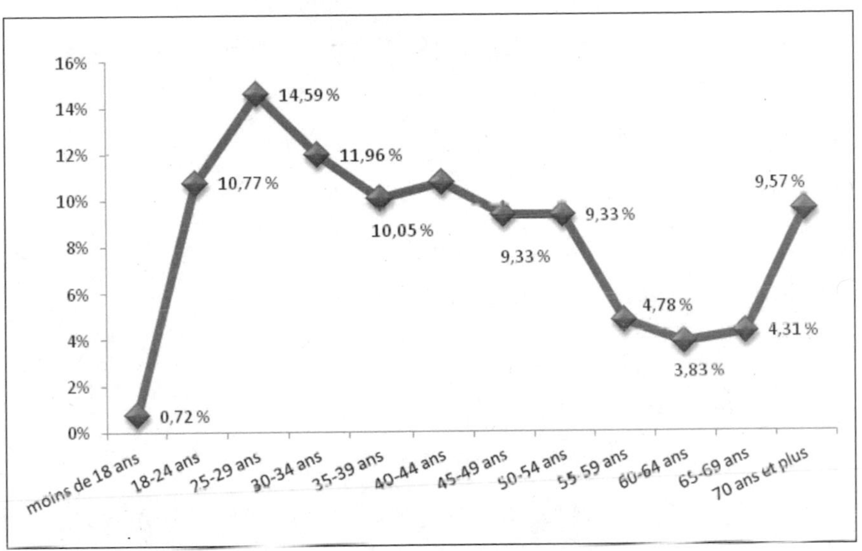

symbolique des pathologies comme la maladie d'Alzheimer doit donc être considérée dans ce contexte plus large d'exigence globale d'autonomie individuelle sans exception envers tous les groupes d'âge.

L'âge des individus visés varie toutefois de manière importante selon le sexe. Chez les femmes, le nombre de requêtes pour évaluation psychiatrique tend à augmenter avec l'âge, tandis que chez les hommes, il tend à diminuer. Le point d'infléchissement se trouve au milieu de la quarantaine. Dans les groupes âgés de plus de 50 ans, les femmes sont presque deux fois plus nombreuses que les hommes. Mais du côté des individus de 18 à 34 ans, ce sont les hommes qui sont presque deux fois plus nombreux. D'une manière générale, le dispositif de la folie civile cible de préférence des hommes de moins de 40 ans et des femmes de plus de 50 ans. Chez les femmes, le groupe des 50-54 ans et celui des 70 et plus se démarquent clairement alors que, chez les hommes, ce sont plutôt les individus ayant entre 19 et 34 ans qui ressortent du lot.

Alors que le texte de la loi P-38 a tenté de redéfinir son champ d'application au-delà de la sphère traditionnelle de la psychiatrie,

Graphique 6. — Distribution des individus selon l'âge et le sexe, en 2007

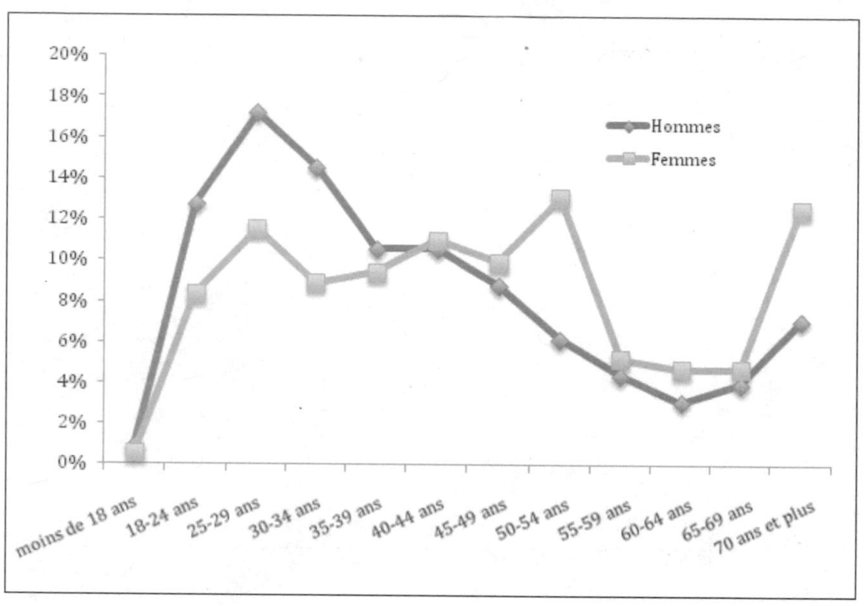

notamment en remplaçant la notion de maladie mentale par celle plus large d'état mental, il faut comprendre que la psychiatrie a également changé. Elle a multiplié et assoupli les catégories nosographiques afin de capter un registre plus important de problèmes de santé mentale en dehors de ce qui est considéré de manière nette, claire et précise comme maladie mentale. Si on analyse l'ensemble des requêtes pour évaluation psychiatrique, on retrouve des traces de différents types et degrés de contacts psychiatriques[6] qui constituent des indicateurs d'un lien entre l'intimé et l'univers large de la psychiatrie (allusions à des diagnostics, prise de médicaments psychiatriques, hospitalisations psychiatriques). Ces traces permettent de pondérer, autant que faire se peut, ce qui autrefois était appelé le degré de psychiatrisation des personnes et distinguer les contacts légers et occasionnels (mentions

6. Nous utilisons le terme « contact » avec l'univers de la psychiatrie parce qu'il est moins formel que l'expression « antécédent », qui exigerait une vérification de banques de données et de dossiers médicaux et sanitaires non accessibles.

ponctuelles de la prise d'anxiolytiques ou d'antidépresseurs, consultation de thérapeutes ou psychologues, références à des situations de stress) de ceux correspondant à des troubles sévères et persistants. En nous basant sur les renseignements fournis dans les requêtes, nous avons établi sept critères permettant d'établir que la personne en question a eu des contacts psychiatriques autres que légers ou occasionnels : 1. Antécédents d'hospitalisation en psychiatrie ou dans des hôpitaux psychiatriques (Institut Douglas, pavillon Albert-Prévost de l'Hôpital du Sacré-Cœur, Institut universitaire en santé mentale de Montréal, Allan Memorial Institute) ; 2. Suivi en consultation externe de psychiatrie ; 3. Diagnostic psychiatrique explicite et sévère[7] ; 4. Prise de médication psychiatrique lourde et constante ; 5. Contacts avec la psychiatrie légale (évaluation psychiatrique dans le cadre d'une poursuite judiciaire, ordonnance de garde pour inaptitude ou NRCTM[8]) ; 6. Allusion au rapport d'un médecin diagnostiquant un trouble psychiatrique grave et précis ; 7. L'individu est sous curatelle publique[9]. Suivant cette catégorisation, nous relevons des traces de contacts psychiatriques chez 60,3 % des personnes ayant fait l'objet d'une requête pour évaluation psychiatrique en 2003 (59,4 % d'hommes et 61,7 % de femmes) et chez 50,58 % en 2007 (54,4 % d'hommes et 45,9 % de femmes). Bien que le nombre de cas soit relativement petit, ces don-

7. Par exemple, allusion à une dépression, à de l'anxiété, à un trouble d'adaptation, à du stress ou à un autre problème survenu par le passé, mais qui n'a pas été considéré comme un diagnostic psychiatrique sévère.

8. Non responsable criminellement pour cause de troubles mentaux.

9. Les références suivantes ont été jugées insuffisantes pour être retenues comme étant des traces de données psychiatriques : le mot *docteur* sans autre précision ; « comportements bipolaires » ; « référé en psychiatrie mais ne s'est jamais présenté » ; certains diagnostics (« fait une dépression ») ou allusion à des problèmes de santé mentale sans signes d'évaluation ou d'hospitalisation en psychiatrie ; « amené à l'urgence par des ambulanciers » sans autres renseignements quant à la nature du problème ou à la suite des choses.

nées suggèrent que, pour une bonne partie des individus, en l'occurrence entre 40 et 50 % des personnes considérées, le premier contact avec l'univers de la psychiatrie est survenu dans la foulée de la requête. Des analyses de trajectoires pourraient fournir des pistes intéressantes quant au rôle de ce type de dispositif dans d'éventuelles « carrières » psychiatriques[10].

Si l'on entreprend une démarche semblable pour catégoriser, dans la mesure du possible, les contacts judiciaires antérieurs des individus visés par une requête pour évaluation psychiatrique[11], on obtient des résultats assez différents. Nous avons relevé dans les requêtes toute trace de démêlés avec la justice ayant donné lieu à des poursuites judiciaires, à une demande d'intenter des procédures[12] et à des condamnations. Bien qu'il se puisse que certains individus aient des contacts judiciaires n'ayant pas été consignés dans les requêtes, il faut tenir compte de la rédaction formalisée de la demande évoquée dans le chapitre précédent. Nous avons en effet vu que les personnes qui remplissent le formulaire (membres famille, proches, intervenants

10. Pour 2007, les groupes d'âge qui se démarquent sur le plan de la proportion de présence ou d'absence de contacts psychiatriques antérieurs sont les 45-49 ans et les 55-59 (environ deux fois plus de contacts psychiatriques) ainsi que les 70 ans et plus (environ trois fois moins de contacts psychiatriques). Ce qui pose la question du rôle de porte d'entrée dans l'univers de la psychiatrie que ce dispositif joue, surtout pour les personnes âgées de 70 ans et plus. Cela pourrait s'expliquer par certaines pathologies telles que la maladie d'Alzheimer, l'allongement de l'espérance de vie et l'importance croissante des problèmes d'autonomie à mesure que les individus vieillissent.

11. Nous utilisons le terme « contact » avec l'univers de la justice (tribunaux, condamnations, arrestations, dossiers pénaux) parce qu'il est moins formel que l'expression « antécédents judiciaires », qui exigerait une vérification de banques de données et de dossiers correctionnels, judiciaires et pénaux non accessibles afin de constater l'existence de casiers judiciaires.

12. Dans le processus judiciaire, la demande d'intenter des procédures est soumise par la police au procureur qui a autorité dans une juridiction donnée (Cour municipale de Montréal, Cour du Québec).

sociaux) étaient explicitement encouragées à y inscrire tout élément qui pourrait être pertinent pour documenter la dangerosité mentale de l'individu visé à l'intention du juge. Les contacts avec le système judiciaire ont certainement une grande pertinence dans un contexte où il est question d'appliquer une loi ayant pour but de protéger la personne ou un tiers d'un danger potentiel. On peut donc faire l'hypothèse que, si ces données judiciaires sont connues des proches, ce qui est fort vraisemblable, elles ont été mentionnées dans la requête afin de la rendre encore plus sérieuse et pertinente aux yeux du juge. Or, les informations que nous avons pu colliger révèlent que les traces de contacts judiciaires sont peu présentes dans les dossiers, 6,1 % des individus en 2003 et 9,05 % en 2007 ayant eu affaire à la justice avant la soumission de la requête. Dans le cas de la folie civile tout comme dans la population en général, les hommes sont largement surreprésentés en ce qui concerne les démêlés avec la justice puisque environ 87 % du total des contacts judiciaires en 2003 et 70 % en 2007 concernent des hommes.

On peut compléter ces données minimales concernant les profils sociodémographiques ainsi que les contacts avec la psychiatrie et la justice des individus faisant l'objet d'une requête pour évaluation psychiatrique avec deux faits importants : 90 % des personnes visées possèdent une adresse connue tandis que seulement 7 % d'entre elles sont explicitement désignées comme itinérantes[13] ; et plus des trois quarts des individus semblent garder ne serait-ce que quelques liens avec un réseau social, incarné par le requérant et le mis en cause qui enregistrent la requête et se montrent préoccupés par les problèmes de la personne. Il s'agit le plus souvent d'un membre de la famille (presque 78 % des requérants et presque 71 % des mis en cause). Les autres catégories de requérants sont le travailleur social (environ 5 %) ou un autre intervenant social ou communautaire (12 %) le plus sou-

13. Les coordonnées domiciliaires du 3 % restant sont manquantes.

vent rattaché à un centre de crise, à une ressource pour personnes itinérantes ou à d'autres organismes communautaires. Au bas de la liste, nous retrouvons un médecin (2,78 %), un membre de l'entourage physique de la personne tel un voisin ou un propriétaire d'immeuble (2,56 %), un policier (0,64 %) et un représentant légal (0,21 %). En lien avec l'élargissement du registre d'intervention mentale opéré par la mise en application de la loi P-38, la catégorie « autre intervenant » a doublé entre 2003 et 2007, notamment au détriment de celle des membres de la famille, tant en fait de requérants que de mis en cause.

Il est intéressant de souligner que le statut du requérant évolue sensiblement avec l'âge de l'intimé. Plus ce dernier est âgé, plus la présence d'un intervenant institutionnel (travailleur social, infir-

Graphique 7. — Évolution de la présence du réseau familial et des intervenants sociocommunautaires selon le groupe d'âge, en 2007

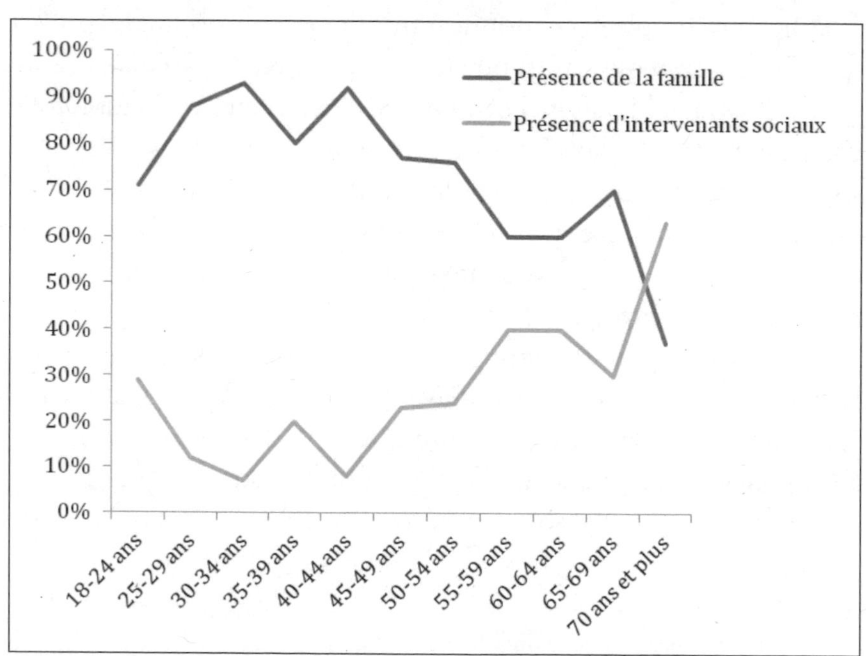

mière, intervenant communautaire) paraît remplacer celle des membres de la famille, un phénomène naturel compte tenu du vieillissement de ces proches eux-mêmes et du décès de certains d'entre eux, notamment les parents de la personne concernée. Une partie des individus visés, soit environ 25 % du total, sont aussi en contact de manière plus ou moins exclusive avec des intervenants du social au sens large du terme (professionnels de la santé, travailleurs sociaux, intervenants communautaires). Dans ces cas, les liens familiaux semblent durablement rompus pour différentes raisons telles que les conflits familiaux, l'épuisement de l'entourage et la lourdeur des problèmes de l'intimé.

Nous avons mentionné qu'environ 90 % des personnes faisant l'objet d'une requête pour évaluation psychiatrique en raison de leur dangerosité mentale déclarent une adresse tandis que 7 % d'entre elles semblent itinérantes. La pauvreté matérielle et la vulnérabilité sociale sont associées de manière disproportionnée aux individus touchés par les dispositifs de gestion, de traitement et de prise en charge de la folie civile. Ce triste lien est encore plus marqué chez les personnes visées par une autorisation judiciaire de soins (AJS). Dans ces dossiers, la proportion des individus qui ont un travail n'est que de 3 % et le taux d'itinérance frôle les 30 %. Toutefois, pour tenter de comprendre les liens entre pauvreté, vulnérabilité sociale et problèmes de santé mentale sans les réduire à l'équation voulant que la folie de l'individu, certes fort handicapante, explique à elle seule sa situation globale de pauvreté et de vulnérabilité, il est nécessaire de brosser plus largement le portrait de la relation entre inégalités sociales et inégalités de santé. Le malheur d'être pauvre et fou, comme le disait Franco Basaglia, n'est pas un cas de figure exceptionnel d'arrimage entre société et santé, car l'espérance de vie, la mortalité infantile, les suicides, les maladies pulmonaires, les cancers et les années de vie vécues en bonne santé, pour ne prendre que ces exemples, montrent également les mêmes corrélations.

La santé dans la société

Dans la plupart des pays de l'Organisation de coopération et de développement économiques (OCDE), l'inégalité des revenus s'est accentuée de manière importante au cours des deux dernières décennies, ce qui renverse l'ancienne tendance à la réduction des disparités sociales[14]. En outre, le nombre absolu de « pauvres », c'est-à-dire de personnes dont le revenu est inférieur à la moitié de la valeur médiane nationale, a également augmenté dans l'ensemble des pays de l'OCDE[15]. Les facteurs explicatifs invoqués sont largement connus : l'inégalité des rémunérations (revenus salariaux sur le marché du travail), l'insuffisance, voire le recul dans certains cas, des politiques publiques de redistribution des richesses dont le but est d'amortir l'impact des inégalités (impôts, prestations, fiscalité) et le phénomène de la transition démographique, soit le recul de la natalité couplé à un accroissement de l'espérance de vie (OCDE, 2008a).

Au Canada, après vingt ans de déclin continu, les taux d'inégalités sociales et de pauvreté absolue ont recommencé à monter encore plus rapidement que dans la moyenne des pays de l'OCDE (OCDE, 2008). Durant les dix dernières années, la pauvreté, c'est-à-dire les individus dont le revenu est inférieur à la moitié de la valeur médiane nationale, a augmenté d'environ 2 à 3 % dans tous les groupes pour atteindre le chiffre moyen de 12 %. L'inégalité des revenus des ménages canadiens

---

14. Dans son rapport *Croissance et Inégalités,* l'OCDE indique : « La croissance économique au cours des 20 dernières années a davantage bénéficié aux riches qu'aux pauvres. Dans certains pays, notamment l'Allemagne, le Canada, les États-Unis, la Finlande, l'Italie et la Norvège, l'écart s'est également accentué entre les riches et la classe moyenne » (OCDE, 2008a).

15. La pauvreté en général est passée de 9,3 % à 10,6 %, mais les enfants et les jeunes adultes ont des taux de pauvreté qui sont supérieurs de 25 % à la moyenne de l'ensemble de la population. Les familles monoparentales ont une probabilité de pauvreté trois fois plus élevée que la moyenne.

a grimpé de manière significative, avec comme caractéristique distinctive que les plus riches ont vu croître leurs revenus davantage que ceux d'autres pays de l'OCDE (OCDE, 2008). Dans un contexte d'accentuation des dynamiques régressives, le Canada dépense moins dans les prestations monétaires comme le chômage et les allocations familiales que la plupart des pays de l'OCDE (Myles, 2010). Un cinquième de la hausse de l'inégalité des revenus semble lié aux changements dans l'âge et la composition des ménages de la population canadienne, où le nombre de familles monoparentales et de personnes vivant seules progresse régulièrement. Même si la mobilité sociale au Canada continue d'être importante[16], lorsque les Canadiens et Canadiennes tombent dans la pauvreté, ils y restent plus longtemps que dans la majorité des autres pays de l'OCDE. Ceci a pour effet de soumettre plus longtemps les personnes concernées aux effets délétères de la pauvreté sur le plan de la santé physique et mentale, des années vécues en bonne santé et de l'espérance de vie. La pauvreté fait davantage de ravages lorsqu'il s'agit de situations de défavorisation persistantes qui s'étalent sur de nombreuses années plutôt que d'épisodes transitoires découlant, par exemple, d'une exclusion temporaire du marché du travail, d'une période de maladie de courte durée ou de déplacements migratoires. Cette remarque qui semble banale à première vue est parfois oubliée durant la mise en œuvre de stratégies de réhabilitation sociale, dont les exigences, qui peuvent paraître en principe raisonnables, sont démesurées pour les personnes plongées pendant de longues périodes dans des situations socioéconomiques dramatiques.

Depuis plusieurs décennies, les études concernant les liens entre les inégalités sociales et les problèmes de santé physique et mentale ont

---

16. La mobilité sociale désigne ici l'écart entre la rémunération des parents et des enfants. Peu de différence signifie peu de mobilité tandis qu'un grand écart indique au contraire une plus grande mobilité.

montré que les conditions de vie matérielles, sociales et environnementales jouent un rôle décisif dans la distribution entre les différents groupes sociaux de la bonne santé et de la maladie (Frohlich *et al.*, 2008). Les résultats éclairants de nombreuses recherches consacrées aux inégalités sociales en matière de santé un peu partout dans le monde remettent en question les réductionnismes psychobiologiques liés au risque de maladie physique ou mentale dans les sociétés contemporaines. Ainsi, en ce qui a trait aux pourcentages d'incidence des différents facteurs qui déterminent la santé globale de la population, l'Institut canadien d'information sur la santé et Santé Canada (2007) estiment que les facteurs socioéconomiques sont les plus déterminants (50 %), suivis des caractéristiques des systèmes de soins de santé (25 %), des facteurs génétiques (15 %) et des facteurs environnementaux (10 %). Autrement dit, la santé d'une population est déterminée en très grande partie par l'impact global de facteurs non biologiques et par leur interaction complexe dans la vie concrète des personnes.

L'analyse des liens entre inégalités de revenu et problèmes de santé mentale au Canada permet de montrer clairement le rôle fondamental des déterminants sociaux. Si l'on divise la population canadienne en trois groupes en fonction de leur statut socioéconomique (SSE) – élevé, moyen ou faible –, on remarque qu'il existe une importante fluctuation du taux d'hospitalisation[17] pour des problèmes de santé mentale entre les groupes (ICIS et Santé Canada, 2007). Les personnes au SSE faible sont hospitalisées 2,3 fois plus pour des problèmes de santé mentale généraux[18], presque 2 fois plus pour des troubles affec-

17. Au Canada, 86 % des hospitalisations pour cause de maladie mentale ont lieu dans les hôpitaux généraux. Le taux d'hospitalisation lié à la santé mentale renvoit uniquement aux hospitalisations en soins de courte durée. Les hôpitaux psychiatriques sont exclus de cette étude.

18. L'indicateur relatif à la santé mentale générale fournit les taux d'hospitalisation pour divers problèmes de santé mentale tels que les troubles affectifs, anxieux et

Graphique 8. — Les facteurs déterminants de la santé (Santé Canada, 2006)

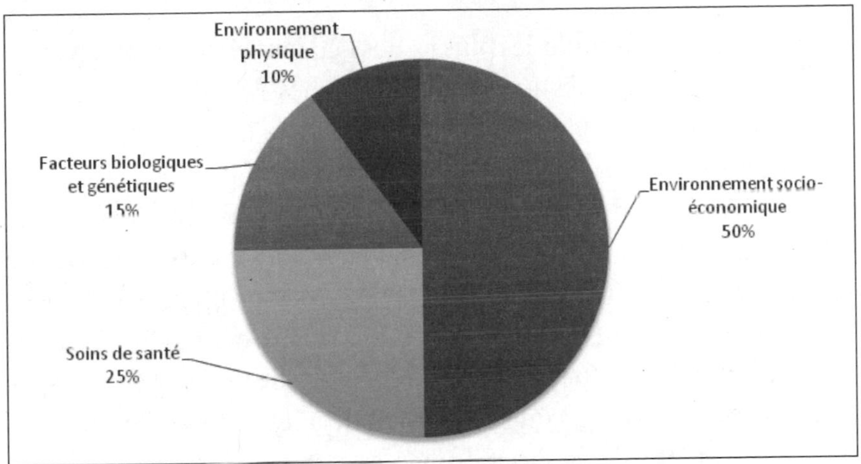

tifs et anxieux[19] et 3,4 fois plus pour des problèmes de consommation de drogues et d'alcool[20] que les personnes au SSE élevé (ICIS et Santé Canada, 2008).

En ce qui concerne les inégalités sociales, la situation générale du Québec ne se démarque pas beaucoup de celle observée pour l'ensemble du Canada[21]. Selon l'Institut de la statistique du Québec, l'augmentation de la richesse des familles québécoises de 1999 à 2005 a profité davantage aux mieux nantis et aux plus âgés. En matière de

---

mentaux organiques de même que pour la consommation de drogue, d'alcool et d'autres substances (ICIS et Santé Canada, 2007).

19. Les troubles affectifs comprennent les troubles dépressifs (dépression unipolaire), les troubles bipolaires et classés selon leur cause (trouble de l'humeur d'origine médicale ou provoqué par l'exposition à une substance). Les troubles anxieux auxquels nous faisons ici allusion correspondent au trouble d'anxiété généralisé, aux phobies, au trouble obsessionnel-compulsif et à l'état de stress post-traumatique tels que décrits dans le *DSM-IV-TR*.

20. Il s'agit des troubles qui résultent de la consommation de drogues ou d'alcool, des effets secondaires d'un médicament et de l'exposition à des toxines comme indiqué dans le *DSM-IV-TR*.

21. Pour les nuances spécifiques au Québec, voir Lefèvre *et al.* (2011) et Langlois (2010).

patrimoine, par exemple, les plus riches l'étaient encore plus en 2005 qu'en 1999, alors que les 40 % les moins riches s'étaient globalement appauvris[22]. Tant au Canada qu'au Québec, les indices de mortalité prématurée et de vie en bonne santé semblent refléter clairement ces disparités socioéconomiques, et ce, à plusieurs égards. Après une période de stabilisation, voire de résorption, des écarts de mortalité selon le revenu, les inégalités sociales de santé se sont apparemment réinstallées de manière durable au cours des années 1990 (Pampalon *et al.*, 2008). Au Québec, 5 ans d'espérance de vie et 14 ans d'espérance de vie en bonne santé séparaient déjà les riches et les pauvres entre 1996 et 1998, et la situation ne s'est pas améliorée au cours des années qui ont suivi. Même si tous les groupes, favorisés et défavorisés, ont vu leur mortalité prématurée, c'est-à-dire celle qui survient avant 75 ans[23], diminuer au fil des dernières décennies[24], les gains ont été et continuent d'être nettement supérieurs chez les premiers[25]. Si nous comparons, par exemple, les taux de décès dus aux maladies des voies respiratoires inférieures, nous apprenons qu'il est cinq fois plus élevé pour les hommes et six fois plus pour les femmes les plus défavorisés que dans les groupes des personnes les plus favorisées[26].

---

22. Notons que le patrimoine est défini comme étant la valeur totale des actifs moins les dettes.

23. Au Québec, l'espérance de vie est de 76,5 ans chez les hommes et de 82,1 ans chez les femmes (Institut national de santé publique du Québec, 2006).

24. On constate une diminution légère partout, sauf dans le cas des suicides et des décès liés au cancer du poumon et des voies respiratoires inférieures qui ont augmenté chez les femmes en milieu défavorisé.

25. Si on compare deux périodes pour lesquelles on dispose de données fiables, on constate en effet qu'entre 1989 et 1993 53 % de l'ensemble des décès ont été prématurés contre 44 % entre 1999 et 2003. Toutefois, l'écart qui sépare les groupes des personnes favorisées et défavorisées en matière de mortalité prématurée s'est creusé de manière significative entre les deux périodes (Pampalon *et al.*, 2008).

26. En l'espace de presque une décennie, l'écart relatif a carrément triplé. L'écart absolu entre deux périodes qui ont été bien étudiées (1989-1993 et 1999-2003) est

Si nous préférons depuis plusieurs années parler de défavorisation plutôt que de pauvreté, c'est parce que ce concept permet de caractériser l'état de désavantage d'un individu ou d'un groupe d'individus par rapport à un ensemble auquel ils appartiennent (pays, région, ville, quartier) sur des bases plus larges que le seul revenu (Townsend, 1987). De nombreuses études ayant tenté de mesurer les inégalités sociales en matière de santé ont eu recours à deux dimensions pour pondérer les conditions expliquant les désavantages entre les groupes : la défavorisation matérielle et la défavorisation sociale. La défavorisation matérielle tient compte essentiellement de trois aspects : la proportion de personnes sans diplôme d'études secondaires, la proportion de personnes occupant un emploi et le revenu moyen par personne. La défavorisation sociale concerne surtout les différents degrés et formes de fragilité du réseau social des individus. Les indicateurs qui sont le plus souvent considérés sont la proportion de ménages vivant seuls, la proportion de personnes séparées, divorcées ou veuves et la proportion de familles monoparentales. Cette dernière dimension est de plus en plus étudiée lorsqu'il s'agit d'analyser les différences entre les groupes sur le plan des problèmes de santé mentale[27]. Dans le contexte canadien, il existe un consensus autour du fait que non seulement un faible niveau de revenu et de scolarité est associé à un état de santé mentale moins bon chez les hommes et les femmes (ICIS, 2004), mais également que les personnes seules semblent plus souvent présenter un état de santé mentale moins bon que

toutefois resté stable pour les hommes même s'il s'est accentué chez les femmes, passant de 167 à 210 pour 100 000 *(ibid.)*.

27. Bien entendu, aucun indicateur n'est sans problème. Par exemple, l'augmentation de la vie en solo dans les grandes métropoles est une tendance lourde qui n'est pas forcément un indicateur de solitude ou d'isolement, mais une pratique résidentielle tout à fait en phase avec les caractéristiques des sociétés d'individualisme de masse contemporaines.

celles qui ont un conjoint ou un partenaire (Agence de santé publique du Canada, 2006). De manière générale, de nombreux travaux s'accordent sur le fait que la disponibilité d'un réseau de soutien social est liée à un meilleur état de santé mentale (Robinson *et al.*, 2005) et à un moindre niveau de violence subie ou exercée (Silver et Teasdale, 2005).

Au Canada, le recensement de 2011 montre des changements importants au sein des configurations familiales dans les 9 389 700 ménages recensés, changements qui vont dans le sens d'une diminution de la taille des ménages (3,9 personnes en 1961 contre 2,9 en 2011), d'une diversification des modèles (union libre, familles recomposées, familles monoparentales, unions entre personnes du même sexe) et d'une tendance croissante à la vie en solo surtout dans les grandes métropoles (par choix, en raison des aléas des dynamiques biologiques, sociales ou relationnelles, et par des processus d'isolement social). Pour la première fois dans l'histoire du Canada, un plus grand nombre de ménages ne comptant qu'une seule personne (3 673 305) que de ménages comptant un couple avec enfants (3 524 915) ont été dénombrés. Les couples sans enfant à la maison sont aussi plus nombreux (44,5 %) que ceux qui vivent avec des enfants (39,2 %). Quant aux jeunes âgés de 20 à 29 ans qui habitent chez leurs parents, la proportion est demeurée à peu près stable depuis 2006 (42,3 % en 2011) après le bond significatif des 20 dernières années (de 32,1 % à 44 %). La proportion de jeunes dans la vingtaine ne vivant pas en couple est toutefois une tendance qui se confirme depuis des décennies. D'autres phénomènes encore peu étudiés tels que les couples « non cohabitants », c'est-à-dire les couples stables qui ne partagent pas le même domicile, une situation qui touche une personne sur 13, illustrent les transformations contemporaines survenues dans les configurations familiales. Quant au pourcentage des personnes vivant seules au Canada, il a plus que doublé en moyenne entre 1961 (8,6 %) et 2011 (17,1 %). Cette tendance s'accentue cependant de manière importante dans les grandes métropoles comme Montréal, Vancouver et Toronto. Même si cette augmentation a été plus ou moins constante dans tous les groupes d'âge depuis des décennies, il est intéressant de souligner qu'elle a gagné en importance entre 2001 et 2011 chez les 50 ans et plus, notamment pour les femmes. En revanche, le nombre de personnes âgées de 65 ans vivant en couple a légèrement augmenté depuis 10 ans.

S'il est vrai que les couples mariés demeurent la structure familiale prédominante (67 %), leur proportion a diminué de manière régulière au fil des années. Entre 2006, date de l'avant-dernier recensement disponible, et 2011, date du dernier recensement disponible, le nombre de couples en union libre a en effet augmenté de 14 % contre seulement 3,1 % pour les couples mariés. Quant aux familles monoparentales, elles représentent 16,3 % des ménages, c'est-à-dire qu'elles ont fait un bond de 8 % depuis 2006. Même si les femmes sont majoritaires à la tête de ces familles (8 sur 10), la proportion d'hommes qui assument ce rôle a grimpé de 16,2 % depuis cinq ans. Ces tendances sont plus accentuées au Québec que dans le reste du Canada, la province comptant significativement moins des couples mariés (51,9 % contre 67 %), plus des couples en union libre (31,5 % contre 16,7 %) et un peu plus de familles monoparentales (16,6 % contre 16,3 %). Pour ce qui est des familles recomposées, qui ont été recensées pour la première fois en 2011, leur proportion est de 12,6 % au Canada, et un enfant sur 10 vit dans ce type de configuration familiale[28]. Le Québec se démarque encore à ce chapitre avec une proportion plus importante que la moyenne canadienne (16,1 %). Enfin, entre 2006 et 2011, le nombre de couples du même sexe mariés[29] a triplé au Canada,

28. Le recensement de 2011 révèle aussi que 0,5 % des enfants de moins de 15 ans vivent dans une famille d'accueil.

29. Environ 1 % des couples canadiens se déclarent homosexuels (64 575), mais seulement le tiers d'entre eux sont mariés. Le mariage entre personnes du même sexe est légal depuis 2005 au Canada.

et 1 de ces couples sur 10 a au moins un enfant à la maison[30]. Leur proportion est semblable dans toutes les provinces, même s'ils ont tendance à habiter dans les grandes villes.

Ces données générales sur la transformation des inégalités sociales et des configurations familiales, qui nous aideront dans les chapitres suivants à mieux contextualiser les situations problématiques complexes propres à l'univers de la folie civile contemporaine, prennent une dimension particulière lorsque l'on se penche sur l'analyse d'un contexte urbain précis tel que celui de Montréal.

La vulnérabilité matérielle et sociale à Montréal

Montréal est la région qui enregistre le taux de mesure du faible revenu (MFR) le plus élevé au Québec, soit 20 %, contre une moyenne de 12,7 % pour l'ensemble de la province. C'est le double du taux de MFR de la ville de Québec (9,5 %) et presque le triple de celui de la région Chaudière-Appalaches (7,7 %) qui est la moins défavorisée de la province par rapport à cet indicateur. La MFR indique le nombre d'individus qui n'ont pas un revenu suffisant pour se procurer l'ensemble des biens et services nécessaires à une vie adéquate. En général, ce sont les personnes seules, les familles monoparentales et les immigrants récents qui constituent les groupes les plus touchés. Le recensement de 2006 abonde dans le même sens, l'île de Montréal se classant au premier rang des agglomérations urbaines du Québec en ce qui concerne le pourcentage de familles à faible revenu, avec un taux de 24 % alors que la moyenne pour les autres agglomérations urbaines du Québec se situe à 8,2 % (CGTSIM, 2008).

30. Il s'agit davantage de couples composés d'hommes (54 %) que de femmes (46 %). Les couples de femmes sont toutefois plus nombreux à avoir plus d'un enfant (4 850 couples de femmes contre 1 200 couples d'hommes).

S'il est vrai qu'au cours des vingt dernières années l'espérance de vie des Montréalais s'est allongée de manière significative (de 79 à 84 ans chez les femmes et de 72 à 79 ans pour les hommes) et que le taux global de mortalité a reculé, les écarts entre les groupes favorisés et défavorisés demeurent encore fort significatifs (DSP et ASSS de Montréal, 2011). Les hommes appartenant aux groupes favorisés peuvent espérer vivre en moyenne six ans de plus que les hommes issus des groupes défavorisés, alors que pour les femmes cet écart est de quatre ans[31]. En comparant les territoires du CLSC d'Hochelaga-Maisonneuve et du CLSC de Saint-Laurent, qui sont situés aux deux extrêmes des conditions de vie socioéconomiques, on constate que l'espérance de vie dans le premier cas est de 74,2 ans tandis qu'elle atteint 85 ans dans le second, soit une différence de plus de 10 ans[32]. Au chapitre des années de vie vécues en bonne santé, il existe un écart d'environ 11 ans entre les territoires de la Clinique communautaire de Pointe-Saint-Charles (qui a mandat de CLSC) et du CLSC des Faubourgs, qui comptent parmi les moins favorisés de l'île de Montréal, et celui du CLSC de Lac-Saint-Louis, l'un des plus favorisés (DSP et ASSS de Montréal, 2011).

L'analyse des liens entre la défavorisation matérielle (revenu, éducation, emploi) et sociale (fragilité du réseau, vie en solo, isolement) et les inégalités de santé permet de saisir de manière plus fine l'impact complexe des transformations qui travaillent en profondeur les sociétés contemporaines. Plusieurs études récentes offrent la possibilité de mieux comprendre la spécificité de la défavorisation globale sur l'île

---

31. Ces données sont tirées des recensements de 1991 et 2008 effectués par Statistique Canada.

32. En ce qui concerne la mortalité, il est intéressant de noter que les décès pouvant être évités avec des interventions médicales appropriées est de 77 % plus élevé chez les plus pauvres que chez les plus riches. Quant au taux de mortalité chez les moins de 20 ans, celui des plus démunis continue d'être le double de celui des plus nantis (Pampalon *et al.*, 2008).

de Montréal et montrent en détail les territoires présentant des problématiques particulières. Si la défavorisation socioéconomique se concentrait traditionnellement au centre-ville, il semblerait que la pauvreté se répande sur le reste de l'île au gré des puissantes dynamiques de reterritorialisation, dont l'augmentation du prix des loyers due au processus d'embourgeoisement est l'une des plus importantes. La classique figure du « T » inversé qui caractérisait jusqu'à il y a un quart de siècle la concentration de la défavorisation socioéconomique à Montréal se transforme progressivement en un « S », mettant en évidence l'existence de poches de pauvreté et d'isolement social considérables distribuées dans des quartiers divers tels que le Plateau–Mont-Royal, Villeray, Ville-Marie, Ahuntsic et Notre-Dame-de-Grâce, qui sont bien moins homogènes qu'ils semblent l'être. Toutefois, cela ne contredit nullement le fait que certains quartiers sont frappés de manière globale par la défavorisation socioéconomique, comme c'est le cas pour Parc-Extension, le Centre-Sud, Hochelaga-Maisonneuve, Montréal-Nord, la Petite-Bourgogne, Pointe-Saint-Charles et Saint-Henri (CGTSIM, 2008).

En ce qui concerne la défavorisation strictement matérielle (revenu, éducation, emploi), elle se concentre plutôt dans le nord et l'est de l'île alors que la défavorisation combinée (matérielle et sociale) et proprement sociale (isolement, solitude, fragilité du réseau) est plus présente au centre et dans le sud-ouest de l'île (DSP et ASSS de Montréal, 2008). Il est intéressant de regarder de plus près la distribution de certaines compositions de ménages telles que les familles monoparentales et les personnes vivant seules, car elles sont directement reliées au calcul de la défavorisation sociale. Les taux importants de familles monoparentales se retrouvent surtout dans les arrondissements du Sud-Ouest (28,9 %), de Montréal-Nord (27,8 %), de Mercier–Hochelaga-Maisonneuve (25,5 %), de Rosemont–La Petite-Patrie (25,4 %) et de Villeray–Saint-Michel–Parc-Extension (25,3 %) (Turbide et Joseph, 2006). Quant aux personnes vivant seules, elles représentent 37,7 % des ménages montréalais (Germain, 2005 ; ASSS de Montréal, 2005b). Bien que ces ménages solos se répartissent de manière équivalente entre les sexes et les groupes d'âge, il faut souligner que 76 % d'entre eux sont locataires et 38 % d'entre eux vivent sous le seuil de la pauvreté. Pour ce qui est de la répartition spatiale, les arrondissements comptant le plus haut pourcentage de gens vivant seuls sont Ville-Marie (54,9 %), le Plateau–Mont-Royal (52,6 %) et Rosemont–La Petite-Patrie (47,2 %) (Germain, 2005).

Malgré des changements relativement récents dans la composition spatiale de la carte de la défavorisation montréalaise, on peut affirmer de manière schématique que deux zones se distinguent des autres concernant la question sociodémographiquement complexe de la défavorisation. Un premier ensemble, qui est surtout marqué par la défavorisation matérielle, le caractère multiculturel, un haut taux de monoparentalité et un faible taux de scolarisation, recouvre *grosso modo* de grands secteurs du nord et de l'est de l'île : Ahuntsic, Parc-Extension, Montréal-Nord et Villeray. Ces quartiers présentent également les plus hauts taux de chômage et les plus faibles revenus de la ville. Un deuxième ensemble, dans lequel se concentrent la défavorisation combinée et surtout la défavorisation sociale, et qui est caractérisé par un taux élevé de personnes vivant seules, occupe de larges pans du centre et du centre-sud de l'île (Ville-Marie, Plateau–Mont-Royal) coïncidant en bonne partie avec le territoire de l'ancien Centre de santé et de services sociaux (CSSS) Jeanne-Mance[33]. C'est dans le

33. Le territoire de l'ancien CSSS Jeanne-Mance comprenait les quartiers Saint-Louis, Mile-End, Plateau-Est et Plateau-Ouest situés dans l'arrondissement du Plateau–Mont-Royal, de même que les quartiers Sainte-Marie, Saint-Jacques, Faubourg Saint-Laurent et Vieux-Montréal situés dans l'arrondissement de Ville-Marie. Nous écrivons « l'*ancien* CSSS Jeanne-Mance », car depuis l'adoption du projet de réforme de la santé de 2015 (projet de loi 10), les agences ont été remplacées par les centres intégrés de santé et de services sociaux (CISSS) qui absorbent également les anciennes structures administratives des douze territoires des anciens CSSS de l'île de Montréal. Toutefois, les travaux importants concernant les données sociodémographiques et de santé de la population de l'île de Montréal continuent

second ensemble que se trouve la plus grande concentration de requêtes pour évaluation psychiatrique en vertu de la loi P-38, proportionnellement à la population des territoires considérés.

Sur la base de l'adresse des personnes ayant fait l'objet d'une requête, il a en effet été possible de retracer la provenance des individus visés selon le CLSC auquel ils étaient rattachés. Comme nous avons constaté l'existence de zones défavorisées dans la plupart des quartiers montréalais, nous avons pu situer des événements ayant été signalés comme relevant de la dangerosité mentale partout sur l'île de Montréal. Toutefois, bien que le nombre de cas soit relativement petit, quatre territoires se démarquent en termes absolus, soit ceux des CLSC des Faubourgs, du Plateau–Mont-Royal, de Montréal-Nord et de Côte-des-Neiges. Leur apport en matière de signalements d'événements probables de dangerosité mentale est deux fois plus élevé que la moyenne de l'ensemble des 29 territoires étudiés, soit 6 % contre 3 %. Si nous ajustons le nombre de requêtes pour évaluation psychiatrique en fonction de la population des territoires de chaque CLSC, ce portrait s'affine davantage. Caractérisés surtout par le multiculturalisme et la défavorisation matérielle, les territoires des CLSC de Montréal-Nord et de Côte-des-Neiges se situent respectivement près et en dessous de la moyenne montréalaise. En revanche, les territoires des CLSC des Faubourgs et du Plateau–Mont-Royal, où la défavorisation sociale et les défavorisations matérielle et sociale combinées sont fort présentes, continuent de se démarquer de manière nette. Les caractéristiques de ces deux territoires sont toutefois très différentes en fait de défavorisation matérielle, le premier se classant parmi les zones les plus touchées tandis que le deuxième est plutôt privilégié à cet égard ;

à se référer aux douze territoires des anciens CSSS. Nous continuerons donc à faire référence aux « territoires » des douze CSSS, car ils correspondent aux « régions socio-sanitaires » réelles définies par la Direction de la santé publique de Montréal pour lesquelles existent des données fiables.

elles restent très semblables sur le plan de la défavorisation sociale. Ce qui nous pousse à porter une attention particulière à cette dernière dimension.

En répartissant maintenant le nombre de requêtes pour évaluation psychiatrique en fonction de la population des territoires de chaque CSSS, qui englobent plusieurs CLSC présentant parfois des caractéristiques fort différentes, on constate que le territoire du CSSS Jeanne-Mance possède le plus grand nombre de demandes.

Le territoire du CSSS de l'Ouest-de-l'Île, où habite une bonne partie de la population montréalaise favorisée sur le plan tant matériel que social, présente un nombre moins élevé de requêtes. Lorsqu'on

Graphique 9. — Nombre de requêtes proportionnellement à la population des territoires desservis par les CLSC de l'île de Montréal, en 2007* (en ‰)

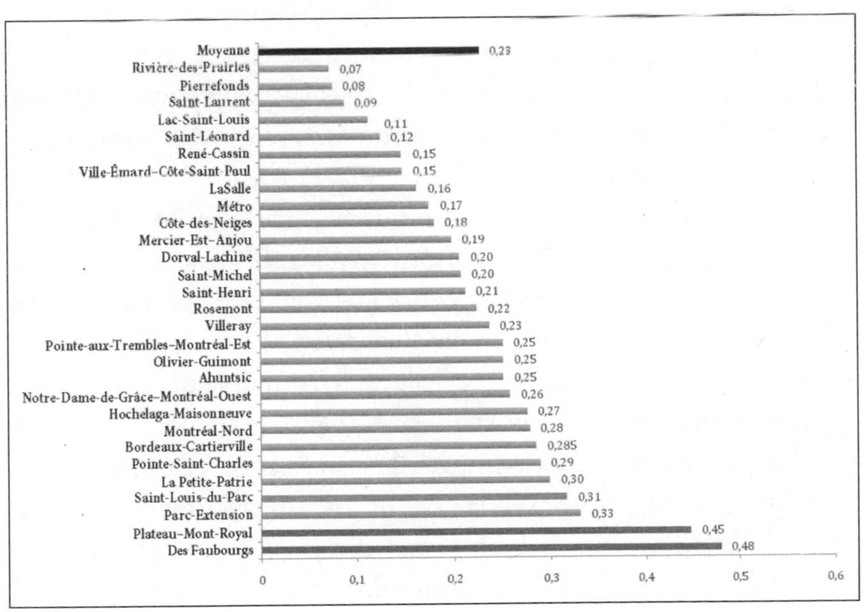

* Nous considérons les vingt-neuf territoires des CLSC qui correspondent aux douze régions socio-sanitaires définis par la Direction de la santé publique de Montréal auxquelles se réfèrent les travaux épidémiologiques portant sur le territoire montréalais. Voir Direction de la santé publique et Agence de la santé et des services sociaux de Montréal (2008).

Graphique 10. — Nombre de requêtes proportionnellement à la population des territoires des douze CSSS de l'île de Montréal, en 2007 (en ‰)

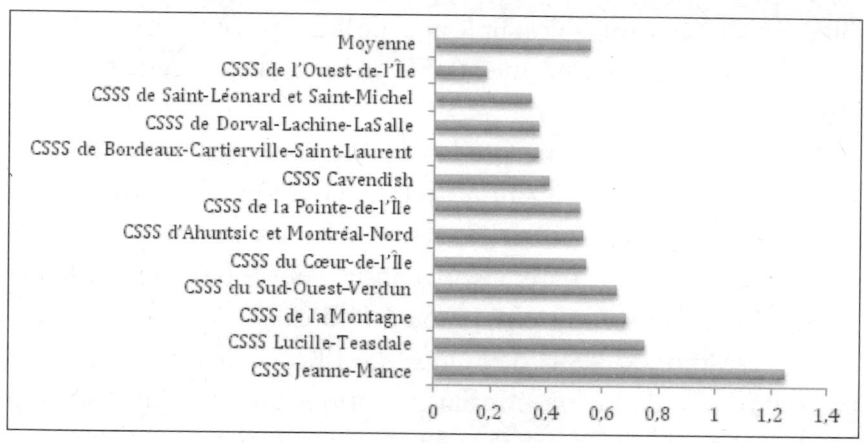

s'arrête aux mesures de défavorisation strictement sociale, ce sont le territoire du CSSS Jeanne-Mance (51 % de sa population classée dans ce profil) et celui du CSSS Lucille-Teasdale (37 %) qui se démarquent en matière du nombre de requêtes pour dangerosité mentale déposées. Quant aux profils les plus défavorables sur le plan matériel, ils se répartissent essentiellement sur les territoires des CSSS de Saint-Léonard et Saint-Michel (64 % de la population), d'Ahuntsic et Montréal-Nord (30 %), de la Montagne (30 %) et de la Pointe-de-l'Île (31 %). Enfin, trois territoires concentrent la moitié de la population montréalaise caractérisée à la fois par la défavorisation matérielle et sociale, soit ceux des CSSS Lucille-Teasdale (17 %), du Sud-Ouest–Verdun (16 %) et d'Ahuntsic et Montréal-Nord (14 %[34]).

S'il est vrai que les comportements associés à la dangerosité mentale tels que définis dans le contexte de la législation actuelle se trouvent dans toutes les régions de la ville, ils sont un peu plus présents sur certains territoires pour des raisons diverses, à savoir : l'écologie urbaine, les ressources d'aide disponibles pour personnes seules avec

34. Sur ces trois territoires, la proportion de personnes correspondant à ce profil oscille entre 27 % et 40 % comparativement à 17 % pour la moyenne montréalaise.

problèmes multiples, l'offre de logements adaptée à ce profil d'individus et le niveau de tolérance objective plus élevé rendant possible de conserver une existence anonyme. L'analyse préliminaire de ces chiffres, qui mettent en rapport les différents degrés de défavorisation sociale et matérielle avec le nombre de requêtes pour évaluation psychiatrique en vertu de la loi P-38, attire l'attention sur le rôle complexe que le dispositif de la garde provisoire pourrait bel et bien jouer dans la gestion des situations problématiques complexes dans certains secteurs de la ville particulièrement touchés par la pauvreté matérielle et sociale. Il est maintenant temps de regarder d'un peu plus près les caractéristiques écologiques de la défavorisation sur le territoire du CSSS ayant la plus haute incidence d'événements relevant apparemment de la dangerosité mentale, afin d'y voir plus clair.

Le territoire montréalais le plus « mentalement dangereux »

Comme nous l'avons dit précédemment, Montréal se distingue clairement du reste du Québec en ce qui concerne la défavorisation globale[35]. La population de la ville représente 25 % de la population québécoise mais accueille 53 % des familles québécoises à faible revenu

35. Le degré de défavorisation vise à « caractériser un état de désavantage relatif d'individus, de familles ou de groupes par rapport à un ensemble auquel ils appartiennent, soit une communauté locale, une région ou une nation » (Turbide et Joseph, 2006, p. 4). Il est mesuré par une *composante matérielle* (privation de biens et de commodités de la vie courante) dont les indicateurs sont la proportion de personnes sans diplôme d'études secondaires, la proportion de personnes occupant un emploi et le revenu moyen par personne, ainsi que par une *composante sociale* (fragilité du réseau social, de la famille à la communauté) dont les indicateurs sont la proportion de personnes vivant seules dans leur ménage, la proportion de personnes séparées, divorcées ou veuves et la proportion de famille monoparentales (DSP et ASSS de Montréal, 2008, p. 3).

(Turbide et Joseph, 2006), ce qui représente une disproportion considérable à l'échelle provinciale. Au total, 20,2 % des Montréalais vivent sous le seuil du faible revenu (DSP et ASSSM, 2011, p. 31). En outre, la région de Montréal se caractérise par une défavorisation sociale beaucoup plus importante que celle présente dans le reste de la province (DSP, ASSS, 2008, p. 3), notamment parce que près de 40 % de ses ménages sont composés de personnes seules (Germain, 2005 ; ASSS, 2005b).

La ville de Montréal compte douze régions socio-sanitaires qui correspondent au territoires des anciens CSSS, dont celui du CSSS Jeanne-Mance, qui affiche la proportion la plus élevée de requêtes pour évaluation psychiatrique. Si l'ensemble du territoire de ce CSSS se situe proche de la moyenne montréalaise en termes de défavorisation matérielle, il arrive en revanche au premier rang en ce qui a trait à la défavorisation sociale (51 %, contre 23 % pour la moyenne montréalaise). Ce territoire, où habitent 140 000 individus, est densément peuplé (9 425 personnes par km^2 contre 3 715 personnes par km^2 pour l'ensemble de Montréal) et occupe tout l'arrondissement du Plateau–Mont-Royal ainsi qu'une grande partie de l'arrondissement Ville-Marie. Comme la plupart des quartiers centraux des métropoles, ce territoire est traversé par des dynamiques complexes telles qu'une circulation intense de populations différentes à tout point de vue (travailleurs, touristes, étudiants), une disparité socioéconomique très forte (populations très pauvres et très riches), une proportion considérable de ménages composés d'une seule personne (51,6 %, comparativement à la moyenne montréalaise d'environ 38 %) et la présence importante d'individus avec des problématiques graves et complexes (personnes en situation d'itinérance, usagers de drogues injectables, individus souffrant de troubles mentaux graves, travailleuses du sexe[36]). Cette écologie sociale fort diversifiée sur le plan

36. En ce qui concerne l'immigration, l'ensemble du territoire du CSSS Jeanne-

des dynamiques et des populations se prête bien à une plus grande tolérance objective en matière de comportements non conformes, étranges, problématiques ou dérangeants que celle des territoires plus homogènes, plus résidentiels et avec une circulation de personnes moins diversifiées. Les trois territoires des CLSC du CSSS Jeanne-Mance, c'est-à-dire le CLSC des Faubourgs (Sainte-Marie, Faubourg Saint-Laurent, Saint-Jacques et Vieux-Montréal), le CLSC du Plateau–Mont-Royal (Plateau-Est et Ouest) et le CSLC de Saint-Louis-du-Parc (Saint-Louis et Mile-End), sont très contrastés et les indicateurs disponibles reflètent ces différences souvent dissimulées par les indicateurs moyens du territoire global.

Le territoire du CLSC des Faubourgs a les caractéristiques suivantes[37] : 70 % des résidents sont matériellement défavorisés tandis que 41 % sont défavorisés à la fois matériellement et socialement. Les quartiers les plus touchés sont, dans l'ordre : Sainte-Marie, Faubourg Saint-Laurent et Saint-Jacques. Le Vieux-Montréal[38], quant à lui, constitue une véritable enclave très favorisée dans un contexte fort marqué par la défavorisation globale. Pour l'ensemble du territoire, l'espérance de vie des hommes (67 ans) et des femmes (77 ans) est nettement inférieure à la moyenne montréalaise (respectivement 76 et 81,6 ans). Compte tenu de ces caractéristiques, le CLSC des

---

Mance « respecte » les moyennes montréalaises, soit 27,6 % d'immigrants au total et 5,7 % d'immigrants récents (Turbide et Joseph, 2006), mais cette population croît plus rapidement sur ce territoire que dans d'autres zones de la ville.

37. Les données divergent un peu selon les documents consultés sans que cela affecte les tendances générales. C'est notamment le cas si on compare « CSSS Jeanne-Mance (609) », dans *Regard sur la défavorisation à Montréal* (DSP et ASSS de Montréal, 2008), et *Quartiers à la loupe : un portrait pour l'action* (CSSS Jeanne-Mance, 2009). Nous avons eu recours au premier car il s'agit de la même source pour les autres CSSS de la ville de Montréal.

38. Sur l'ensemble des CLSC montréalais, le quartier du Vieux-Montréal se classe 20e sur le plan de la défavorisation matérielle et 27e sur celui de la défavorisation sociale.

Faubourgs offre une foule de programmes consacrés aux phénomènes urbains problématiques complexes tels que l'itinérance, l'usage de drogues injectables, l'insécurité alimentaire, les besoins des jeunes de la rue et les problèmes des personnes souffrant de troubles de santé mentale importants. Parfois, ces programmes sont déployés en partenariat avec des organismes communautaires bien implantés sur le terrain qui connaissent les besoins et les problématiques des individus concernés. Si nous considérons, par exemple, le seul quartier de Sainte-Marie, 94 % de la population qui y réside se caractérise par une grande défavorisation matérielle seule ou combinée.

Le territoire du CLSC du Plateau–Mont-Royal se distingue de son côté par une très importante proportion de défavorisation sociale et une faible proportion de défavorisation matérielle[39]. En termes relatifs, il est au troisième rang des territoires les moins défavorisés matériellement de l'île de Montréal, mais l'un des plus défavorisés sur le plan social, domaine dans lequel il occupe le 26e rang sur les 29 CLSC de la ville. L'espérance de vie des hommes (72 ans) et des femmes (79 ans) y est inférieure à la moyenne montréalaise, mais dans une moindre proportion que celle des résidents du CLSC des Faubourgs. Le quartier du Plateau-Est est en général plus touché par les indicateurs négatifs que celui du Plateau-Ouest. Enfin, le territoire du CLSC Saint-Louis-du-Parc se porte mieux que les deux autres tant en fait de défavorisation matérielle qu'en fait de défavorisation sociale.

Si nous comparons les indicateurs d'espérance de vie, d'années potentielles de vie perdues et même du taux de suicide, nous constatons que les dynamiques vitales les plus élémentaires (mort, vie, suicide) des trois territoires des CLSC du CSSS Jeanne-Mance sont

---

39. La pauvreté cachée dans ce territoire a souvent été mise en évidence par la révision des méthodes utilisées pour la mesurer. À ce sujet, voir Apparicio *et al.*, 2007, p. 412-427.

fortement corrélées aux inégalités matérielles et sociales des populations qui y évoluent.

Les territoires des CLSC des Faubourgs et du Plateau–Mont-Royal sont ceux qui enregistrent les taux de requêtes pour évaluation psychiatrique les plus élevés de Montréal tandis que celui du CLSC Saint-Louis-du-Parc se trouve en quatrième place. Sans vouloir tirer de conclusions hâtives, on peut à partir de ces données et observations esquisser des pistes d'interprétation qui nous aideront dans l'analyse des cas concrets de folie civile abordés dans les chapitres cinq à sept. Par exemple, pour le territoire du CLSC des Faubourgs, on pourrait avancer que les effets délétères de la très grande défavorisation matérielle des résidents ne semblent pas freinés par des amortisseurs relationnels, sociaux, culturels ou institutionnels comme cela pourrait être le cas pour des territoires très touchés par la pauvreté matérielle mais moins par la défavorisation sociale, tels Hochelaga-Maisonneuve, Montréal-Nord, la Petite Bourgogne, Pointe-Saint-Charles et Saint-Henri.

Graphique 11. — Fluctuation des variables vitales selon les territoires des trois CLSC du CSSS Jeanne-Mance (ASSS de Montréal, 2005b)

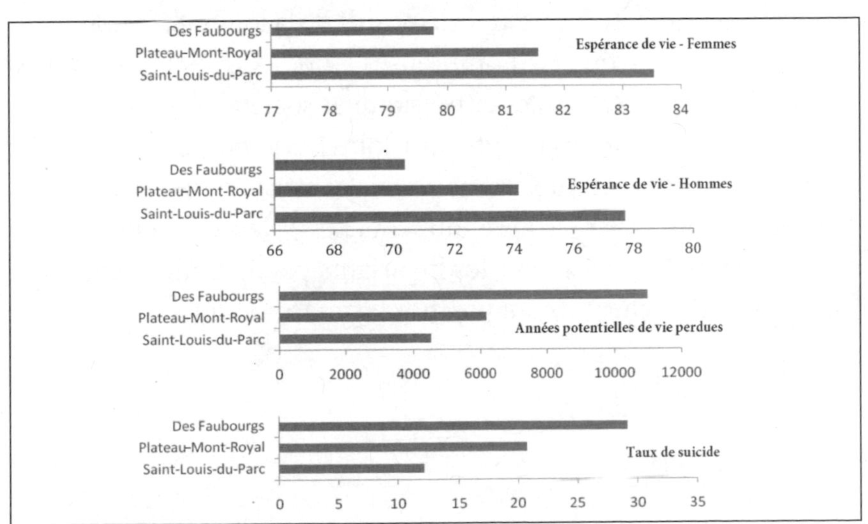

En ce qui concerne le territoire du CLSC Plateau–Mont-Royal, plutôt favorisé sur le plan matériel, ce sont les taux effarants de défavorisation sociale qui pourraient jouer un rôle important dans le phénomène de la concentration de requêtes pour évaluation psychiatrique. Certaines études vont jusqu'à situer la défavorisation sociale à 78 % dans le Plateau-Ouest et à 64 % dans le Plateau-Est. Sans affirmer que le fait de vivre seul est un problème en soi – après tout il s'agit d'une tendance sociodémographique lourde dans les grandes métropoles –, nous croyons qu'il est possible que la défavorisation proprement sociale témoigne d'un contexte de distance relationnelle par rapport aux autres (contacts familiaux, amicaux et communautaires peu fréquents, ardus, conflictuels ou encore inexistants) pour lequel le dispositif de la garde provisoire, entre autres dispositifs bien entendu, se révèle adéquat pour gérer certaines situations problématiques complexes sans la barrière naturelle des réseaux de proximité.

Cette brève discussion portant sur la nature et la localisation des défavorisations matérielles, sociales et globales les plus accentuées à Montréal ainsi que sur la profonde transformation des configurations familiales et résidentielles, relativement récente, montre que ces défavorisations et cette transformation ne sont pas étrangères à la fréquence des sollicitations pour le dispositif de la loi P-38. Si nous prenons au sérieux ce que les nombreuses études sur les liens à la fois irréductibles et inséparables entre santé et société nous ont appris, nous devrions en tenir compte au moment de penser tant la folie civile que les formes d'intervention sociales et individuelles que nous proposons pour aider les individus touchés et leurs familles, plutôt que de seulement considérer les invariants psychopathologiques et leurs réponses exclusivement psychopharmacologiques.

CHAPITRE 4

La consistance de la folie civile : mental perturbé et social problématique

Les hommes sont si nécessairement fous, que ce serait être fou par un autre tour de folie de ne pas être fou.

BLAISE PASCAL, *Pensées*

L'analyse des situations problématiques concrètes de la folie civile, pour lesquelles la figure légale et administrative de la dangerosité mentale sert actuellement d'indicateur majeur, nous permet d'illustrer l'hypothèse générale qui postule l'incontournable hybridation entre folie mentale et folie sociale. Elle nous évite d'adopter deux postures extrêmes, soit celle qui réduit la dimension du mental perturbé dans la folie à une simple construction culturelle, normative, institutionnelle ou disciplinaire[1], et celle qui ignore que la folie civile dans

1. Bien qu'il existe effectivement de nombreux exemples dans l'histoire de tentatives pour classer la non-conformité, l'inconfort, la différence, le conflit et la contestation dans le registre de la pathologie mentale, il n'est pas inutile de rappeler la précision faite par Foucault lui-même par rapport à la lecture simpliste, constructiviste et antipsychiatrique de certains de ses travaux : « On m'a fait dire que la folie n'existait pas, alors que le problème était tout à fait l'inverse : il s'agissait de savoir comment la folie, sous les différentes définitions qu'on a pu lui donner, à un

toutes ses figures sociales, juridiques, scientifiques et institutionnelles n'est pas, n'a jamais été et ne sera jamais ni de la folie mentalement pure ni un phénomène exclusivement singulier dont l'expérience d'un seul individu peut rendre compte. Elle n'a jamais été non plus un univers unidimensionnel (psychique, psychiatrique, mental, psychobiologique, biologique) où les disciplines du mental pathologique (psychologie, psychanalyse, psychiatrie) constituent la seule clé pour comprendre ce qui pose problème tant à l'individu concerné qu'à la société de son temps. Bref, il est aussi absurde de penser un individu sans son corps et son cerveau qu'un individu sans la société où il évolue.

Le statut ontologique des problèmes de santé mentale, qu'ils soient de masse (névroses, anxiodépressions) ou fort sélectifs (les troubles sévères et persistants), ne peut être saisi exclusivement ni par la sociologie et l'anthropologie ni par la psychologie et la psychiatrie. S'il est vrai que les problèmes de santé mentale ne peuvent pas être compris sans référence à la normativité qui a cours, comme nous l'avons démontré dans plusieurs travaux, ils ne se réduisent pas à la seule déviance par rapport à la norme et aux conséquences souvent pénibles qui en découlent en matière de réaction sociale (stigmatisation, exclusion, vulnérabilisation, mépris, pitié, peur[2]). Le psychologisme et le sociologisme sont, nous nous permettons cette boutade, des pathologies épistémologiques équivalentes. On peut toutefois explorer davantage une dimension pour laquelle on est plus outillé en termes disciplinaires. Ou encore – ce que nous tentons de faire ici –, chercher à articuler les dimensions de la folie qui nous semblent

---

moment donné, a pu être intégrée dans un champ institutionnel qui la constituait comme maladie mentale ayant une certaine place à côté d'autres maladies » (Foucault, 2001b, p. 1545).

2. Erving Goffman (2007), par exemple, n'a jamais pensé que l'abolition des asiles dont il faisait la critique sociologique viendrait à bout de la question de la folie.

essentielles de manière à mettre en évidence ce qui est, à notre avis, le cœur ontologique du phénomène.

Dans cette voie d'analyse sociologique, nous prioriserons la prise en compte d'une consistance spécifique (de quoi la folie est-elle faite sur les plans social et mental ?) et d'une normativité générale affectée (en quoi la folie pose-t-elle problème ?). Attirer l'attention sur la consistance particulière de la folie, c'est affirmer qu'il s'agit d'un phénomène spécifique irréductible à d'autres phénomènes qui l'ont côtoyé hier et aujourd'hui tant dans les institutions fermées et les cabinets de professionnels que dans la rue, comme la différence radicale, la criminalité, la déviance morale, la pauvreté extrême, l'itinérance et la violence. Attirer l'attention sur la manière dont la folie pose problème, c'est affirmer également qu'elle est indissociable de cet ensemble de phénomènes qui l'ont côtoyée hier et aujourd'hui parce qu'elle met en cause à la fois le rapport aux autres (famille, entourage, étrangers) et le rapport à soi (l'individu affecté lui-même) en termes concrets (souffrances, risques, mises en danger, conditions de vie pénibles, gestes problématiques envers soi et les autres) que tout un chacun perçoit comme étant problématiques du seul fait de vivre dans la même société et à la même époque, c'est-à-dire de participer à la même grammaire sociétale, commune à la fois aux fous, aux psychiatres et aux individus ordinaires. On pourrait dire que la folie civile incarne l'arrimage concret d'une consistance spécifique et de problèmes non spécifiques.

Quant à la consistance de la folie civile, nous avancerons qu'elle se compose essentiellement de deux dimensions à la fois irréductibles et inséparables dans les situations concrètes qui l'incarnent, à savoir le mental perturbé et le social problématique. Pour ce qui est des problèmes non spécifiques qu'elle pose, nous les appréhenderons en termes généraux de rapports déréglés à soi et aux autres qui peuvent survenir tant sur le plan de la dimension du mental perturbé que du social problématique. Pour résumer, disons que souffrir d'hallucinations, être agressif ou ne pas avoir de logement sont des situations qui posent problème de manière non spécifique. En effet, une hallucination peut être la conséquence de la prise d'une substance psychotrope et pas forcément d'une psychose, manifester des comportements agressifs peut découler d'une situation conflictuelle et pas seulement d'un trouble de la personnalité, et il est possible qu'une personne n'ait pas de logement parce qu'elle est pauvre et pas obligatoirement parce qu'elle n'a pas les habiletés d'autonomie et d'adaptation nécessaires pour conserver un appartement. Le fait que différentes situations puissent poser problème, et parfois le même problème, peut trouver son origine dans des sources distinctes comme la criminalité, la pauvreté, la maladie mentale ainsi que les conflits sociaux ou interpersonnels. Il s'agira de déceler la consistance spécifique de chacune afin de mieux comprendre à quel type de situation problématique nous avons affaire. Dans ce contexte, il paraît évident que les frontières entre les phénomènes problématiques divers (folie, criminalité, maladie, pauvreté extrême, déviance morale) sont instables, poreuses et l'objet de constantes discussions entre les différentes disciplines.

Les problèmes non spécifiques causés par ce que l'on nomme aujourd'hui les « problèmes de santé mentale » doivent être appréhendés dans un cadre plus large que celui d'un esprit malade ou d'une dynamique biologique, psychiatrique ou psychique pathologique. Ce qui ne signifie nullement que le psychisme souffrant, dysfonctionnel ou anéanti ne soit pas une réalité spécifique aux effets dévastateurs que les personnes touchées, leur entourage et la société en général essaient de pallier, dans la plupart des cas, par des thérapies médicamenteuses[3]. Il ne fait alors aucun doute qu'il existe à la fois une spéci-

3. En effet, le médicament est aujourd'hui plus que jamais la pièce centrale des thérapeutiques en santé mentale. Les antidépresseurs sont la première catégorie de médicaments prescrits en pharmacie au Canada et la deuxième au Québec (IMS Health, 2007, 2011, 2012 ; CPLT, 2003 ; CMQ, 2008). Quant aux médicaments antipsychotiques, leur centralité est totale lorsqu'il s'agit des troubles sévères et persistants, à tel point que le refus de les prendre de la part d'un patient peut être assimilé

ficité ontologique à comprendre et des problèmes non spécifiques à gérer. Qu'est-ce que signifie concrètement le terme *problème* dans l'expression « problème de santé mentale » si ce n'est la référence à la dimension sociétale problématique non spécifique ? Que signifie concrètement le *danger* dans le cas de figure de la dangerosité mentale formalisée dans la loi P-38, si ce n'est la référence à un risque non spécifique décelé par tout un chacun (familles, policiers, intervenants) sur le plan de la sécurité, de la santé, de la vulnérabilité ou du risque ? Comment ignorer le fait que la législation spécifique en vigueur en matière de santé mentale (loi P-38 et AJS) répond dans ses usages à des besoins concrets de gestion de problèmes non spécifiques auxquels sont confrontés la personne concernée, ses proches ou les intervenants de proximité ?

Une première lecture de l'ensemble des dossiers[4] justifiant l'application de la loi P-38, qui encadre les interventions au sujet de la folie dans la cité, nous montre d'emblée un rapport problématique à l'individualité sociale ordinaire, c'est-à-dire le rapport quotidien à soi-même et aux autres dans une perspective historique, sociale et culturelle. Nous préférons le terme *problématique* dans le sens de « cela pose problème » au terme *pathologique,* qui renvoie automatiquement au codage de l'univers médical et psychologique plutôt qu'à la situation générale dont il est question lorsqu'il s'agit d'un individu présumé

à son incapacité juridique à consentir (Otero et Dugré, 2012 ; CMQ, 2008). En ce qui concerne la gestion autonome des médicaments comme pratique alternative, voir « Gaining Autonomy & Medication (GAM): New Perspectives on Well-Being, Quality of Life and Psychiatric Medication » (Rodriguez del Barrio *et al.*, 2013).

4. Nous nous appuyons sur une recherche que nous avons menée sur la totalité des dossiers concernant la dangerosité mentale telle que définie dans la loi P-38 enregistrés à Montréal au cours de l'année 2007. Au total, 486 dossiers ont été analysés. Nous avons également étudié toutes les requêtes pour évaluation psychiatrique de l'année 2003 à des fins de contrôle, notamment pour vérifier si l'année 2007 n'avait pas été exceptionnelle. Les analyses du corpus des requêtes de 2003 renvoient à un univers de données semblables.

dangereux ou en danger en raison de ses caractéristiques singulières. Nous utilisons le terme *ordinaire* dans le sens de moyen, habituel ou courant pour qualifier une situation, un comportement, une pratique ou une attitude, au lieu du terme *normal*, qui renvoie à l'idée de rectitude morale ou encore d'absence de déviance psychologique ou sociale. L'individualité sociale ordinaire est tout simplement (même si cela n'a rien de simple) celle qui a cours à un moment précis comme moyenne comportementale dans une société donnée et à laquelle on doit, d'une manière ou d'une autre, se référer.

Se référer ne veut pas dire s'identifier ou se plier[5]. La référence à l'individualité sociale ordinaire permet plutôt de savoir qui on est par rapport aux autres avec qui on partage sa vie à différents degrés et, de manière moins positive, de se savoir à un degré ou à un autre, d'une façon ou d'une autre, en décalage et, plus rarement, en marge de ce que la société demande à chaque individu d'être et de faire en fonction des différentes configurations dans lesquelles il évolue comme les coordonnées socioéconomiques, les groupes socioprofessionnels, l'âge et le genre. En s'y référant, les personnes prennent alors *de facto* connaissance de l'individualité ordinaire qui les concerne selon leur position sociale et les rôles qui s'y rattachent de même que de la distance qui les en sépare. Le même geste de référence permet aux individus de se singulariser (devenir des vrais individus différents des autres) et de faire partie d'un ensemble plus large (la référence à ce qui est commun, partagé et socialement transmis). Autrement dit, on ne peut devenir individu qu'en société, car s'y référer oblige à se singulariser *de facto* non pas par rapport à soi, mais par rapport à une référence commune. Le singulier et le commun sont ainsi indissociables

5. Il est toujours important de garder à l'esprit l'idée d'Erving Goffman (2007) selon laquelle, du point de vue sociologique, un individu est un être capable de distanciation, c'est-à-dire capable d'adopter une position intermédiaire entre l'identification et l'opposition à une institution.

lorsqu'il s'agit de définir l'univers de ce qui pose problème parce qu'il posera problème forcément aux deux et de manière non spécifique. L'individualité sociale ordinaire ainsi comprise n'est ni normale ni pathologique, ni bonne ni mauvaise, ni critique ni aliénée. Elle est présentée comme moyenne de ce qu'il est souhaitable d'être et de faire non seulement de manière vague et générale dans une société, mais aussi de façon plus spécifique dans chaque classe, groupe, communauté ou collectif où les individus évoluent en faisant la preuve constante de leur singularité sociale. Et cela se reflète empiriquement et sans relâche dans les comportements quotidiens envers soi-même (intériorité) et envers les autres (extériorité). L'introspection et l'extrospection problématiques sont intimement liées tout comme le singulier et le commun non problématiques dans la vie sociale[6].

Dans l'ensemble des argumentations qui décrivent dans les requêtes pour évaluation psychiatrique les états de dangerosité mentale, il apparaît clairement que le rapport à soi ou aux autres, et souvent les deux, sont déréglés comparativement à l'individualité ordinaire, et ce, à plusieurs degrés et de diverses manières. « Déréglés » ne veut pas dire « pathologiques », mais plutôt problématiques par rapport à une référence commune, c'est-à-dire socialement partagée, transversale et non spécifique. Les situations simples, claires et sans équivoque sont rares tout comme les situations où, selon les faits rapportés, on n'est pas en mesure d'établir que quelque chose ne va pas et qu'une intervention serait souhaitable, bénéfique, nécessaire ou, dans certains cas, indispensable. En d'autres termes, on est souvent en présence d'un vrai problème vis-à-vis duquel il faut agir et non pas d'une construction sociale qu'il faut simplement dénoncer. Ce qui ne veut nullement dire, par ailleurs, que cette intervention doit être forcément ou seulement de nature psychiatrique ou médicale. Le rapport déréglé à soi est bien entendu indissociable du rapport aux autres, qui

6. Voir à ce sujet Martuccelli (2010).

agit comme un miroir de moyennes comportementales, cognitives, affectives, compréhensibles, acceptables ou tolérables mettant en évidence ce qui ne fonctionne pas comme attendu, ce qui est étrange, détonne, dérange ou semble, pour certains du moins, être dangereux.

Qu'il s'agisse des normes d'hygiène personnelle ou de l'état du milieu de vie de la personne, des comportements difficiles à comprendre, des pratiques dérangeantes, menaçantes, violentes ou carrément d'un délire en bonne et due forme ou d'une franche tentative de suicide, il faut le miroir des autres, incarnation collective de l'individualité sociale ordinaire plutôt que normale, pour percevoir ces situations comme inquiétantes et les signaler comme nécessitant une intervention spécifique qui sollicite un dispositif plutôt qu'un autre. Il est néanmoins possible de procéder à un premier déblayage de l'univers empirique de la folie civile selon deux lignes directrices non exclusives et encore moins étanches, mais mettant en exergue tantôt la primauté du rapport déréglé à soi (les comportements de la personne envers elle-même qui posent problème), tantôt la primauté du rapport déréglé aux autres (les comportements envers les autres qui posent problème) comme principal moteur d'une intervention en matière de folie civile.

Le rapport déréglé à soi et aux autres : les cas de figure de la non-spécificité

Le rapport déréglé à soi peut mettre en jeu plusieurs dimensions qui parfois se chevauchent, se télescopent ou se brouillent dans des situations complexes où des comportements ordinaires irréguliers se mêlent à des comportements plutôt extraordinaires qu'il s'agit de décrire, d'expliquer ou de comprendre[7]. L'alimentation, les soins per-

7. Toutes les citations des chapitres quatre à sept sont tirées des argumentations

sonnels et l'entretien du milieu de vie sont au premier rang des domaines ordinaires de la vie qui montrent de manière claire que des formes légères ou graves de dérèglement sont à l'œuvre. Le rapport à l'alimentation peut révéler des irrégularités allant de la simple perte d'appétit (« ne se nourrit pas adéquatement », « s'alimente de moins en moins », « ne prend pas ses repas régulièrement ») jusqu'à des tableaux plutôt alarmants (« perte de poids considérable », « ne veut pas manger », « mange de la nourriture qui n'est pas propre à la consommation »), en passant par des pratiques étranges ou inconvenantes (« se fait cuire de la nourriture pour lapin », « mange avec ses mains »).

La question de l'hygiène négligée concerne essentiellement deux domaines : les soins corporels et l'entretien du milieu de vie de la personne concernée. Dans le premier cas, les irrégularités vont du moins grave au plus grave (« il porte les mêmes vêtements depuis deux mois », « ne se lave jamais depuis six mois », « ne se lave pas de son propre chef »). Dans le second, les situations varient aussi entre le légèrement préoccupant (« ne s'occupe pas de la propreté de son appartement », « ne fait pas l'entretien ménager minimum de sa maison, ne fait plus son lavage », « ne fait pas le ménage, odeurs fortes, laisse de la nourriture sur le comptoir ou par terre ») et le plutôt alarmant (« gardait ses excréments dans des sacs », « logement carrément insalubre », « se remet à entasser des livres chez elle au risque de causer le feu »). Certaines requêtes font état de la détérioration intentionnelle voire de la destruction de l'environnement immédiat par la personne concernée (« couteaux et ciseaux dans les murs, graffitis, trous dans le plafond », « sans raison apparente, s'est mis à casser les tableaux, portes de la maison, voiture », « plusieurs brûlures de cigarettes par-

---

des requérants qui sollicitent l'application de la loi P-38, afin d'illustrer le type de problèmes qui sont évoqués dans les requêtes pour évaluation psychiatrique.

tout dans son logement »), ce qui ajoute une dimension inquiétante en soulignant la violence et le danger potentiel des gestes posés.

Le thème de la désorganisation est très présent et se décline sous plusieurs formulations. C'est parfois une manière de résumer un état de vie où rien ne semble tourner rond tout en faisant une allusion plus ou moins directe à la désorganisation mentale de l'individu visé (« il se désorganise de plus en plus », « l'intimé est désorganisé »). Quelquefois, l'illustration concrète de la désorganisation laisse entrevoir un ensemble de risques variés (« aggravation de la désorganisation, oubli du poêle, alimentation insuffisante, dépenses incontrôlées », « conduit sans assurances automobile, n'ouvre plus son courrier ») ou directement reliés à une maladie psychiatrique (« se désorganise sur un mode psychotique paranoïde et ne peut plus s'occuper d'elle-même adéquatement dans cet état »). Dans d'autres cas, le rapport à l'argent est le marqueur de cette désorganisation appréhendée qui comporte des conséquences graves à moyen terme (« ne paie plus ses comptes, dettes », « incapacité à administrer son propre budget », « risque d'itinérance, car dépense impulsivement, néglige de payer son loyer, demande des cartes de crédit, s'endette »).

La confusion, la négligence et l'oubli accompagnent souvent la désorganisation et dans, certains cas, en sont carrément la cause (« il semble confus dans le temps », « elle est confuse », « il dit ne se souvenir de rien, est confus », « très confus, ne reconnaît pas les personnes avec qui il réside »). Les oublis ou les négligences sont fréquemment associés au risque concret d'incendie (« oublie des cigarettes allumées dans le cendrier », « s'endort avec les ronds de poêle ouverts », « laisse ses cigarettes allumées partout », « fume dans son lit, laisse le four allumé »). Les comportements difficiles à comprendre et à expliquer sont relatés à travers des événements excentriques au degré d'intensité variable. Il est tantôt question de conduites somme toute bénignes (« parle seul », « se parle à elle-même et subit des attaques de rire spontanées », « il marmonne seul »), tantôt d'agissements possiblement à risque ou de références à des idées de persécution (« a tapissé son logement de papier d'aluminium », « a mis 30 cadenas et s'est équipé d'un système d'alarme », « a placé des cordes dans sa chambre pour s'embarrer »).

Dans cette logique de comportements étranges, excentriques ou inexplicables, on retrouve un rapport au réel clairement troublé, et ce, à plusieurs égards, allant de la non-conscience ou l'incompréhension de sa propre situation jusqu'au délire franc et structuré. Ainsi, les requérants mettent l'accent sur le jugement légèrement et vaguement altéré de la personne concernée (« le jugement est altéré : elle se promène avec peu de vêtements par temps froid », « pas conscience des risques pour sa santé », « pas conscience de ses faits et gestes »), son incohérence en général (« tient un discours incohérent », « ses propos sont constamment désorganisés », « tient des propos sans rapport avec la conversation »), la présence d'hallucinations (« voit des mauvais esprits », « laisse les voix la diriger », « il a des hallucinations auditives et visuelles ») ou d'un délire organisé dans un récit cohérent avec un thème dominant (religieux, grandiose, complot). Dans tous les cas où le rapport déréglé à soi est un élément central de la situation au cœur de l'intervention en matière de folie civile, c'est la qualité de vie, la santé ou la sécurité de la personne qui semblent les dimensions sociales problématiques non spécifiques pour lesquelles il faut s'inquiéter et agir. Ainsi, c'est plutôt la vulnérabilité de la personne qui est mise de l'avant.

Pour ce qui est du rapport déréglé aux autres, il se manifeste de différentes façons qui vont de la volonté explicite de s'isoler et de ne plus voir personne aux passages à l'acte violents qui prennent autrui pour cible contingente (étranger) ou identifiable (proche). Les gestes par lesquels l'individu concerné cherche explicitement à s'isoler ou à prendre des distances considérées comme excessives par son entourage laissent craindre une détérioration de la santé et de la sécurité de la personne (« se renferme dans sa chambre et reste isolé pendant longtemps », « se barricade », « reste enfermée 24 h sur 24, refuse de sortir de chez elle »). En ce qui concerne la prise de distance, les explications avancées par l'individu, lorsqu'elles existent, peuvent être la méfiance, une impression générale de persécution, la peur ou le sentiment que les autres représentent une menace précise (« elle se sent toujours persécutée », « méfiance marquée envers autrui », « il n'a plus de contact avec personne, croyant que tout le monde est son ennemi »). Parfois, ce comportement est directement associé à un problème de santé mentale du type paranoïde (« état général de paranoïa », « il devient méfiant et paranoïaque », « il a un délire de persécution et croit que sa mère est l'instigatrice du complot »).

Que le désir de la personne concernée de s'éloigner des autres soit ou non expliqué par un diagnostic ou un quasi-diagnostic, les conséquences objectives sont les mêmes, soit la détérioration et la disparition de son réseau social ainsi que la constatation d'une situation de vulnérabilité réelle ou potentielle qui s'installe durablement et par rapport à laquelle les proches éprouvent de l'impuissance (« il n'a pas d'amis, il ne visite pas la famille », « s'isole de plus en plus », « a récemment changé la serrure de la porte et son téléphone n'est plus en service »). Les allusions aux horaires de vie inhabituels (« arrive à 5 h 30 du matin chez elle », « passe une longue partie de la journée dans la rue », « sort très tôt le matin et ne rentre qu'aux petites heures du matin »), aux fugues (« en fugue du milieu familial depuis trois semaines », « fugue de la maison à plusieurs reprises », « parle de quitter pour les États-Unis, ses valises sont faites »), à l'errance intermittente, à l'égarement et même à l'itinérance (« risque de se perdre dans la ville », « il parle de faire de l'itinérance », « se perd dans le métro, ne peut plus revenir ») sont également présentes dans les argumentations sur lesquelles s'appuient les requêtes pour évaluation psychiatrique.

Il est possible de vouloir s'isoler des autres et même de les trouver inadéquats, indésirables, persécuteurs ou nuisibles sans pour autant s'engager dans un rapport conflictuel ouvert qui laisse craindre des passages à l'acte envers autrui. Lorsque cela arrive, nous assistons à un éventail de comportements qui marquent une discontinuité avec les situations précédemment évoquées, car l'inquiétude pour la santé et la sécurité se déplace vers les autres, qu'ils soient proches ou étrangers. Elle se traduit par de multiples cas de figure qui nourrissent le versant hétéroagressif de la dangerosité mentale tel que spécifié dans la loi. C'est un continuum qui s'étend de l'agressivité verbale (« se choque et devient agressif », « il devient agressif, contrôlant », « son humeur est changeante : passe du rire à l'agressivité ») à la violence générale ou encore à l'endroit d'une personne précise (« il pose des gestes violents envers sa conjointe », « elle terrifie ses enfants avec un bâton », « il a bousculé un passant »).

La majorité des individus visés par les dossiers de folie civile ne fréquentent pas régulièrement un milieu de travail (« il n'a jamais travaillé », « elle n'a plus d'emploi depuis des années », « il n'a jamais pu travailler »), est en train de l'abandonner (« ne s'est pas présenté à son travail depuis le retour des Fêtes », « son patron lui suggère de prendre un arrêt de travail ») ou bien y est une source de conflits (« harcèlement périodique des amis et ex-collègues de travail », « avait menacé de s'immoler sur les lieux de son travail », « ne peut plus remplir ses fonctions de travail, il se sent épié et surveillé »). Cette circonstance, qui semble très courante chez l'ensemble des personnes touchées par la législation sur la dangerosité mentale et encore davantage chez celles concernées par les AJS, les deux grands marqueurs judiciaires de la folie civile, contribue à les éloigner des interactions ordinaires avec les autres et à les pousser progressivement vers un système de prise en charge de plus en plus spécifique et institutionnalisé (CLSC, hôpitaux, centres de crise, ressources spécialisées) lorsque leurs réseaux sociaux finissent par s'épuiser.

Dans quelques cas, les contacts avec l'entourage physique peuvent provoquer la judiciarisation de certains incidents, notamment avec les voisins (« cogne dans les murs et les portes des voisins sans motifs fondés », « monte sur le toit du logement à deux étages et se promène », « a versé de la peinture sur la clôture du voisin ») ou les autres résidents d'un immeuble ou d'une ressource (« il a été vu se promenant presque nu dans le corridor », « se promène complètement perdu, essayant d'ouvrir toutes les portes », « marche sans arrêt de long en large »). Ces situations allant du dérangement aux voies de fait mineures en passant par la menace suscitent l'inquiétude chez les membres du voisinage qui peuvent soit les gérer de manière informelle avec les concierges, les gérants de l'immeuble ou les intervenants du CLSC du territoire concerné, soit avoir recours directement à la police.

Ce type de situation comporte un potentiel de risque particulier parce qu'il met des personnes ayant parfois des comportements étranges ou menaçants en contact fréquent avec des inconnus (passants, commerçants, clients des bars ou des restaurants, policiers). Dans ces cas, les incidents problématiques sont évalués sans aucun filtre par les étrangers comme étant de simples contraventions, agressions ou actes de vandalisme ou d'indécence qui relèvent du domaine du criminel. Comme de nombreux travaux le montrent, les conflits ou risques de conflits avec des inconnus peuvent mener à une judiciarisation de l'individu concerné compte tenu des dangers potentiels présumés dans le contexte de rencontres et d'échanges inconfortables

Graphique 12. — Distribution du poids des rapports déréglés à soi et aux autres comme élément dominant des situations problématiques

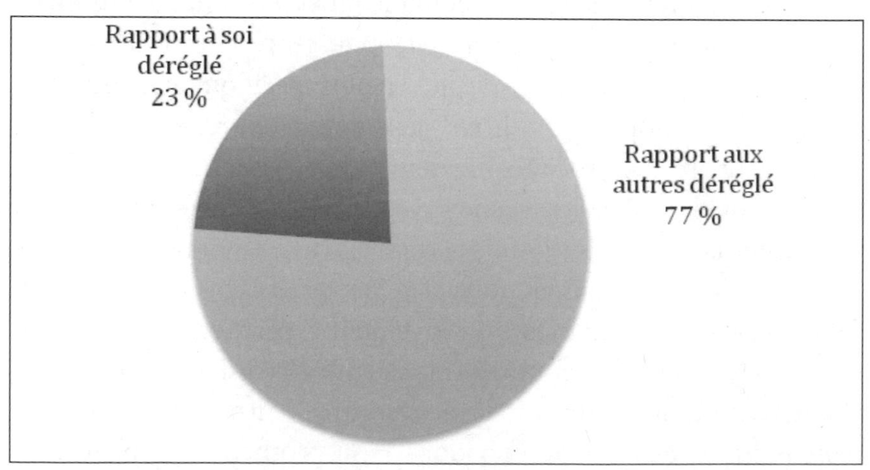

(« blasphème et crie très fort », « parle seul à des sujets, arrogant et grossier », « insulte et aborde les gens dans la rue ») ou de situations plus complexes impliquant plusieurs acteurs qui nécessitent plus directement une intervention policière (« ouvre les portières de véhicules en marche », « tente de descendre de l'auto en mouvement et met en péril tout le monde », « la police l'a intercepté à la frontière et il ne voulait pas arrêter sa course »).

Qu'ils concernent le rapport à soi ou aux autres, qu'ils soient violents ou non, les dérèglements comportent deux caractéristiques incontournables : ils posent problème de manière non spécifique et ils sont associés, du moins à titre d'hypothèse, à un état mental perturbé spécifique, ce qui justifie le recours à la loi P-38. Si l'on veut avoir une idée générale du poids relatif du rapport déréglé à soi et du rapport déréglé aux autres dans l'économie générale des situations problématiques déclenchant une intervention en matière de folie civile, on constate un déséquilibre important en faveur de la conflictualité avec autrui au détriment d'une certaine vulnérabilité des personnes directement visées par les dispositifs d'intervention[8]. Ce qui va dans le sens de l'idée générale voulant que la folie dans la cité pose davantage de problèmes aux autres qu'aux personnes identifiées comme étant la source de ces problèmes. La dimension du dérangement et de l'hétérodangerosité attire toutefois davantage l'attention sur les dispositifs d'intervention disponibles que sur la vulnérabilité des personnes[9].

---

8. Pour effectuer cette distribution des situations problématiques, nous avons codé l'ensemble des dossiers de manière mutuellement exclusive selon que les événements dominants se trouvaient du côté du rapport déréglé à soi ou de celui du rapport déréglé aux autres.

9. À cet égard, le phénomène de l'itinérance suit apparemment la même logique puisque, en bout de ligne, le dérangement de l'ordre public semble avoir plus d'importance que l'extrême vulnérabilité des itinérants (Roy et Hurtubise, 2007 ; Bellot *et al.*, 2005 ; Bellot *et al.*, 2012).

Les multiples dimensions des situations problématiques

Les dérèglements dans le rapport à soi et aux autres ne sont intelligibles que dans un contexte plus large et dynamique que nous appelons la « situation-problème », où les dimensions mentales et sociales s'imbriquent, mais sans pour autant se confondre au point qu'on ne puisse plus les distinguer. S'il est vrai que le mental perturbé et le social problématique sont empiriquement inséparables lorsqu'il s'agit des situations concrètes composant l'univers de la folie civile, on peut postuler qu'ils sont analytiquement irréductibles. Empiriquement inséparables parce qu'ils constituent la consistance même des situations-problèmes telles qu'elles se présentent dans la réalité, et analytiquement irréductibles parce que ces deux dimensions ne relèvent pas de la même nature ontologique.

La consistance de la folie civile est une occasion privilégiée d'entamer un dialogue entre les disciplines du mental perturbé et du social problématique au plus haut degré de généralité, sans rien enlever à ces deux façons de voir les choses foncièrement spécifiques et nécessaires pour des raisons différentes. Ce dialogue exige d'éviter tant le psychologisme (ou psychobiologisme), c'est-à-dire réduire toute la réalité d'un problème de santé mentale à ses seules dimensions psychologiques (esprit, psyché, personnalité) et biologiques (corps, cerveau, génétique), que le sociologisme, c'est-à-dire réduire toute la réalité d'un problème de santé mentale à ses seules dimensions sociales et culturelles.

Comment opérationnaliser cet objectif épistémologique ? Comment analyser les données qui expriment concrètement une hybridation réelle et vérifiable entre le mental perturbé et le social problé-matique ?

Les ethnopsychiatres, Georges Devereux (1972, 1977) au premier chef, ont incarné la volonté épistémologique de respecter la spécificité de la vie psychique comme de la vie sociale. La double critique du psychologisme (le psychisme fonde le culturel) et du culturalisme[10] (le culturel fonde le psychisme) cherchait à montrer que psychisme et culture sont à la fois irréductibles et inséparables. Devereux évoque le principe d'incertitude d'Heisenberg (1927), qui postulait l'impossibilité d'observer un électron sans créer une situation qui le modifie à partir des contraintes dues à l'angle d'observation adopté. Toutefois, on n'a pas le choix de privilégier un seul angle d'observation à la fois puisqu'il est impossible d'observer toutes les dimensions en même temps, quitte à démultiplier ensuite les regards pour arriver à une conception plus complexe, riche ou générale d'un phénomène. On ne peut alors, suivant ce raisonnement d'Heisenberg, déterminer simultanément avec la même précision la position (nature corpusculaire) et la vitesse (nature ondulatoire) d'un électron. Devereux s'en est inspiré à sa façon pour l'étude des relations entre vie psychique et vie sociale (la culture pour lui) en montrant que l'explication de tout phénomène humain doit rester foncièrement pluridisciplinaire et complémentaire plutôt que transdisciplinaire et, en quelque sorte, illusoirement synthétique. Si synthèse il y a, elle s'opère empiriquement, c'est-à-dire *de facto,* dans les manifestations concrètes du phénomène.

Dans leur effort à la fois ethnologique et clinique pour comprendre la folie des autres afin de mieux saisir la leur et de la traiter sans tomber dans la violence symbolique de la thérapie unique, les ethnopsychiatres ont tenu à différencier les matériaux psychiques des matériaux culturels. N'ayant pas du tout l'intention d'aborder la question âprement débattue entre psychiatres transculturels, ethnopsychiatres et ethnopsychanalystes concernant l'unité fondamentale ou la diversité des processus psychopathologiques (Laplantine, 2002 ;

---

10. Dans la même optique, on pourrait parler également de sociologisme lorsque l'on tente de réduire toute compréhension du psychisme aux seules dimensions sociales.

Lecomte *et al.*, 2006; Sterlin, 2006), nous nous concentrons, plus modestement et plus sociologiquement, sur le postulat de l'unité empirique de ce qui pose problème dans une société donnée en matière de problèmes de santé mentale. On pourrait énoncer le problème de la folie civile de cette façon : quels sont les matériaux mentaux et sociaux qui sont unifiés non pas par un processus psychopathologique universel, mais par des situations concrètes qui se présentent comme posant problème à l'individu qui les éprouve, aux autres ou (bien que souvent pour des raisons différentes) aux deux dans une même société à un moment précis ?

Pour répondre, il faut se poser la question méthodologique suivante : quelle est la part de mental perturbé et de social problématique dans la folie civile contemporaine ? Autrement dit, comment s'arriment, s'imbriquent, s'hybrident et fusionnent aujourd'hui la folie mentale et la folie sociale ? L'approche par situation-problème à deux composantes (mentale et sociale) est une stratégie d'analyse qui nous permet d'éviter les codages concurrentiels habituels, tantôt psychologisants, tantôt sociologisants, tout en respectant, autant que faire se peut, l'autonomie relative de ces deux dimensions afin d'en mesurer le poids respectif dans ce qui pose problème. Par « situation-problème », nous entendons la situation concrète qui donne lieu au déclenchement du dispositif de psychiatrie-justice (la loi P-38) par un membre de la famille, un proche, un intervenant social, un policier ou un médecin, c'est-à-dire par des personnes qui, d'une manière ou d'une autre, incarnent à la fois la santé mentale (normalité psychologique) et la santé sociale (normativité ordinaire).

Il ne faut pas oublier que ce sont les autres « ordinaires » (famille, amis, entourage physique, étrangers) qui savent reconnaître une situation-problème avant même qu'un diagnostic médical, une évaluation psychosociale ou une estimation technique de la dangerosité ne soit effectué. Même si le jargon de la psychiatrie, de la médecine et de la psychologie investissent aujourd'hui largement le codage quotidien des situations qui posent problème, et ce, comme jamais auparavant, les requérants n'ont besoin d'aucune expertise scientifique du mental pathologique pour savoir qu'il y a un problème soupçonné d'être lié à un état mental perturbé. Une situation-problème n'est toutefois pas un comportement, un geste ou une attitude problématique unique, mais un ensemble empirique qui dépasse la prise en compte du seul état mental d'un individu comme clé explicative de ce qui pose problème. La philosophie existentielle définit une situation de manière générale comme étant l'ensemble des relations concrètes qui déterminent l'action de l'être humain à un moment donné de son histoire. La belle image de Sartre synthétise efficacement cette idée : « l'homme n'est qu'une situation » (Sartre, 2012, p. 27). Mais quelles sont les principales dimensions opératoires caractérisant une « situation » qui peuvent être utiles dans l'analyse des situations-problèmes ? Les définitions qui existent de la notion de « situation » renvoient à plusieurs champs sémantiques qui parfois se complètent et parfois se recoupent. Cinq dimensions plutôt descriptives nous semblent néanmoins fondamentales.

1. **Lieu :** Emplacement ou position géographique de quelqu'un.
2. **Conditions matérielles :** Ensemble des conditions matérielles dans lesquelles se trouve une personne à un moment donné.
3. **Rapports avec les autres :** Manière dont quelqu'un est placé par rapport à d'autres personnes, à d'autres choses, à d'autres lieux.
4. **Circonstances :** Ensemble des événements, des circonstances au milieu desquels se trouve quelqu'un, un groupe.
5. **État particulier :** État dans lequel se trouve une personne à un moment donné de son évolution.

Le terme *situation* désigne ainsi simultanément un **lieu** précis (espace domestique, espace partagé, lieu public) où une action se déroule, un ensemble de **conditions matérielles** (logement, revenu, emploi, ressources financières) qui déterminent l'action, des **rapports avec les autres** (réseau familial, contacts de proximité, échanges avec étrangers) qui régulent l'action en fonction des rôles des uns et des autres, un ensemble de **circonstances** (événements, conjonctures, singularités) qui modulent l'action et, enfin, l'**état particulier** d'un processus en évolution (état d'esprit, état d'une dynamique relationnelle, état d'une situation sociale) qui explique ou atténue les moments forts de l'action. Mais ces dimensions correspondent à une situation générale, car dans un contexte empirique particulier une situation est toujours qualifiée par un critère général qui organise autour de lui les cinq dimensions en mettant en relief les éléments qui s'avèrent les plus pertinents. Ainsi, lorsqu'on parle d'une situation économique, on ne fait pas valoir les mêmes éléments que si l'on veut définir une situation sociale ou politique. Dans le cas de la folie civile, c'est la nature problématique de la situation qui opère une organisation particulière des dimensions évoquées en leur donnant une unité spécifique qui cherche, il ne faut pas l'oublier, à montrer la nécessité d'intervenir en raison de la dangerosité mentale associée à la folie civile.

Les cinq catégories de situations-problèmes de la folie civile

De la lecture exhaustive des 486 requêtes pour évaluation psychiatrique, qui chacune décrivent des événements ayant mené à l'application de la loi P-38 en 2007[11] en raison de la présomption d'un état de dangerosité mentale, émergent cinq situations-problèmes prédomi-

11. Nous nous appuyons encore une fois sur l'analyse de la totalité des 486 dossiers portant sur la dangerosité mentale telle que définie par la loi P-38 enregistrés à Montréal au cours de l'année 2007.

nantes couvrant le registre complet des cas particuliers. Il s'agit de la désorganisation mentale, du risque de suicide, des conflits avec la famille, des conflits avec l'entourage et des conflits avec des étrangers. En nous basant sur les faits relatés dans les requêtes, nous avons construit ces cinq catégories idéales et typiques mutuellement exclusives, dans le sens où chaque dossier a été classé dans une seule catégorie en fonction de la situation-problème apparaissant comme prédominante. Cette manière de procéder nous permet d'obtenir des pistes de réponse à une question large pouvant être formulée de plusieurs façons. Qu'est-ce qui est problématique dans le comportement des fous civils ? Qu'est-ce qui déclenche ou justifie une intervention en matière de dangerosité mentale s'appuyant à la fois sur le droit (le juge qui ordonne l'évaluation psychiatrique contre la volonté de la personne concernée en autorisant la garde provisoire dans un centre hospitalier), la coercition (la police qui arrête la personne au nom de la loi) et la science (le psychiatre qui tranche sur la dangerosité de l'état mental de la personne) ? Quelles sont les situations sociales et psychologiques problématiques qui se combinent au sein de ce que le langage de la loi appelle la dangerosité mentale ? Ces cinq grandes catégories permettent de réaliser une première esquisse d'un univers ontologiquement hybride (psychique et social) et articulé de manière multidimensionnelle (lieu, relations, conditions de vie, circonstances) où folie mentale et folie sociale s'imbriquent pour créer la figure inquiétante de la dangerosité mentale.

La catégorie de la désorganisation mentale est la plus classique puisqu'elle désigne la prédominance dans la situation-problème de ce qui est considéré comme des symptômes psychiatriques, psychologiques ou mentaux caractérisés, clairs et précis, soit le délire, les idées de persécution, la confusion mentale et l'incohérence mentale. Toutes ces références renvoient à une psyché profondément perturbée qui dénote plusieurs formes de perte de contact avec la réalité et évoque d'importants antécédents psychiatriques souvent résumés par un diagnostic lourd (schizophrénie, psychose, paranoïa). Ici, les dimensions autres que psychiatriques se subordonnent et même tout simplement découlent des énormes troubles psychologiques qui prennent toute la place dans l'explication de ce qui pose problème à la personne directement concernée ou aux autres. Dans ce contexte, c'est la cinquième dimension de la situation, c'est-à-dire l'**état particulier** dans lequel se trouve l'individu, qui semble l'élément le plus déterminant pour moduler l'intensité de ce qui pose problème. Cependant, la deuxième dimension, soit les **conditions matérielles,** ressort de manière claire dans la définition du caractère problématique de ce qui est en train de se passer, car la grande pauvreté colore du début à la fin le contexte de vie des personnes visées. On pourrait ajouter l'impact de l'absence de relations avec les autres en termes d'isolement social comme étant un aspect qui aggrave la situation. Les **circonstances** et le **lieu** de l'action qui est perçue comme problématique, sans être négligeables, jouent dans ce cas précis un rôle moins important.

Pour ce qui est de la catégorie du risque de suicide, elle concerne des situations-problèmes relativement simples où les menaces de s'enlever la vie, les idéations suicidaires, l'abandon de soi-même plus ou moins intentionnel mais sérieux au point de ne plus assurer la satisfaction des besoins vitaux (se laisser mourir) et, bien entendu, les blessures auto-infligées et les tentatives de suicide constituent la principale préoccupation dans les demandes d'intervention. Ici comme pour les cas de désorganisation mentale, les éléments contextuels importent moins, car le risque relativement immédiat pour l'individu concerné ressort parmi tous les autres événements rapportés dans la requête et souligne l'urgence d'agir. Dans ce contexte, c'est également l'**état particulier** de la personne en fait de prédisposition à passer à l'acte qui constitue la dimension dominante de la situation. Toutefois, les **conditions matérielles** de la personne connotent encore une fois fortement l'état général de détresse qui rend la situation problématique. Quant aux **relations avec les autres,** l'isolement vécu par l'individu visé ressemble à celui de la catégorie de la désorganisation mentale. Les **circonstances** et le **lieu** de la situation-problème ont aussi une importance moindre dans la définition de la nature problématique de la situation.

Les catégories des conflits avec la famille, des conflits avec l'entourage et des conflits avec des étrangers regroupent des situations dont les configurations sont assez différentes des précédentes. Elles suggèrent l'idée de différend, de dispute, d'altercation, d'affrontement, de tension ou d'antagonisme avec une ou plusieurs personnes pouvant se traduire par le signalement de comportements dérangeants, déplacés ou hostiles tels que des insultes, des menaces, des gestes obscènes et, moins fréquemment, des voies de fait, le vol, la fraude ou des méfaits publics. De manière générale, c'est la troisième dimension, soit les **relations avec les autres,** qui permet de caractériser ce qui pose problème dans cette situation. L'identité de la ou des personnes impliquées dans le conflit avec l'individu visé est cependant essentielle pour mieux situer à la fois la nature du problème, son interprétation et la nature de la réaction possible. En effet, le même geste posé par une personne peut être interprété différemment selon que son vis-à-vis est un membre de la famille ou un proche qui connaît sa personnalité ou son style de vie, ou un étranger. Dans ce dernier cas, il est possible qu'une dispute ou un acte dérangeant ou impudique donne lieu à une intervention policière par le biais de laquelle un problème de santé mentale peut devenir une contravention à certains règlements, voire carrément un délit.

Ainsi, nous distinguons ces dernières situations-problèmes en fonction des trois types de personnes avec qui l'individu touché peut entrer en conflit : la famille, l'entourage et l'étranger. Contrairement à l'entourage physique et aux étrangers, les membres de la famille peuvent être plus enclins à tolérer certains comportements, notamment hétéroconflictuels, parce qu'ils sont habitués à les interpréter et à les gérer en dédramatisant des situations qui peuvent sembler plus graves qu'elles ne le sont en réalité. En revanche, ils peuvent avoir tendance à réagir plus rapidement à des attitudes qui, tout en étant banales pour des étrangers, peuvent leur paraître des indices d'une aggravation d'un état qu'ils connaissent déjà ou d'une possible escalade dont ils ont fait l'expérience auparavant. Il ne faut pas oublier que plus des trois quarts des demandes d'application de la loi P-38 (requête pour évaluation psychiatrique) sont présentées par un membre de la famille. D'où l'importance de leur rôle à la fois de « tampon » pouvant bloquer une intervention non nécessaire et de « facilitant » pouvant permettre une intervention à l'égard de ce qui pose problème ou risque de le faire.

Lorsque nous parlons de l'entourage physique de la personne concernée, nous désignons des individus qui, sans être un membre de la famille ou un ami, sont physiquement proches d'elle et, de ce fait, la connaissent minimalement, la croisent ou entretiennent des contacts sporadiques avec elle. Il peut s'agir des concierges, gérants ou propriétaires du lieu de résidence, des voisins, des autres résidents d'une ressource d'hébergement, ou même du personnel d'une ressource que fréquente la personne. Les étrangers ont été définis comme tous les autres individus qui ne font partie ni de la famille ni de l'entourage physique connu, tels qu'un passant, un serveur de restaurant, un commerçant et un usager du transport en commun. Ces considérations mettent en évidence que les **relations avec les autres** sont ici forcément modulées par deux autres dimensions, à savoir le **lieu** et les **circonstances.** Les perceptions et les réactions par rapport au caractère problématique et à la nature (mentale, sociale, criminelle) d'un conflit ou d'un passage à l'acte diffèrent substantiellement selon que ces incidents se déroulent dans un espace privé ou public, ou que des circonstances particulières (par exemple, le fait de connaître certaines habitudes ou attitudes de la personne concernée) viennent en atténuer la portée.

Si nous quantifions les situations-problèmes pour l'ensemble des requêtes pour évaluation psychiatrique déposées à Montréal en 2007 selon la catégorisation proposée, nous obtenons une prédominance claire des situations conflictuelles avec la famille (près de 46 %)

Graphique 13. — Distribution des situations-problèmes en fonction des cinq catégories à Montréal en 2007

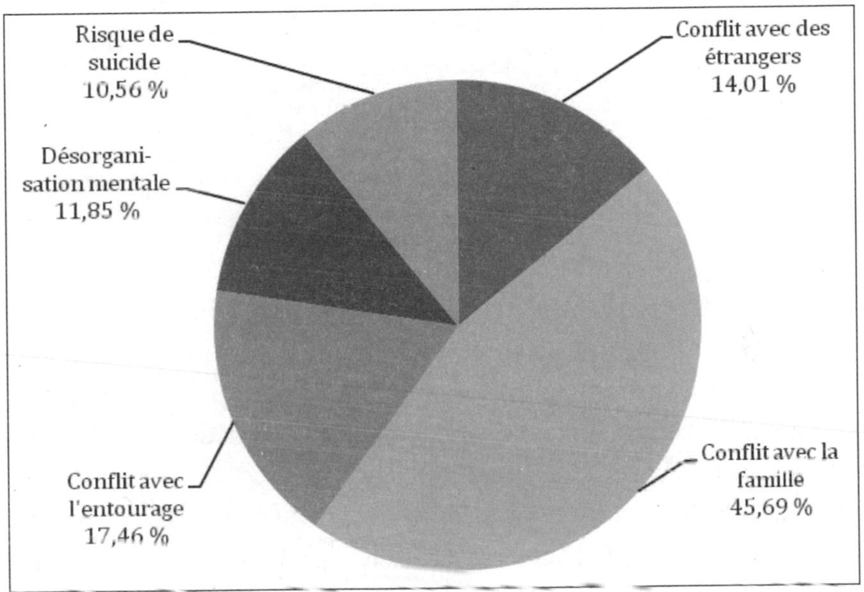

suivies des conflits avec l'entourage (environ 17 %) et avec les étrangers (14 %). Les situations liées à la désorganisation mentale (presque 12 %) et au risque de suicide (autour de 10 %) semblent quantitativement moins importantes, mais sont, nous le verrons plus loin, fort emblématiques de ce que signifie le danger mental.

Il est pertinent de se rappeler que le domaine de la dangerosité mentale tel que circonscrit par la loi n'est pas un champ d'intervention exclusif et que d'autres dispositifs empiètent régulièrement sur ce registre de situations problématiques. Ainsi, les catégories du risque de suicide et des conflits avec les étrangers débordent du cadre d'intervention du dispositif de la loi P-38 et ont tendance à être captées par d'autres dispositifs. D'une part, lorsqu'une personne semble vouloir s'enlever la vie, d'autres dispositifs s'activent et filtrent un certain nombre de situations où la dangerosité mentale est réduite au simple passage à l'acte à l'égard duquel le système des urgences ambulancières a priorité et où il est possible d'intervenir en fonction d'autres codes légaux compte tenu de l'urgence de la situation. D'autre part,

Graphique 14. — Continuum des situations-problèmes en fonction des dispositifs d'intervention déclenchés

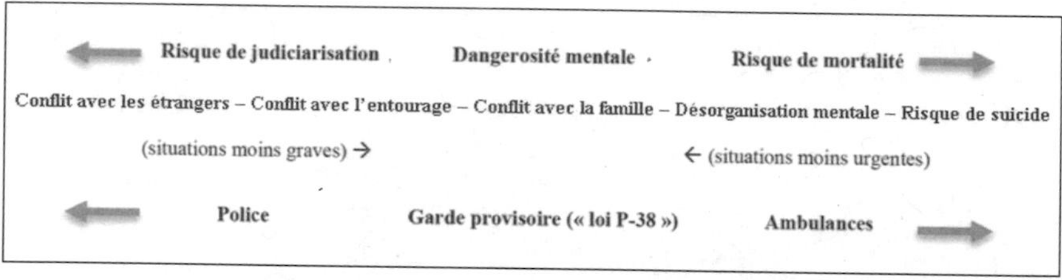

certains conflits avec les étrangers sont parfois directement pris en charge par la police, qui intervient en judiciarisant la situation en raison soit de la nature du passage à l'acte, qui appelle une intervention immédiate, soit du risque potentiel établi, et ce, également en fonction d'autres codes juridiques que la loi P-38[12]. On pourrait illustrer cette configuration d'interventions possibles en mettant d'un côté les situations-problèmes qui sont le plus à risque d'être judiciarisées et, de l'autre, celles qui sont le plus à risque de donner lieu à une médicalisation d'urgence associée à une possible mortalité imminente.

C'est donc au milieu de ces deux pôles que le registre de situations problématiques codées comme relevant de la dangerosité mentale se déploie, surtout en termes concrets de conflits avec la famille, de conflits avec l'entourage et de désorganisation mentale. C'est le véritable cœur de la folie civile contemporaine. À proximité des deux pôles mentionnés, nous retrouvons les formes moins graves de conflits avec les étrangers et les formes moins urgentes de risque de suicide qui sont captées par le dispositif de la loi P-38, ce qui complète les contours empiriques de la folie civile.

12. Comme nous le verrons plus loin, le profil des personnes correspondant à la catégorie des conflits avec les étrangers est en effet celui qui présente la proportion la plus importante d'antécédents judiciaires et de démêlés avec la justice.

Les dimensions ontologiques de la folie civile : mental perturbé et social problématique

Tout comme les notions de dangerosité mentale, de folie civile ou de problème de santé mentale, les cinq catégories de situations-problèmes idéales et typiques présentes dans les requêtes pour évaluation psychiatrique sont hybrides puisqu'elles combinent dans des proportions différentes la dimension du mental perturbé et du social problématique au sein d'une même situation complexe. La dimension du mental perturbé désigne tous les éléments à résonance psycho logique reliés à ce que nous avons nommé de manière générique la folie mentale. Ces éléments ne sont pas historiquement stables ni socialement distribués de manière uniforme selon les groupes socio-économiques, ethnoculturels, socioprofessionnels, d'âge ou de sexe, comme on l'a vu dans le chapitre précédent. Ils ont toutefois une autonomie ontologique relative dans le sens où ils sont irréductibles aux variables sociales qui néanmoins les modulent dans leur forme ou leur gravité, en plus de les classer ou de les déclasser selon les transformations normatives dans les répertoires officiels de la psychopathologie[13].

En paraphrasant Lévi-Strauss, si le mythe bricole avec le sens, la folie mentale (l'esprit perturbé, vulnérable, dérangeant, hétéroagressif) bricole avec le social et, bien sûr, le culturel, il engendre des figures hybrides qu'il nous faut chaque fois interroger, discuter et comprendre. La folie mentale ne s'assimile pas à la seule non-conformité (déviances) ni à certaines formes de transgression (crimes au sens large du terme) ou à la pauvreté extrême (vulnérabilités sociales), même si celles-ci se trouvent associées, imbriquées, articulées, voire

13. On n'a qu'à penser au déclassement psychiatrique de l'homosexualité (Kirk et Kutchins, 1998) et au classement psychiatrique du stress post-traumatique pour des raisons normatives, sociales et politiques (Young, 1995).

fusionnées dans de nombreuses situations-problèmes concrètes dont nous devons démêler les dimensions ontologiques spécifiques pour mieux les comprendre et éventuellement agir de manière pertinente.

Les cinq catégories de situations-problèmes comportent forcément une dimension mentale perturbée et une dimension sociale problématique qui, liées ensemble sur le plan empirique, sont les textures qui composent la consistance spécifique de la folie civile. L'expression « mental perturbé » nous permet de rendre compte de l'autonomie relative de la dimension psychologique problématique sans l'associer d'emblée aux catégorisations des disciplines bio-psycho-médicales actuelles. En outre, elle a l'avantage de décrire de manière détaillée et extrospective ce qui se manifeste et semble déréglé en matière de comportements psychologiques[14]. Le qualificatif générique *perturbé* n'est pas associé à une théorie scientifique causale du psychisme, mais plutôt aux caractéristiques générales de l'individualité ordinaire situées dans une société et à une époque données dont les dérèglements concrets sont clairement décrits dans les dossiers des personnes faisant l'objet d'une requête pour évaluation psychiatrique. Ainsi, les mentions concernant la confusion, l'incohérence, l'agitation, l'impulsivité, les hallucinations, le sentiment de persécution, les idées délirantes et, parfois, les traits de personnalité violente ou égocentrique seront rangées de préférence du côté de la dimension du mental perturbé, sans pour autant négliger le contexte qui donne un sens plus large à ces phénomènes mentaux et qui les rend, en fin de compte, possibles. Ce seront nos « matériaux mentaux ».

La dimension du social problématique présente moins de problèmes pour l'analyse sociologique, car elle recouvre les composantes

14. Le succès de l'expression « problème de santé mentale » s'explique en partie par le fait qu'elle répond à une demande sociale réelle de prise en compte de comportements problématiques où les dimensions psychosociales semblent centrales sans pouvoir être complètement comprises ni prises en charge par les disciplines officielles du psychisme ou du psychobiologique pathologique.

propres à l'interaction problématique avec les autres et à la vie en société en général, y compris le rapport aux objets et à l'environnement. Dans le contexte des situations-problèmes qui font partie de l'univers de la folie civile, on retrouve notamment : l'insécurité alimentaire, la précarité résidentielle, la vulnérabilité sociale, la pauvreté matérielle, les gestes menaçants, les comportements dérangeants, les transgressions de la loi, l'errance et la fuite du domicile. Pour schématiser, nous pourrions dire qu'il existe deux grands ensembles : celui de la conflictualité sociale (dont la conflictualité interpersonnelle ou relationnelle) et celui de la vulnérabilité économique et sociale. Ce seront nos « matériaux sociaux ».

Nous avons catégorisé la totalité des événements évoqués dans les argumentations des requêtes pour évaluation psychiatrique en distinguant les composantes mentales et sociales qui posaient problème explicitement[15]. En ce qui concerne l'univers du mental perturbé, nous avons organisé l'ensemble complexe de comportements, de cognitions, de sentiments, d'états d'esprit, d'émotions et de traits de personnalité qui posent problème en dix catégories qui résument efficacement la diversité événementielle de notre matériau[16]. Ces dix catégories sont à la fois larges (englobent un nombre important de cas de figure présentant les mêmes caractéristiques), descriptives (montrent de la manière la plus évidente et directe les caractéristiques

15. Ces catégories mentales et sociales sont exhaustives étant donné qu'elles couvrent l'ensemble des événements mentionnés dans tous les dossiers. Elles ne sont cependant pas exclusives puisqu'une requête d'application de la loi P-38 comporte évidemment de nombreux faits pouvant être classés tantôt du côté mental, tantôt du côté social.

16. L'absence de la dépression et de l'anxiété peut étonner, mais il ne faut pas oublier qu'on parle ici de folie civile, c'est-à-dire de l'univers des troubles sévères et persistants. S'il est vrai que la dépression, l'anxiété ou même le stress peuvent être à l'occasion cités dans les dossiers, ils ne constituent jamais le cœur des situations problématiques et jouent plutôt le rôle d'un élément contextuel et secondaire.

concrètes du phénomène) et minimales (se concentrent sur l'essentiel et évitent ainsi la multiplication des catégories résiduelles).

1. **Délire :** Récit cohérent et structuré manifestement irréel, fictif ou imaginaire. Souvent, il existe un thème prédominant, qui varie selon les situations problématiques.
2. **Hallucinations :** Visions et auditions imaginaires. Plus rarement, il peut aussi s'agir d'autres sensations imaginaires, par exemple olfactives, gustatives ou tactiles. Signalons que la présence d'hallucinations ne signifie nullement l'existence d'un délire. Nous tenons donc à les distinguer.
3. **Persécution :** Idées ou sentiments de persécution qui concernent les situations où la personne parle d'elle continuellement et affirme qu'elle est menacée, surveillée, harcelée et suivie sans que ces allégations aient un fondement vraisemblable. Parfois, l'idée de complot ou de soupçon de complot résume un ensemble d'actions vécues ou perçues comme persécutrices.
4. **Traits de personnalité[17] violente :** Ensemble des caractéristiques de la personne présentant une certaine cohérence

---

17. Nous avons utilisé l'expression « traits de personnalité » (violente, impulsive, égocentrique) pour désigner ce qui, dans la description des situations-problèmes, se dégage comme un aspect à certains égards stable du caractère des personnes concernées, c'est-à-dire ce qui n'est pas attribuable aux aléas d'une situation conflictuelle avec d'autres, à une crise psychosociale ou encore à un état d'intoxication, mais plutôt à un modèle de comportement plus large qui semble établi depuis longtemps et qui se manifeste dans un contexte de conflit ou de tension. On parle ici de « traits » et non pas de « personnalité », car il s'agit d'un type de traits précis parmi d'autres qu'on ne connaît pas et qui est directement relié à la situation problématique. Autrement dit, le fait d'afficher des traits de personnalité de tel ou de tel autre type empiriquement identifiables, en l'occurrence dans notre matériau de recherche, n'indique nullement qu'on est en présence de la caractéristique principale ou dominante de la personnalité de l'individu considéré. On constate seulement que cette caractéristique est citée et souvent à répétition dans les dossiers qui concernent certaines catégories de situations-problèmes.

et permanence dans le temps relativement à la manière d'aborder ou de faire face aux situations conflictuelles relatées dans les requêtes. Cela peut se traduire par des colères fréquentes disproportionnées par rapport aux événements, des allusions répétées à une humeur irritable ou à un état de susceptibilité permanente qui conditionne les actions des autres et provoque chez eux la peur ou l'inquiétude, ou encore par un penchant systématique pour l'agressivité psychologique ou un recours régulier aux passages à l'acte violents comme mode de relation avec les autres.

5. **Traits de personnalité impulsive :** Ensemble des caractéristiques de la personne présentant une certaine cohérence et permanence dans le temps relativement à la manière d'aborder ou de faire face aux situations problématiques relatées dans les requêtes. On assiste ici à des attitudes répétées caractérisées, entre autres, par l'imprévisibilité des actions, l'impulsivité dans la réalisation de certains gestes et la perte régulière du contrôle de soi. L'agression et la violence ne font pas nécessairement partie des comportements ou actes associés à l'impulsivité, mais les sautes d'humeur, le débit verbal intense, l'agitation et le fait d'agir constamment de manière très rapide et irréfléchie relèvent de cette catégorie.
6. **Traits de personnalité égocentrique :** Ensemble des caractéristiques de la personne présentant une certaine cohérence dans la manière d'aborder ou de faire face aux situations relatées dans les requêtes, et ce, de manière relativement stable. On a ici affaire à des individus centrés démesurément sur eux-mêmes, qui montrent une arrogance excessive ou qui sont incapables ou refusent de faire preuve d'autocritique. Dans une moindre mesure, ils peuvent aussi avoir une tendance à la manipulation ou à la tromperie et, dans certains cas, manifester du déni par rap-

port aux situations problématiques objectives et aux souffrances ou aux inquiétudes des autres.

7. **Absence d'autocritique :** Manque flagrant d'autocritique ou encore déni tenace de la personne relativement aux problèmes graves dont elle souffre tant sur le plan psychologique que social. Cela est souvent présenté comme un obstacle majeur aux efforts visant à aider l'individu à améliorer sa qualité de vie, à éviter certains risques de santé ou à entamer un traitement de manière régulière.
8. **Confusion :** Terme renvoyant à la pensée embrouillée, à la désorganisation des idées, à l'incohérence des propos ou à la perte significative des repères temporels ou spatiaux. La difficulté à reconnaître les proches fait aussi partie de cette catégorie.
9. **Comportements déréglés :** Expression désignant une série d'actes et de comportements qui relèvent de la bizarrerie. Par exemple : parler seul, crier, pleurer ou rire sans motif apparent, poser des gestes étranges, inattendus, déplacés ou inexpliqués.
10. **Blessures auto-infligées :** Automutilations ou blessures que la personne s'inflige à répétition et sans raison apparente.

Pour ce qui est dc l'univers du social problématique, nous avons organisé de manière semblable l'ensemble complexe des conditions de vie, des comportements, gestes et interactions avec les autres ainsi que de l'environnement des personnes concernées qui semblent problématiques pour la totalité des requêtes pour évaluation psychiatrique déposées à Montréal en 2007. Nous avons défini onze catégories larges, descriptives et minimales qui couvrent efficacement la diversité événementielle de notre matériau.

1. **Vulnérabilité matérielle :** Grande pauvreté, précarité résidentielle, insécurité alimentaire, environnement insalubre.

Ces éléments exposent souvent la personne à des risques concrets comme l'éviction du lieu de vie, les blessures, la mauvaise santé et l'intoxication alimentaire.

2. **Vulnérabilité sociale :** Fragilisation du réseau social, difficulté à trouver de l'aide, isolement social.
3. **Dérangement :** Cela comprend notamment les propos déplacés (offensant, vulgaires), le bruit à des heures indues, l'errance nocturne dans des lieux résidentiels partagés, les sollicitations répétées ou insistantes et le harcèlement téléphonique.
4. **Agressivité :** Disposition se traduisant par des paroles, des gestes, des attitudes agressives jusqu'à la formulation de menaces générales soit sans destinataire précis, soit adressées aux membres de la famille, à l'entourage ou aux étrangers.
5. **Comportements violents :** Expression désignant la violence physique et les voies de fait en général. Ces comportements sont parfois accompagnés du recours à des armes (bâtons, couteaux) ou associés à la destruction violente d'objets. Nous classons également dans cette catégorie les intimidations violentes.
6. **Petits délits :** Cela inclut, entre autres, les vols mineurs, les petites fraudes, la prostitution, les attouchements, la conduite en état d'ébriété et les contacts avec les gangs de rue.
7. **Tentative ou menace de suicide :** Tentative, projet, menace explicite de s'enlever la vie et, dans une moindre mesure, idéation vague ou menace imprécise indiquant une volonté de mettre fin à ses jours.
8. **Dépendances :** Consommation problématique ou abusive de drogues, de médicaments psychotropes ou d'alcool.
9. **Fugues :** Fugues, tentatives de fugue, disparitions régulières ou intermittentes, risque d'itinérance, itinérance.

10. **Abandon de soi :** Attitude amenant l'individu à se laisser mourir, à ne plus manger (ce qui entraîne parfois une perte très importante de poids), à négliger fortement sa personne.
11. **Rapport problématique à l'argent :** Problème dans la gestion de l'argent qui peut s'exprimer par des dépenses déraisonnables ou incompréhensibles, des achats excessifs à crédit, un risque d'exploitation financière ou de faillite et des faillites répétées.

La catégorisation de certains comportements, gestes, attitudes ou états d'esprit dans la dimension du mental perturbé ou du social problématique peut prêter à discussion. Par exemple, nous ne considérons pas les menaces ou les tentatives de suicide ainsi que les dépendances comme un problème de santé mentale, mais comme un passage à l'acte problématique pouvant découler de causes complexes (expériences douloureuses de la vie, conflits). En revanche, nous avons classé les automutilations, ou blessures auto-infligées sans raison apparente, dans la dimension du mental perturbé. Par ailleurs, les frontières entre certaines catégories sont parfois difficiles à tracer. C'est le cas des dérangements, des agressions en général et des comportements violents qui comprennent des cas de figure se situant entre deux catégories. Le harcèlement est-il une forme de dérangement ou une formc d'agression ? La menace de voies de fait entre-t-elle dans la catégorie de l'agressivité ou des comportements violents ? Ces ambiguïtés, ambivalences et flottements font toutefois partie tant de l'histoire de la psychiatrie que des sociologies classiques de la déviance qui doivent s'ajuster selon les transformations de la normativité et de la régulation sociale toujours précaires. Parfois, un même comportement ou une même pratique peut passer pour une différence, une pathologie, une déviance, un crime ou un phénomène extravagant selon les dimensions contextuelles ou les composantes opératoires de la situation générale que nous avons mentionnées plus haut (lieu, conditions matérielles, rapports avec les autres, circonstances et état particulier).

Il reste que ces dix catégories de l'univers du mental perturbé et ces onze catégories de l'univers du social problématique couvrent l'essentiel des composantes générales de la folie civile telle qu'elle se présente aujourd'hui en termes empiriques et permettent une analyse sociologique qui tient compte de matériaux mentaux et sociaux incontournables. De l'étude de l'ensemble des requêtes, qui contiennent une multitude de matériaux mentaux et de matériaux sociaux correspondant à chacune des catégories de situation-problème, se dégage une configuration propre à chacune sur le plan de la distribution du mental perturbé et du social problématique selon leur fréquence et leur agencement. Ainsi, lorsqu'il est question de la situation-problème de la désorganisation mentale, c'est la fréquence élevée du délire associée à une grande vulnérabilité matérielle et sociale qui définit l'ensemble de la situation. Quant au risque de suicide, il est étonnant de constater le rôle qu'y joue la pauvreté des matériaux mentaux tant en terme de fréquence que de variété alors que c'est à peine si les blessures auto-infligées se démarquent dans un contexte caractérisé encore une fois par une vulnérabilité matérielle et sociale importante. La situation-problème des conflits avec l'entourage est marquée avant tout par la confusion et le dérangement, toujours dans le contexte d'une vulnérabilité matérielle et sociale considérable. Elle concerne surtout des personnes plus âgées, physiquement malades, désorientées et très isolées qui dérangent voisins, concierges et autres résidents. Ces trois situations-problèmes de la folie civile montrent des portraits de vie marqués par une grande vulnérabilité globale, une grave fragilité psychique, une mauvaise santé générale et l'isolement. C'est la caractérisation même de ce que la loi P-38 appelle le « danger envers soi-même » autant sur le plan mental et physique que social et matériel. Que ce soient les individus qui sont coupés du monde au point de vivre dans une autre réalité souvent structurée, qui sont confus et dérangent leur entourage physique parce que leurs proches, trop épuisés, ne sont plus là, ou qui ne veulent plus vivre et s'en prennent parfois à leur propre corps en raison d'une profonde détresse psychologique, matérielle et sociale, l'univers de la folie civile touche les personnes comptant parmi les plus vulnérables de la société.

Les deux autres situations-problèmes restantes, soit conflit avec la famille et conflit avec les étrangers, sont moins emblématiques que les précédentes à l'égard de l'idée classique que l'on se fait de la folie en termes de délire et de perte de contact avec la réalité. Elles sont cependant les plus nombreuses puisqu'elles représentent plus de 60 % de l'ensemble des situations qui déclenchent l'application de la loi P-38. Trois grandes caractéristiques les distinguent : les individus impliqués sont globalement moins vulnérables, et ce, tant matériellement que socialement ; les traits de personnalité problématiques sont les composantes les plus significatives de la dimension du mental perturbé

Tableau 2. — Composition des situations-problèmes caractérisées par le danger envers soi-même

Situation-problème	Mental perturbé	Social problématique
Désorganisation mentale (12 %)	Délire (62 %) Confusion (56 %) Persécution (42 %) Comportements déréglés (38 %) Hallucinations (31 %)	Vulnérabilité (75 %)* Agressivité (58 %)** Dérangement (38 %)
Risque de suicide (10 %)	Blessures auto-infligées (28 %) Confusion (24 %) Délire (17 %)	Tentative ou menace de suicide (72 %) Vulnérabilité (67 %) Abandon de soi (28 %)
Conflit avec l'entourage physique (17 %)	Confusion (45 %) Absence d'autocritique (32 %) Délire (30 %)	Vulnérabilité (65 %) Dérangement (55 %) Agressivité (32 %) Dépendances (15 %)

* En ce qui concerne la vulnérabilité, nous allons préciser les différentes déclinaisons (matérielle, sociale, physique) de manière détaillée dans l'analyse de chaque cas particulier dans les chapitres cinq à sept.

** Dans ce cas précis, l'agressivité réfère à des menaces vagues qui se rapprochent du dérangement, mais qui ne semblent pas intimidantes.

plutôt que les symptômes de pathologies classiques (hallucinations, délires, incohérence) ; et le danger mental évoqué concerne bien davantage les autres (proches et étrangers) que les personnes visées. Lorsqu'il est question de conflits avec les étrangers, c'est l'importance des traits de personnalité violente qui frappe en premier lieu, suivi de la surreprésentation des comportements violents envers les autres. Dans ce contexte, ces situations se promènent des deux côtés des frontières flottantes établies par la psychiatrie et la justice. En effet, dans 40 % des dossiers correspondant à cette catégorie de situation-problème, les personnes concernées ont eu des démêlés importants avec la justice. Du côté des conflits avec la famille, la catégorie de situation-problème regroupant le plus grand nombre de cas (46 % de l'ensemble des dossiers), c'est plutôt la diversité des composantes de la dimension du social problématique qui se démarque en premier lieu. Cela montre que les individus visés sont encore engagés, bien que de manière conflictuelle et précaire, dans des parcelles significatives d'une vie sociale somme toute ordinaire. En outre, il s'agit de personnes ayant conservé un minimum d'autonomie et de ressources matérielles et sociales, contrairement à celles impliquées dans les autres situations-problèmes. Pour ce qui est de la dimension du mental perturbé, elle est relativement pauvre, bien que marquée de façon distinctive par les traits de personnalité impulsive, une sorte de tendance à poser des gestes irréfléchis ou rapides qui sont à l'origine des situations inquiétantes. Dans ce contexte, il n'est pas étonnant que les catégories des conflits avec les étrangers et des conflits avec la famille soient l'incarnation concrète de ce que la loi P-38 nomme le danger envers les autres. La première met l'accent sur l'intensité, c'est-à-dire les événements les plus violents envers un autre anonyme et susceptibles d'être judiciarisés, et la seconde sur le nombre significatif de situations et la variété des faits dérangeants, menaçants ou violents visant les différents membres de la famille.

Cette analyse des situations-problèmes concrètes, montrant le contenu empirique actuel de la folie civile telle qu'elle se manifeste

Tableau 3. — Composition des situations-problèmes caractérisées par le danger envers les autres

Situation-problème	Mental perturbé	Social problématique
Conflits avec les étrangers (14 %)	Traits de personnalité violente (65 %) Délire (25 %) Traits de personnalité égocentrique (20 %)	Comportements violents (82 %) Vulnérabilité (58 %)* Petits délits (40 %) Dépendances (36 %)
Conflits avec la famille (**46** %)	Traits de personnalité impulsive (25 %) Persécution (19 %) Délire (13 %) Traits de personnalité violente (12 %)	Vulnérabilité (40 %) Agressivité (30 %) Comportements violents (22 %) Dérangement (17 %) Dépendances (16 %) Fugues (14 %) Rapport problématique à l'argent (13 %)

* En ce qui concerne la vulnérabilité, les différentes déclinaisons (matérielle, sociale, physique) sont détaillées dans l'analyse de chaque cas particulier dans les chapitres cinq à sept.

dans la cité et non pas telle que la dessinent un ensemble de catégories psychopathologiques en amputant les contextes, dimensions et processus sociaux sans lesquels aucune folie concrète ne peut être pensée, nous permet de réévaluer la question de la dangerosité mentale. Comme bien des travaux l'ont montré auparavant, la folie mentale est rarement associée à la violence envers les autres (Buchanan, 2008 ; Torrey *et al.*, 2008 ; Elbogen *et al.*, 2005). Plus les personnes sont accablées par des troubles mentaux graves, plus elles sont vulnérables et plus elles souffrent davantage qu'elles ne représentent une menace pour les autres. Les trois catégories de situations-problèmes les plus marquées par les symptômes psychiatriques classiques (délire, hallucinations, incohérence), c'est-à-dire la désorganisation mentale, le risque de suicide et le conflit avec l'entourage physique, concernent des individus démunis, malades, vulnérables, isolés et pauvres. Donc, ce sont plutôt eux qui sont en danger.

Les deux autres catégories de situations-problèmes paraissent présenter le portrait inverse. Les conflits avec les membres de la famille et avec les étrangers semblent mettre les autres en danger de plusieurs façons (de la menace vague aux voies de fait concrètes), mais il ne faut pas oublier que la principale composante de la dimension du mental perturbé pour ces situations-problèmes est le trait de personnalité violente ou impulsive, alors que la vulnérabilité matérielle et sociale y est beaucoup moins importante. La question doit être posée clairement : dans quel sens ce qu'on appelle dans les manuels de psychiatrie des « troubles de la personnalité » sont-ils des troubles mentaux ? Ou encore, dans quelle mesure est-on davantage dans l'univers de la folie mentale que dans celui des comportements psychosociaux problématiques ? Le champ des troubles de la personnalité demeure sous-théorisé et devrait, selon nous, être repensé[18].

Quoi qu'il en soit, l'économie entre vulnérabilité (danger pour soi) et agressivité (danger pour les autres) hiérarchise les situations-problèmes comme l'illustre le graphique ci-après. D'un côté, nous avons celles qui concernent des individus avec un lourd passé psychiatrique (désorganisation mentale), de graves problèmes de santé physique (conflit avec l'entourage) et une vulnérabilité globale importante (risque de suicide) et, de l'autre, celles qui touchent des individus moins affectés par des conditions de vie fragiles et des troubles de

18. Il est intéressant de noter que le *DSM-IV-TR*, paru en 2000, recensait dix troubles de la personnalité, soit paranoïaque, schizoïde, schizotypique, antisociale, borderline, histrionique, narcissique, évitante, dépendante et obsessionnelle-compulsive. *Le DSM-5*, publié en 2013, propose dans la section III un modèle alternatif qui ne comporte que six personnalités pathologiques : schizotypique, antisociale, borderline, narcissique, évitante et obsessionnelle-compulsive. Dans les discussions préalables à la rédaction finale de cette partie du *DSM-5*, la personnalité narcissique a fait l'objet de débats intenses puisque son exclusion était contestée dans la foulée de la première proposition de révision qui recommandait son élimination pour ne garder que cinq troubles de la personnalité (American Psychiatric Association, 2013). Ce bouillonnement nosographique nous semble révéler une préoccupation profonde quant au statut ontologique de ce qui est appelé un trouble de la personnalité et, plus encore, quant à la notion même de personnalité.

Graphique 15. — Prédominance de la vulnérabilité ou de l'agressivité selon la catégorie de situation-problème

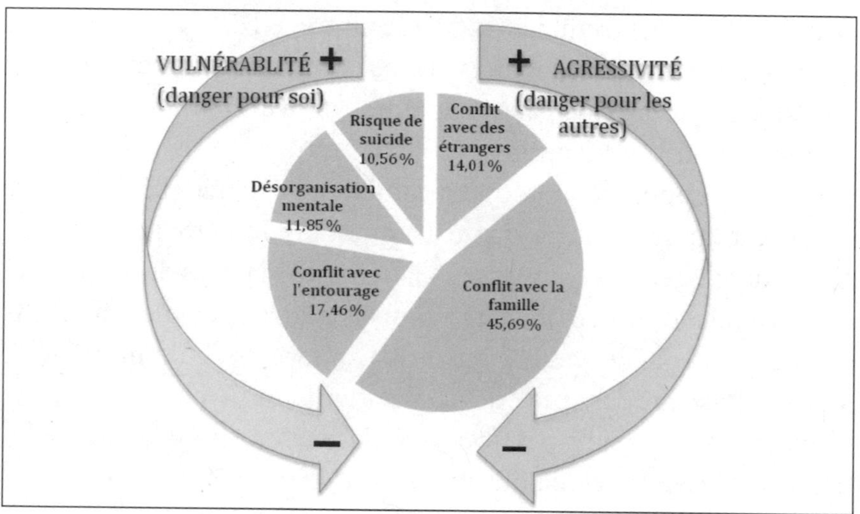

santé mentale graves, mais présentant des caractéristiques reliées à des troubles de la personnalité (conflits avec la famille) et des antécédents judiciaires significatifs (conflits avec les étrangers).

La folie civile, celle qui pose concrètement problème dans la cité tant aux personnes directement visées qu'à autrui (famille, entourage, étrangers), ne peut être comprise ni prise en charge efficacement sans que les deux consistances ontologiques qui la composent soient considérées : le mental perturbé et le social problématique. La folie civile n'est pas un simple synonyme de problème de santé mentale et encore moins de maladie mentale. Elle ne l'a d'ailleurs jamais été. Elle est un problème social à part entière avec ses dimensions spécifiques (matériaux mentaux) et non spécifiques (matériaux sociaux) qu'il s'agit d'étudier et de comprendre dans les situations problématiques concrètes qui se présentent à nous. Dans les chapitres suivants, nous examinerons de plus près chaque figure de la folie civile afin de mieux saisir l'influence du mental et du social ainsi que leur imbrication dans le délire, le suicide et les différentes formes de conflictualité avec les autres.

CHAPITRE 5

Du délire au suicide : le rapport troublé à soi-même

Tout ce qui est incompréhensible, ne laisse pas d'être.

Blaise Pascal, *Pensées*

Le suicide, ce n'est pas vouloir mourir, c'est vouloir disparaître.

Georges Perros, *Papiers collés*

Dès la première lecture des requêtes pour évaluation psychiatrique, on perçoit clairement que plusieurs dimensions hétéroclites s'entremêlent dans les événements qui tissent une situation problématique : insécurité alimentaire, précarité résidentielle, isolement social, conflits interpersonnels, comportements ou attitudes étranges, dérangeants, inquiétants, menaçants ou violents. Cette complexité événementielle bien documentée, qui pose problème sans aucun doute aux individus concernés comme aux autres, nous rappelle le rôle plus large que le dispositif de la garde provisoire joue afin de répondre à la nécessité « politique » de gestion d'une vulnérabilité et d'une conflictualité psychosociales en quelque sorte chroniques. En effet, la stratégie d'intervention formalisée, qui va de la garde provisoire au traitement psychiatrique, répond à une demande de gestion à court terme de situations problématiques qui dépassent largement le domaine de la psychiatrie. N'était-ce pas également le rôle du dispositif asilaire, qui offrait une réponse tout aussi « politique », mais en résonance avec les modes d'institutionnalisation de situations problématiques propres à l'époque, c'est-à-dire la prise en charge totale et à long terme de la personne visée ?

Comme on le verra dans les trois prochains chapitres, toutes les situations-problèmes sont associées à divers degrés à la défavorisation économique des individus concernés, à leur isolement social de plus en plus grand, à leur impossibilité d'interagir et d'évoluer dans le cadre des exigences ordinaires de la normativité sociale courante (emploi, relations interpersonnelles quotidiennes, autonomie dans la vie de tous les jours) ainsi qu'à l'impuissance et à l'épuisement de leurs proches (ressources, temps, énergie) par rapport à la gestion de certaines situations problématiques à la fois lourdes, variées et imprévisibles qui les dépassent.

À première vue, la requête pour évaluation psychiatrique semble s'attaquer à deux grands ensembles problématiques qui concernent d'une part la vulnérabilité psychosociale grave des personnes touchées et, d'autre part, la conflictualité psychosociale grave qui rend pénibles, ingérables, épuisantes, voire dans certains cas inquiétantes, menaçantes et violentes, les interactions entre les individus visés et les autres (famille, entourage, étrangers) qui sont à l'origine de la requête. Dans ce chapitre, nous aborderons le premier grand ensemble de situations-problèmes, qui comprend les catégories de la désorganisation mentale et du risque de suicide. Elles mettent en évidence l'entraînement dramatique de certaines personnes dans l'engrenage dévastateur de la détresse psychologique sévère et de la vulnérabilité sociale grave. Ce ne sont donc pas les autres qui sont mis en danger par ces situations-problèmes, mais la personne concernée, qui tantôt se brouille avec la réalité de plusieurs manières (délire, confusion, désorientation), tantôt veut se faire du mal jusqu'à en finir avec la vie (automutilation, abandon de soi, menaces ou tentatives de suicide).

Dans les deux cas, l'intégrité psychique, sociale et physique des individus touchés est fortement compromise : ils se coupent non seulement de la réalité, mais aussi de la société et, finalement, de la vie.

Toutefois, même dans ces situations où l'explication de tout ce qui pose problème se trouve apparemment du côté de la personne touchée, alors conçue comme « cerveau-organisme » ou « psychisme-esprit », on peut distinguer la part du mental perturbé et celle du social problématique dans les situations concrètes qui appellent une intervention. Comment se superposent, s'arriment, s'imbriquent, s'hybrident ou fusionnent les dimensions mentales et sociales dans ces deux catégories de situations-problèmes où l'individu paraît livrer un combat solitaire et dramatique avec lui-même ?

Grande désorganisation mentale

Cette catégorie concerne les situations-problèmes où le psychisme de la personne peut s'égarer, s'altérer ou carrément s'effondrer à cause d'un déni de la réalité, de la construction d'une réalité alternative, d'une incohérence manifeste, d'hallucinations envahissantes ou d'une profonde confusion. Souvent, les dossiers des individus visés sont accompagnés d'un ou de plusieurs diagnostics psychiatriques formels et d'allusions à des antécédents psychiatriques s'étendant sur de longues années. Même si la désorganisation mentale regroupe seulement 11,85 % de l'ensemble des recours à la loi P-38, elle demeure fortement emblématique dans le champ de la santé mentale. Elle incarne en effet la représentation la plus classique que l'on se fait du noyau dur de la folie mentale à travers les époques. Sans elle, comment justifier la mise sur pied d'un dispositif spécifique portant sur un type de dangerosité particulière que l'on attribue de manière explicite à l'état mental de la personne ? N'est-ce pas sa présence troublante qui évoque une discontinuité sans appel avec le monde de la raison et de la norme si familier à l'individualité ordinaire qui fait de nous tous des semblables ? N'est-ce pas son statut anthropologique liminaire et inquiétant qui légitime, comme cela a été le cas par le passé, une intervention musclée s'appuyant à la fois sur le droit (tribunaux), la coercition (police) et la science (psychiatrie)[1] ?

Nous avons retenu le terme « désorganisation mentale » parce qu'il réfère de manière générale à un rapport à la réalité foncièrement perturbé par l'irruption d'une autre réalité (délire, idées de persécution, hallucinations), par une désorientation grave relativement aux paramètres les plus élémentaires (espace et temps), par l'incohérence globale des actions (comportements déréglés) et par la confusion dans les idées (contenus, thèmes, identification des autres) comme étant l'aspect dominant du caractère problématique de la situation. Si la catégorie de la désorganisation mentale, ainsi définie, semble toucher de manière plus ou moins égale les hommes et les femmes (53 % contre 46 %), des différences importantes apparaissent lorsque nous observons la distribution des situations selon l'âge. En effet, les problèmes de santé mentale graves deviennent globalement plus fréquents avec l'âge chez les femmes alors qu'ils se font plus rares chez les hommes à mesure qu'ils vieillissent. Les femmes sont plus présentes dans certains groupes d'âge tels que les premières moitiés de la quarantaine et de la cinquantaine, la deuxième moitié de la soixantaine et le groupe des 70 ans et plus. Quant aux hommes, ils sont plus nombreux dans les groupes d'âge moins élevés tels que la vingtaine et

---

1. Ceci n'est pas exclusif au domaine de la folie civile. L'image générale de la délinquance est surdéterminée par des stéréotypes forts ne concernant qu'une minorité des populations carcérales (homicides, assassins en série, délinquants dangereux). Toutefois, leur effet de projection sur l'ensemble des situations plus nombreuses, mais moins graves et caractérisées, ainsi que sur l'ensemble des populations carcérales est majeur. Ces stéréotypes contribuent à rendre l'univers de la délinquance plus homogène qu'il ne l'est en réalité et à favoriser par le fait même des réponses davantage homogènes, comme l'universalité de la prison. Cette homogénéisation s'opère en fonction de cas de figures moins nombreux mais emblématiques.

Graphique 16. — Désorganisation mentale selon l'âge et le sexe à Montréal en 2007

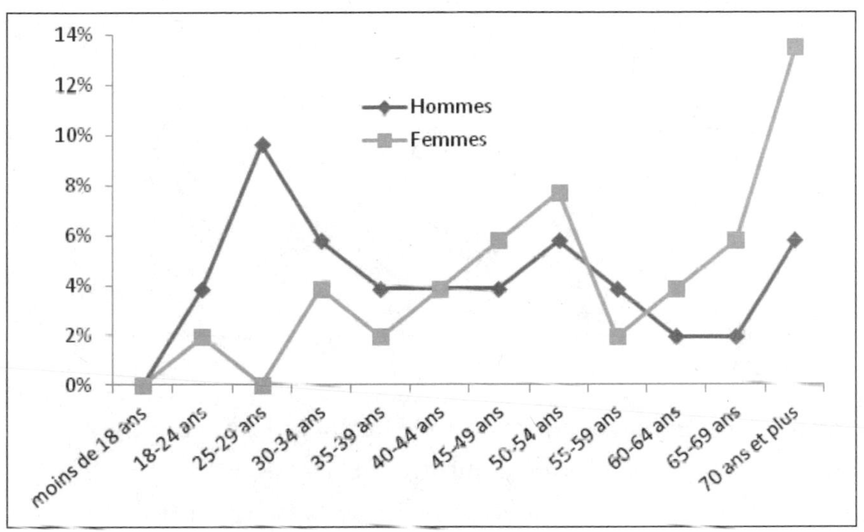

la trentaine. Nous pourrions dire que cette catégorie de situation-problème est incarnée par des hommes plutôt jeunes et des femmes plutôt âgées, le point d'infléchissement se situant au milieu de la quarantaine.

Délire, hallucinations, bizarreries

Dans la très grande majorité des requêtes pour évaluation psychiatrique, nous pouvons trouver des traces d'antécédents psychiatriques pour des problèmes de santé mentale graves allant de la consultation d'un psychiatre jusqu'à l'hospitalisation. L'allusion au fait que la personne concernée refuse, néglige ou arrête de prendre ses médicaments psychiatriques est également fréquente : elle apparaît dans 38 % des dossiers de cette catégorie. Les diagnostics ou caractérisations psychiatriques évoqués dans 40 % des cas sont, dans l'ordre : schizophrénie, schizophrénie paranoïde, psychose, troubles cognitifs, troubles maniacodépressifs et démence. Dans ce contexte, la dimension du mental perturbé de cette catégorie est la plus riche et la plus

Graphique 17. — Dimensions du mental perturbé pour la situation-problème de la désorganisation mentale

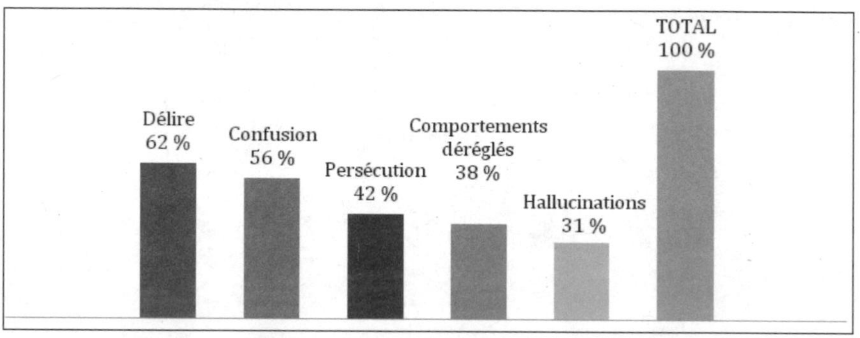

variée de toutes les catégories considérées, déployant un univers rempli de figures à la fois fortes, troublantes et classiques.

Si nous évaluons le poids des principaux marqueurs empiriques du mental perturbé dans les requêtes de cette catégorie[2], nous obtenons la distribution suivante.

La caractéristique la plus saillante est la fréquence des allusions au délire, qui est mentionné dans 62 % des dossiers. Il est intéressant de se pencher sur les thèmes du délire, qui porte autant sur des sujets classiques (religion, grandeur, puissance) que contemporains (technologies, conjoncture politique). En ce qui concerne le domaine religieux, les références à la fin du monde, à la figure du Christ, au martyr ou au guérisseur côtoient les références aux esprits, aux démons et aux vampires.

- Il prétend être une réincarnation du Christ.
- Il se prend pour un sauveur et un guérisseur.
- Le Diable était dans sa chambre avec des lances et des épées.
- Les apôtres étaient jaloux de lui et il devait souffrir parce qu'il était l'élu.

2. Ces marqueurs ne sont pas mutuellement exclusifs. Dans un même dossier individuel, nous pouvons, par exemple, retrouver le délire, la confusion et les hallucinations.

- Il dit que la fin du monde est dans quelques jours.
- Elle pense que les gens quittent Montréal vers le Nord.
- Tout va brûler et on devrait se préparer à cela.
- Il sait que les démons vont s'en prendre à sa mère.
- Il parle avec des démons et parle de l'enfer.
- Les vampires viennent le chercher.

Les allusions à la politique québécoise, canadienne et internationale sont nombreuses.

- Elle dit qu'André Boisclair [chef du Parti québécois à l'époque] l'a violée et est allé au Mexique pour se sauver du gouvernement.
- Son fils est un bâtard et c'est le fils de Stéphane Gendron [maire de Huntingdon à l'époque].
- Il dit qu'il rencontre régulièrement le ministre Couillard [ministre de la Santé du gouvernement libéral au Québec à l'époque].
- Il explique que les talibans sont à sa poursuite, l'épient avec des caméras dans son appartement et le suivent partout.
- Elle affirme qu'un commando libano-israélien a été envoyé à son appartement pour l'éliminer.
- Il parle à George Bush et à Interpol.

Les délires de grandeur comportent autant de références locales et historiques qu'internationales.

- Il m'a dit qu'il veut devenir conseiller pour la mairesse [Andrée] Boucher [ancienne mairesse de Québec] et qu'il peut convaincre René Angélil de faire venir Céline Dion pour les fêtes du 400e de Québec.
- Il dit qu'il a des connexions avec le cardinal [Marc] Ouellet [ancien archevêque de Québec] et s'est acheté un cellulaire pour que celui-ci puisse le rejoindre ainsi que le pape Benoît XVI.

- Il dit qu'il va s'associer au Cirque du Soleil et que Céline Dion n'est rien comparée à lui.
- Il dit être super intelligent, invulnérable et que rien ne peut l'arrêter, comme Hitler, Mathusalem et Bonaparte.
- Il se croit tout-puissant et dit qu'il a de l'influence sur les grands enjeux géopolitiques.

Pour ce qui est des allusions aux technologies, la plupart comportent une notion de préjudice ou de menace pour l'individu concerné, ce qui les rapproche des sentiments ou des idées de persécution.

- Les rayons X passent à travers les murs de l'hôpital et font tomber les dents et les cheveux de la personne.
- Microsoft le gaze, alors il met un masque à gaz pour se protéger et veut que les autres fassent de même.
- La télé lui envoie des messages, le miroir l'hypnotise et les ordis projettent des ondes négatives.
- Sa tante lui a mis des micros dans la bouche.
- Madame ne veut pas ouvrir les rideaux de son salon, car elle dit qu'il y a des caméras devant chez elle.
- Elle affirme qu'elle a un micro dans l'oreille et qu'elle travaille pour le service de police.

D'autres délires détaillés dans les dossiers puisent dans des thèmes variés allant des références aux cultures amérindiennes jusqu'à l'esprit des animaux, en passant par les allusions aux extraterrestres et aux voyages astraux.

- Il a peur de s'endormir parce qu'il pourrait se retrouver à Bagdad.
- Il m'écrit des lettres incohérentes dans lesquelles il disait décoder plein de signes grâce aux agissements de ma fille de huit mois.
- Elle pense qu'elle est une Indienne et brûle des roches à longueur de journée. Elle croit qu'elle a des pouvoirs spéciaux.

- Il croit avoir absorbé l'esprit du chat et qu'il peut donc percevoir les signes qui lui sont envoyés.
- Elle parle de voyages, de vacances qui n'ont pas eu lieu. Elle prétend avoir fait la tournée des réserves indiennes et que les Indiens lui ont dit que nous étions des hôtes indésirables. Elle a vu des scalps sur la route et entendu des tam-tams.
- Elle dit que des gens entrent chez elle pour lui faire des dessins et des brûlures sur les bras.
- Elle croit que son professeur a eu des relations sexuelles avec elle à la radio et que la radio a été reprise par son université pour diffuser ses messages.
- Elle dit avoir des enfants qui sont torturés au Viêtnam et en Suisse. Elle s'est procuré des billets d'avion pour aller récupérer ses enfants fictifs.
- Il dit qu'il y a trois extraterrestres à Montréal qu'il doit éliminer et qu'il en a déjà tué un.

Après le délire, c'est la confusion qui est mentionnée le plus souvent : elle figure dans 56 % des dossiers. Il est notamment question ici de pensées embrouillées ou incohérentes, du jugement altéré, des repères temporels ou spatiaux perdus, de trous de mémoire, de la reconnaissance laborieuse des proches et de l'incompréhension. La confusion est formulée de plusieurs manières :

- Il n'a aucune compréhension de ce qui se passe.
- L'intimée fait preuve d'une désorganisation de la pensée et d'un jugement perturbé.
- Son discours est totalement incohérent.
- Il éprouve de la difficulté à s'organiser dans ses activités de la vie quotidienne, il perd ses papiers et ses médicaments, il semble avoir aussi des troubles mnésiques.
- Pertes de mémoire importantes : mémoire immédiate de même qu'à court et long terme.
- Elle est désorientée dans le temps et dans l'espace.

- Elle ne sait pas où elle est, elle croit déménager chaque nuit.
- L'intimée n'a que très peu de jugement et de sens de l'autocritique. Elle est confuse et tient des propos incohérents.
- Elle est confuse et désorientée au milieu de la nuit et ne se rend pas compte de l'heure.
- Elle ne reconnaît pas les membres de sa famille.
- Elle fait preuve d'incompréhension par rapport à ce qui se passe près d'elle.
- Ses propos sont incompréhensibles.

Les idées de persécution sont présentes dans 42 % des dossiers et, à certains égards, recoupent les allusions au délire. Nous les avons séparées de ces dernières parce qu'elles sont souvent vagues ou indépendantes d'un scénario plus large ou structuré qui les inclut. On peut trouver au moins deux cas de figure, soit les références plus ou moins générales à la peur et à la persécution ainsi que la méfiance envers les autres :

- Madame parle en chuchotant, car elle craint que les voisins ne l'entendent.
- Elle dit qu'elle ne peut pas aller à son appartement parce qu'elle est surveillée.
- Sentiment d'être persécuté par sa nièce.
- Elle ne sort plus de chez elle parce qu'elle a peur des gens.
- Peur de son quartier, de ses voisins, de son propriétaire.
- Elle pense que ses voisins parlent d'elle.
- Elle a exigé l'installation de nouvelles serrures et elle est très méfiante.

La persécution peut également prendre la forme de complots, de conspirations et de menaces dont la cause est identifiée. En ce sens, elle se rapproche des récits délirants et les chevauche parfois. Ces cas demeurent cependant dans le domaine des idées de persécution, car ce sont elles qui donnent la cohérence à la plainte du requérant plutôt que les allusions au délire. Elles semblent aussi moins envahissantes et moins centrales dans le processus de rupture avec la réalité puisque ce qui est raconté n'est ni courant ni carrément invraisemblable.

- Il y a un complot qui le concerne et pour lequel sa mère agit comme agente d'information.
- Il se sauve pour se protéger et fuir le complot, et prend des notes sur les conspirations contre lui.
- L'individu sent qu'il doit partir et se protéger parce qu'il est menacé de mort et que des gens lui veulent du mal.
- Il se sent menacé par le monde extérieur, il voit de plus en plus de complots.
- Celle-ci (sa mère) pourrait remettre à des imposteurs des documents comportant des renseignements confidentiels sur sa personne.
- Complot en marche dont la responsable est ma mère.
- Il croit que d'autres personnes veulent lui faire du mal ou prendre ses chats.
- Elle dit qu'ils vont la gazer à l'hôpital.
- Elle refuse de se faire soigner, car elle est convaincue que les médecins feront des expériences sur elle et l'enfermeront pour toujours.
- Elle nous confond avec des personnes de son passé ou de sa famille qui, selon elle, lui veulent du mal. Elle parle de complot et fait des liens illogiques.

Les comportements déréglés non spécifiques mais inexplicables sont l'un des marqueurs classiques de la folie dans sa perception ordinaire. Il s'agit, par exemple, du fait de parler seul, de crier, de pleurer ou de rire sans motif apparent ou de poser des gestes inattendus, bizarres ou incompréhensibles. Environ 38 % des dossiers font mention de ce type de comportements, qui ne sont ni problématiques ni dangereux en soi, mais qui comportent des indices de dérèglement de l'esprit et provoquent chez les autres l'inconfort, le malaise ou l'incompréhension. Il est possible qu'en présence de signes plus forts de l'état mental perturbé, tels que le délire ou les hallucinations, les comportements déréglés ne soient pas rapportés. Leur nombre pourrait donc être sous-estimé. Quoi qu'il en soit, lorsqu'ils sont mentionnés explicitement, les comportements déréglés non spécifiques sont formulés comme suit :

- Elle est en train de se battre toute seule.
- Elle se frappe la tête, se tord les oreilles, frappe la table.
- Par moments, elle s'agite, circulant dans tous les sens, tournant sur elle-même comme une toupie.
- Elle tourne en rond et se parle toute seule.
- Parle seul, se regarde dans le miroir, se parle et hurle.
- Madame se parle à elle-même.
- Il met ses doigts dans ses yeux et veut les arracher.
- Il parle, rit et crie tout seul.
- Frappe dans le vide derrière les gens.
- Le client prend en note les numéros de série des billets de banque (5 $ et 20 $).
- Elle passe le plus clair de la journée à se parler à elle-même ou est prise de fous rires incontrôlables.
- Il écrit partout sur ses bras avec un gros marqueur noir.
- Madame nous coupe la parole et nous dit : « Je te l'ai dit, ça va se régler au mois de janvier ! » Ce qui n'a aucun rapport avec la conversation en cours.

Enfin, 31 % des dossiers évoquent explicitement des hallucinations (visuelles ou auditives), un autre signe classique de la folie mentale. Souvent, les requérants indiquent de manière générale que la personne concernée a des hallucinations, qu'elle voit ou entend des choses qui n'existent pas. Dans d'autres cas, ils donnent plus de précisions.

- Il dit qu'un pot de pudding lui parle.
- Il parle à voix haute en hindou à un interlocuteur invisible qui lui interdit de manger et de dormir.

Graphique 18. — Dimensions du social problématique pour la situation-problème de la désorganisation mentale

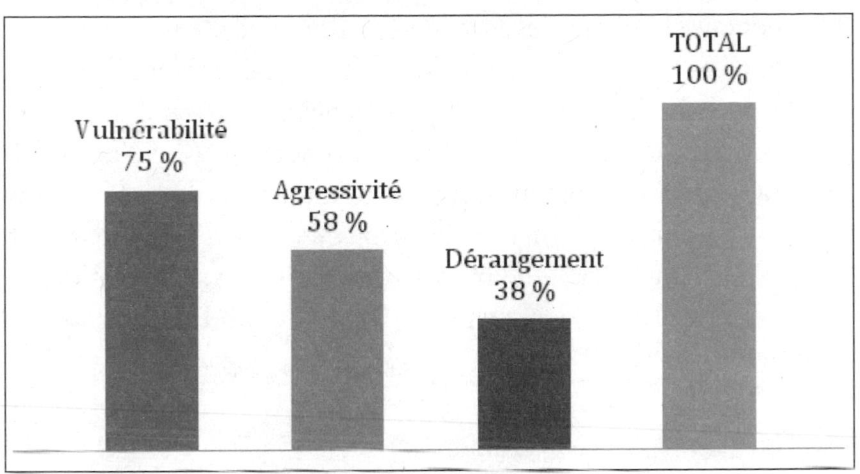

- Madame entend des voix auxquelles elle répond vivement.
- Elle parle à des personnages imaginaires.
- Dit percevoir des choses que personne ne voit.
- Elle semble entendre des voix.
- Présence d'hallucinations visuelles et auditives.
- Il est en proie à diverses hallucinations. Par exemple : son grand-père maternel décédé lui est apparu.
- Selon lui, plusieurs objets apparaissent et disparaissent de son environnement immédiat.
- Il s'est entretenu avec le défunt.
- Entend des cris quand il n'y en a pas.
- Voit des cadavres.
- Il entend des voix sans arrêt dans sa tête.
- Écoute des voix et dialogue avec elles.
- Ces voix semblent l'irriter et l'incommoder fortement.

Délire, confusion avoisinant parfois l'incohérence, idées ou sentiments de persécution, comportements incompréhensibles et hallucinations quelquefois envahissantes marquent sans hésitation ce qu'il y a, hier comme aujourd'hui, de plus classique dans l'univers de la folie mentale et qui a été, et est encore, le domaine d'étude et d'intervention presque exclusif des disciplines du mental pathologique telles que la psychiatrie, la psychopharmacologie, la psychologie et les neurosciences. Toutefois, les dimensions sociales problématiques découlant de ces phénomènes, qui s'associent, s'hybrident et se superposent à cet univers du mental perturbé ou encore l'accompagnent, nous rappellent que la folie n'existe que dans une société et que la psychiatrie seule ne peut pas grand-chose quand il s'agit de lui faire face.

Grande vulnérabilité, petite agressivité

Ces dimensions sociales problématiques sont au nombre de trois : la vulnérabilité (75,5 % des dossiers), l'agressivité générale et les menaces vagues (58 %) ainsi que le dérangement (38 %). Les trois quarts des personnes concernées par la situation-problème de la désorganisation mentale habitent seules en appartement et au moins un tiers d'entre elles risquent d'être évincées de leur logement pour diverses raisons (manque de ressources financières, manque d'autonomie, plaintes des autres résidents ou locataires). Environ 22 % des individus visés sont déjà en situation d'itinérance. La plupart des personnes touchées sont bénéficiaires des régimes de l'aide sociale ou de la sécurité du revenu, alors que celles qui ont quelques ressources financières, une infime minorité, semblent sur le point de les perdre.

Les allusions à la vulnérabilité sont nombreuses et complexes puisqu'elles concernent 75,5 % des dossiers. Elles se déclinent essentiellement en une série de problèmes concrets qui s'additionnent, se combinent et se nourrissent mutuellement, plongeant la personne dans une spirale de vulnérabilités de toutes sortes d'où elle ne voit pas trop bien comment sortir même si les problèmes de santé mentale ne faisaient pas partie de son expérience globale. Il est ici question, par ordre d'importance, de l'absence ou de la fragilité du réseau social allant jusqu'à l'isolement complet, d'une alimentation insuffisante ou inadéquate et de l'insalubrité de l'appartement comportant parfois des risques pour la sécurité ou d'éviction du logement. Une négligence importante sur le plan de l'hygiène personnelle, qui pourrait entraîner des problèmes de santé, y est souvent associée. Bref, l'isolement, la pauvreté et l'abandon de soi s'entrecroisent dans chaque histoire individuelle.

En ce qui concerne l'isolement social, il est souvent le résultat de la dégradation des réseaux à la suite d'une longue trajectoire de vie complexe et difficile, ce qui oblige parfois l'individu visé à dépendre presque totalement des services sociaux et de santé. Dans d'autres cas, l'isolement découle du refus manifeste de la personne concernée de communiquer avec les autres, que ce soient les proches ou les intervenants sociaux qui tâchent de lui venir en aide. Les dossiers témoignent aussi quelquefois de la volonté plus ou moins explicite de certains individus de se couper d'un monde qui ne semble plus être en résonance avec leurs besoins, qu'ils craignent ou qui les agresse en permanence. Les effets délétères de cet isolement, qu'il soit volontaire ou non, chez des personnes qui ont un besoin criant d'aide et de soutien sur tous les plans, se manifestent dans une détérioration croissante de leurs conditions de vie déjà mauvaises, le déclin général de leur santé et, enfin, la réduction substantielle de leur espérance de vie. Ces situations sont très souvent décrites de manière succincte et frappante.

- Madame vit seule dans une grande vulnérabilité, elle n'a pas de réseau.
- Isolé socialement, il oublie de se laver et n'est plus capable de cuisiner.
- Socialement très isolé, il ne fréquente aucune ressource communautaire.
- Socialement très isolée, elle vit maintenant totalement dans la rue.
- Il refuse l'aide proposée par les intervenants de l'équipe itinérance du CSSS.
- Madame a coupé tous les liens avec sa famille.

- Refuse l'aide de la famille, des intervenants et des proches.
- Le client est reclus et refuse de laisser les gens entrer dans son appartement.
- Notre frère refuse de recevoir des soins.
- Il a coupé tous les liens avec sa famille et ses amis.
- Il n'y a pas de communication (il ne répond ni au téléphone ni à la porte).
- Ne répond à personne.
- Il se cache de tout le monde.
- Il n'a aucun suivi et il refuse toute aide.

L'alimentation insuffisante, inadéquate ou intermittente est un problème majeur qui est mentionné dans la majorité des dossiers, ce qui n'est pas surprenant dans un contexte d'isolement social et de détresse. De la perte de poids inquiétante au refus de s'alimenter et au risque d'intoxication alimentaire, le rapport à l'alimentation est foncièrement problématique dans cette catégorie de situation-problème.

- Elle ne mange plus, elle a perdu beaucoup de poids. Elle ne boit que du Pepsi pour se réveiller et elle fume du « pot » pour dormir.
- Il ne mange plus, c'est très dangereux.
- Sa santé nous inquiète. Elle a perdu du poids, elle est cernée et a le teint terreux.
- Son alimentation est déficiente. Elle peut passer des jours sans manger, se contentant de boire des boissons gazeuses et du café très sucré.
- Elle mange des aliments qui ont parfois séjourné de longs moments dans le frigo et sur le comptoir.
- Parfois, il nous semble qu'elle mange des aliments en conserve qu'elle peut garder dans le contenant plusieurs jours au frigo ou sur le comptoir. Selon nous, elle risque de s'intoxiquer.
- Elle ne se nourrit pratiquement plus.

- Nous avons observé une perte de poids de 24 lb en 3 mois et demi.
- A perdu 35 lb en 7 mois.
- Elle ne se nourrit pratiquement plus et a subi une perte de poids.
- Depuis un mois, nous observons qu'il ne fait plus son épicerie et qu'il a commencé à maigrir.

Les comportements à risque signalés dans les dossiers sont variés. Ils vont de l'insalubrité du logement en raison d'un manque d'entretien, le rendant peu sécuritaire, aux risques plus immédiats de feu ou d'accident, en passant par l'hygiène personnelle négligée, voire inexistante. Souvent, toutes ces problématiques sont entremêlées.

- Monsieur est fumeur et n'est pas conscient des risques liés aux cigarettes oubliées. L'appartement est insalubre : saleté, poussière (deux ou trois centimètres), insectes, accumulation d'objets, boîtes de carton, effets personnels (vidéos, revues, vidanges).
- Son appartement est insalubre. Lorsque nous nous sommes présentés dernièrement, nous avons constaté qu'il y avait des déchets partout et qu'il ne faisait plus le ménage depuis très longtemps. Nous avons eu de la difficulté à entrer dans la salle de bains tellement il s'en dégageait une forte odeur.
- Ustensiles brûlés retrouvés sur la cuisinière, encombrement de son logement, s'est embarrée chez elle parce qu'elle avait perdu ses clés.
- L'intimée vit dans un logement très encombré et insalubre
- Elle oublie d'éteindre ses cigarettes et pourrait mettre le feu.
- Peu d'hygiène, brûlures de cigarettes sur ses vêtements et ses couvertures, ne tire plus la chasse d'eau de sa toilette, causant d'importants dégâts.
- Il doit être guidé pour tout faire, se doucher, se raser. On ne peut pas le laisser seul dans la maison.

- Hygiène personnelle complètement négligée, incontinence, odeur associée, n'utilise pas de couches, a perdu son dentier.
- Il y a une négligence de soi globale : manque d'hygiène, habillement inapproprié, etc.
- Son appartement est très sale. Il y a du papier toilette et des excréments sur le plancher du salon. Elle est incapable de prendre soin d'elle-même.
- Il ne se lave pas souvent, ses vêtements sont sales.
- Passe le plus clair de son temps dehors indépendamment de la météo, du froid, de la pluie.

Les problèmes d'isolement social, d'alimentation, d'hygiène personnelle et d'habitat ainsi que les comportements à risque, combinés ou non aux ressources insuffisantes dont l'individu dispose, se traduisent tôt ou tard par un risque majeur : la perte imminente ou à court terme du logement. Nous avons déjà mentionné qu'environ 20 % des personnes qui font l'objet d'une requête pour évaluation psychiatrique dans la catégorie de la désorganisation mentale sont déjà en situation d'itinérance. Dans les cas moins graves, les individus doivent déménager dans des logements encore plus précaires, délabrés et insalubres parce qu'ils sont rejetés partout, ce qui les pousse de plus en plus loin sur la voie de la déchéance sociale.

- Monsieur risque d'être expulsé de sa résidence.
- Il refuse de payer le loyer, on ne sait pas où passe son argent.
- Monsieur est à risque d'errance s'il perd son logement.
- Il ne paie pas son loyer régulièrement et nous avons dû le faire à sa place à quelques reprises. Mais nous ne pouvons pas continuer comme ça. Il risque de se faire mettre dehors.
- Elle ne paye plus son loyer et risque de se faire expulser.
- Son éviction est imminente et devrait se produire dans les 24 prochaines heures.
- Madame a signé une résiliation de bail qui l'oblige à quitter

son logement, mais elle n'a fait aucune démarche pour la suite. Elle se retrouvera à coup sûr à la rue.

- Il est sur le point de perdre son logement.
- Elle ne paye plus son loyer. Bientôt, elle sera mise à la rue.

Au chapitre des gestes et des attitudes que nous avons regroupés sous l'expression « agressivité » envers les membres de la famille, l'entourage ou les étrangers, on les retrouve dans 58 % des dossiers. On est cependant loin de la violence avérée et des passages à l'acte concrets, même si les situations relatées pourraient devenir problématiques faute d'une aide adéquate. Ces gestes et attitudes ne sont presque jamais l'élément principal de la situation-problème, mais ils font partie d'un contexte dramatique où tous les acteurs semblent dépassés, à bout de nerfs ou épuisés et qui exige une intervention afin d'éviter que les choses ne se dégradent davantage. Les requérants évoquent quelquefois la possibilité d'un comportement agressif.

- Il pourrait peut-être m'en vouloir et s'en prendre à moi.
- On a peur qu'il fasse mal à ses proches.
- Il peut devenir extrêmement colérique.
- Potentiel d'agressivité verbal très important.
- Il peut être violent si confronté.
- Peut être dangereuse, violente ou agressive.
- Pourrait se désorganiser au point d'être agressif.
- Elle pourrait exploser de colère.

Parfois, l'éventualité devient réalité. Mais les faits rapportés sont soit vagues ou génériques, soit en apparence pas très graves ou accompagnés de menaces qui ne semblent pas sérieuses.

- Devient plus agressive lorsque nous tentons de lui parler ou de l'aider.
- Elle a menacé de tout casser au chalet d'une voisine, car on ne voulait pas lui donner les clés.
- Utilise parfois un langage agressif.

- Comportement agressif vis-à-vis des personnes qui ne l'écoutent pas. Lève le ton et fait preuve d'agressivité si contrarié.
- Elle se met facilement en colère.
- Il est agressif verbalement envers les autres.
- Fait des menaces de mort aux passants.
- Il se met en colère, serre les poings, et nous avons peur qu'il frappe.
- Il a dit aux membres de sa famille qu'il pourrait leur faire du mal.
- Comportement agressif, regard menaçant et accusateur envers sa mère.

Enfin, 38 % des dossiers mentionnent des comportements dérangeants mais ne font que rarement allusion à l'agressivité potentielle ou réelle que ces derniers impliquent. Ces comportements sont variés et se manifestent notamment par des bruits déplacés, persistants ou à des heures inusitées, par une conduite ou des propos déplacés ou vulgaires, par la sollicitation répétée et sans raison des services publics ainsi que par le harcèlement des voisins, des commerçants ou des passants.

- Il circule une partie de la nuit dans les couloirs.
- Parle fort dans la salle d'attente pleine de personnes.
- Il tient un discours hypersexualisé aux femmes qu'il croise.
- Monsieur a fait des plaintes de vol qualifié 16 fois en 2 mois.
- Harcèle constamment les occupants du logement.
- Accusations de vol à répétition contre ses voisins.
- Moins tolérée dans les commerces environnants à cause de ses sollicitations insistantes.
- Elle urine dehors.
- Porte des pantalons trop petits et expose ses organes génitaux.
- Appelle la police plus d'une fois par jour.

- Elle se lève au milieu de la nuit et flâne dans les corridors.
- Il brise des objets et les lance dans la rue.
- Attitude impolie envers les voisins.
- Passe des nuits à errer dans les rues, à interpeller les passants.
- Surutilisation de la ligne 911 sans réelles raisons.

Lorsque nous remettons ces attitudes et ces gestes dans leur contexte, on s'aperçoit que les comportements déréglés et dérangeants, les agressions vagues et les menaces verbales se recoupent à plusieurs égards, composant un univers plus proche du pôle du dérangement que de celui de la violence. En effet, cette dernière semble plutôt rare lorsqu'il s'agit d'analyser la catégorie de situation-problème définie de manière dominante par la désorganisation mentale. En ce qui concerne la dimension du social problématique, c'est la vulnérabilité grave et complexe qui se démarque hors de tout doute et qui nécessite une intervention urgente sans laquelle l'aggravation d'une situation déjà passablement pénible semble inévitable.

Par ailleurs, les allusions au monde du travail, à l'emploi ou aux ressources financières sont presque inexistantes dans les dossiers et, lorsqu'elles sont présentes, elles font référence au passé. C'est plutôt l'univers de l'assistance, de la dépendance et de la pauvreté qui compose le contexte le plus fréquemment associé à cette panoplie de comportements problématiques, et ce, sur le plan tant mental que social. En effet, il n'est pas étonnant que, parmi les requérants pour cette catégorie de situation-problème, les membres de la famille soient sous-représentés : 59,62 %, contre 76,71 % en moyenne pour l'ensemble des requêtes. Les intervenants sociaux sont en revanche nettement surreprésentés : 36,4 %, contre 17 % en moyenne pour l'ensemble des demandes. Les cas psychosociaux lourds faisant partie de cette catégorie réclament une présence plus importante, soutenue et intense des dispositifs d'assistance publique, puisque les réseaux naturels ou familiaux soit n'ont plus de ressources, soit ont coupé depuis longtemps les ponts avec les individus concernés.

Les femmes paraissent toutefois plus touchées que les hommes par les interventions institutionnelles (43 % contre 31 %) et par la perte de contact avec les réseaux naturels (50 % des requêtes visant des femmes ont été déposées par des proches, contre 69 % pour les hommes). À ce sujet, nous pouvons avancer deux explications complémentaires. D'abord, sur le plan sociodémographique, les femmes survivent souvent à leurs conjoints parce qu'elles vivent habituellement plus longtemps. Or, le conjoint joue fréquemment le rôle d'aidant naturel dans la catégorie de la désorganisation mentale. Ensuite, sur le plan sociofamilial, les femmes prennent généralement soin de leurs conjoints ou des autres hommes de leur entourage (pères, frères, fils), alors que l'inverse se produit plus rarement. La vocation d'aidante naturelle des femmes continue d'être une réalité bien ancrée dans la société malgré les changements dans les rapports sociaux de sexes survenus au cours des dernières décennies.

Si on devait résumer de manière fort schématique et générale les caractéristiques des personnes incarnant cette catégorie de situation-problème que nous avons nommée « désorganisation mentale », on pourrait dire qu'il s'agit d'individus ayant des problèmes de santé mentale graves et qui sont très vulnérables sur les plans social et économique. Les troubles de santé mentale sont riches, variés et documentés par un passé psychiatrique important. La vulnérabilité est caractérisée par l'isolement social, l'insécurité alimentaire, l'instabilité résidentielle et la présence grandissante des interventions institutionnelles et communautaires dans la vie des personnes concernées afin de pallier leur manque d'autonomie. Lourdement hypothéqués par des problèmes mentaux et sociaux graves, les individus peuvent parfois devenir agressifs, menaçants ou globalement dérangeants pour leurs proches, leur entourage ou les étrangers sans que cela constitue une dimension significative du caractère problématique des situations qui exigent une requête pour évaluation psychiatrique.

Cette catégorie de situation-problème est représentée dans sa forme la plus typique par des hommes plutôt jeunes et des femmes plutôt âgées, le point d'infléchissement se situant au milieu de la quarantaine. Les dispositifs les plus souvent mobilisés pour cette catégorie sont la psychiatrie hospitalière, les centres de crise et les ressources communautaires de dépannage social. Les femmes sont davantage concernées que les hommes par ces dispositifs, sans doute en raison de la plus grande fragilité de leurs réseaux naturels et de leur espérance de vie plus grande.

Risque de suicide

Cette catégorie de situation-problème pose d'emblée deux difficultés majeures, l'une relevant du statut du phénomène en question et l'autre de la nature des dispositifs qui le prennent en charge. Pour ce qui est de la première difficulté, nous pouvons la formuler comme suit : le fait de se suicider, de tenter de le faire, d'en avoir l'intention ou d'en vivre le fantasme n'est pas un fait pathologique. S'enlever la vie, essayer de le faire ou y songer n'est pas forcément le résultat d'une profonde dépression ou d'un quelconque parcours psychopathologique, mais plutôt le dénouement dramatique que certaines personnes peuvent connaître après des expériences limites de l'existence (rupture amoureuse déchirante, deuil d'un être cher, harcèlement cruel dans le milieu professionnel ou scolaire, congédiement ou chômage prolongé, maladie grave), comme en témoignent tant les faits divers des journaux que des ouvrages classiques de la sociologie. La deuxième difficulté tient au fait que, dans la pratique, le risque de suicide est pris en charge par un dispositif qui lui convient mieux, tel que les services ambulanciers. On peut donc penser que les requêtes pour évaluation psychiatrique dans ce cas de figure sont sous-estimées en termes de quantité et qu'elles correspondent à des situations moins urgentes probablement caractérisées par des problèmes de santé mentale évidents et anciens. Dans ce contexte, il est possible que les situations concrètes regroupées dans la catégorie du risque de

Graphique 19. — Risque de suicide selon l'âge et le sexe

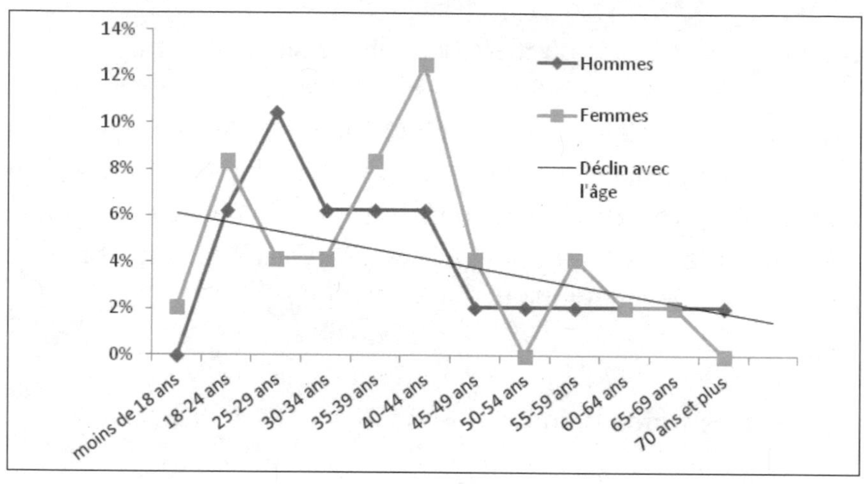

suicide captées par le dispositif de la garde provisoire soient davantage associées à des tableaux cliniques ou à des antécédents préalables de troubles de santé mentale. Toutefois, comme nous le verrons, la dimension du mental perturbé pour cette catégorie est remarquablement différente des autres, ce qui va dans le sens de la dissociation du tandem galvaudé « dépression-suicide ».

En ce qui a trait aux groupes d'âge concernés, on constate tout d'abord que le risque de suicide décline avec l'âge des personnes, notamment à partir de la cinquantaine, et ce, tant pour les hommes que pour les femmes. Les deux sexes sont touchés de manière semblable (47 % pour les hommes, contre 53 % pour les femmes), mais pour les premiers ce sont les individus dans la vingtaine qui se démarquent le plus alors que, pour les secondes, ce sont les individus situés dans le groupe des 35-45 ans qui sont davantage concernés.

Se faire du mal

La dimension du mental perturbé de cette catégorie est remarquablement pauvre en événements psychopathologiques. Ces derniers n'apparaissent en effet que dans une minorité de requêtes, et à peine 20 %

des dossiers font allusion à l'arrêt ou à la négligence dans la prise de médicaments psychotropes. Quant aux diagnostics psychiatriques, ils ne sont mentionnés que dans 12 % des cas. L'association courante entre dépression et risque de suicide n'est pas confirmée dans notre matériau, car seulement 16 % des dossiers parlent de dépression, en termes tantôt psychiatriques (état dépressif, dépression majeure), tantôt généraux ou métaphoriques (il est très déprimé, semble dépressif ou excessivement triste). L'une des composantes du mental perturbé se retrouve cependant presque exclusivement dans cette catégorie de situation-problème, même si elle est loin d'être présente dans toutes les requêtes : les blessures auto-infligées sans raison apparente.

En effet, 28 % des dossiers font état d'une forme d'automutilation ou, plus largement, de blessures auto-infligées. Dans 24 % des cas, les requérants mentionnent l'existence d'une certaine confusion mentale, et la présence de comportements déréglés chez la personne visée est évoquée dans une proportion semblable de requêtes. Les allusions au délire apparaissent dans seulement 17 % des dossiers. Dans tous les cas, c'est l'imminence appréhendée du passage à l'acte fatal qui prend toute la place dans la description de la situation-problème et ajoute une tension dramatique au récit des événements.

Les blessures auto-infligées constituent la caractéristique saillante

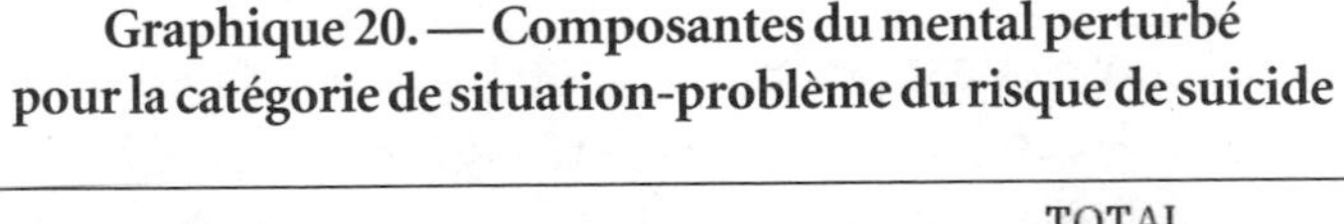

Graphique 20. — Composantes du mental perturbé pour la catégorie de situation-problème du risque de suicide

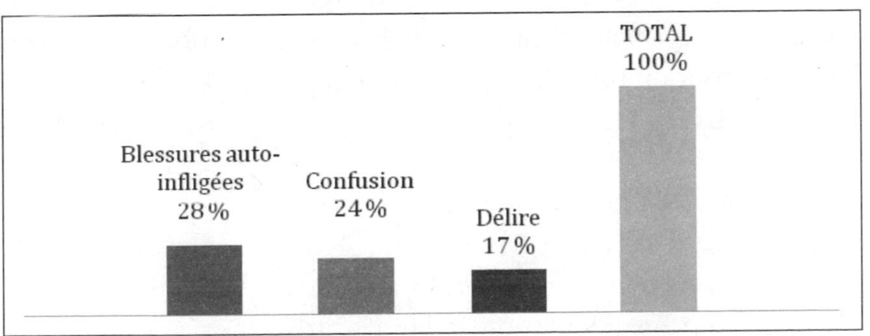

du mental perturbé de cette catégorie, sur le plan tant quantitatif que qualitatif. Il s'agit essentiellement d'automutilations, mais aussi de blessures, mortifications et brûlures que les individus concernés s'infligent sans raison apparente.

- Automutilation avec un clou sur les mains, en dessous des seins et sur le ventre.
- S'est coupé par exprès un doigt avec une hache.
- Se brûle volontairement la gorge pour que la douleur l'empêche de manger.
- Elle s'arrache les ongles.
- Épluche les couches de peau de son visage et de ses bras, se causant des plaies qui restent ouvertes.
- Brûlures sur le corps.
- S'égratigne, se frappe la tête sur les murs.
- Plusieurs lésions qui ne peuvent s'expliquer que par l'automutilation.
- Pratique des chirurgies sur elle-même.
- Elle a recommencé à se mutiler de plus belle.
- Quand elle est en colère, elle se fait des entailles sur le corps.
- Il s'arrache les cheveux, il se cogne la tête sur les murs jusqu'à ce qu'il y ait des trous.
- Il s'est automutilé en se donnant des coups de poing.

La confusion est un type de comportement mentionné dans environ un quart des dossiers de manière plus vague et, parfois, plus contextuelle que dans la catégorie de la désorganisation mentale, où il était surtout question de montrer le dérèglement de l'esprit de la personne. La confusion est exprimée avec des phrases courtes telles que :

- Perte de mémoire.
- Jugement altéré.
- Elle peut être très incohérente.
- Il n'est pas rationnel quand il nous parle.

- Il est désorienté dans le temps et dans l'espace.
- Son jugement est altéré.
- Son jugement n'est plus bon.
- Incohérente.
- Elle semble confuse.
- Elle n'a pas le sens du temps.
- Il est très incohérent dans les propos qu'il tient.
- Il a de la difficulté à avoir une conversation, il cherche beaucoup ses mots.

Quant au délire, que seuls 17 % des requêtes mentionnent, il est dans la majorité des cas beaucoup moins caractérisé et détaillé que dans la catégorie de situation-problème précédente. Les requérants se contentent souvent d'indiquer que la personne visée délire, qu'elle a des idées délirantes, qu'elle est en proie au délire. À part les allusions à la religion ou à la grandeur, il n'y a pas beaucoup de détails, probablement parce qu'il s'agit d'un élément plutôt contextuel n'ayant pas une grande influence sur la mise en évidence de la dangerosité qui justifie la demande d'intervention.

- Il dit être le représentant de Dieu sur Terre.
- Délire de persécution qui vise les membres de la famille et l'entourage.
- Il dit que le gouvernement vient le chercher.
- Délirant, paranoïaque.
- Le client a des projets grandioses et délirants.
- En ce moment, il est en plein délire.
- Propos délirants de type religieux.
- Client semble envahi par ses délires. Il dit devoir mourir pour sauver la Terre et qu'à l'éclipse lunaire du 3 mars il va brûler son corps dans une chambre d'hôtel.
- Il est en plein délire et pense que les gens veulent le blesser.
- Ses idées sont délirantes. Elle croit que la radio lui parle.
- A des sentiments de toute-puissance.

Vouloir mourir, vouloir disparaître

Si la dimension du mental perturbé de cette catégorie de situation-problème est plutôt mince et semble avoir peu de poids dans les récits de ce qui pose problème, celle du social problématique présente des caractéristiques différentes. Ce qui pose socialement problème dans ce cas de figure est, sans surprise, le fait que les personnes concernées manifestent concrètement leur volonté de se tuer. Nous avons classé les gestes et les comportements suicidaires du côté du social problématique plutôt que de celui du mental perturbé, car, contrairement aux blessures auto-infligées sans raison apparente, on a ici affaire à un phénomène dont la nature, les causes et les solutions font l'objet de débats entre la sociologie, la psychologie et même les sciences politiques. En outre, dans environ 10 % de l'ensemble des dossiers, des raisons autres que psychologiques sont évoquées pour expliquer la conduite des individus visés (le décès d'un membre de la famille, les souffrances dues à une maladie grave et incurable, la perte d'un animal de compagnie auquel la personne était fort attachée). Dans 72 % des requêtes, ce qui pose problème est le fait que l'individu veut clairement se tuer par divers moyens tandis que pour le 28 % restant, le problème principal est le fait que la personne s'abandonne au point de se laisser mourir. Dans les deux cas, ce scénario dramatique se déroule dans un contexte de grande vulnérabilité qui caractérise presque les trois quarts de l'ensemble des dossiers.

À certaines occasions, le risque de suicide ne fait pas beaucoup de doute dans l'esprit du requérant, car des menaces concrètes ont été formulées.

- Il dit vouloir se jeter en bas du pont sur la 40 près d'Hippolyte-Lafontaine.
- L'intimée menace de se suicider par électrocution dans le bain.
- Nous menace de se trancher la gorge avec un couteau.
- Madame menace clairement de se suicider.

Graphique 21. — Composantes du social problématique pour la catégorie de situation-problème du risque de suicide

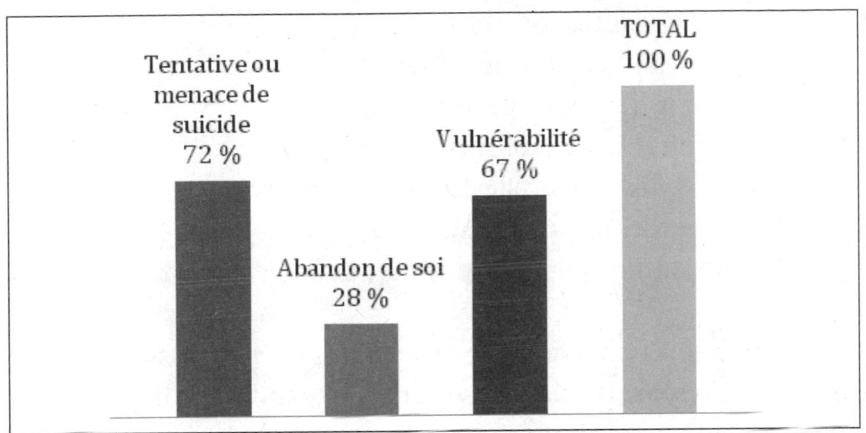

- Il menace de se suicider dans les 72 prochaines heures.
- A verbalisé à deux reprises le désir de s'enlever la vie. Il a écrit sur un papier : « train-bang », avec une tête de mort dessinée.
- L'intimé a déjà mentionné qu'il se tuera.
- Il fait des menaces claires de suicide. Il dit souvent à sa mère qu'elle va le retrouver au bout d'une corde.
- Il a fait des tentatives par le passé et, maintenant, il dit avoir des plans plus précis.
- Elle a dit clairement : « Je me tuerai. »

Dans d'autres cas, la volonté de l'individu de s'enlever la vie est moins claire, mais la situation est néanmoins préoccupante. Les requérants font état d'un contexte inquiétant, de comportements, événements ou propos qui laissent présumer un possible de passage à l'acte.

- A parlé de s'acheter une arme à feu la semaine dernière pour en finir.
- Elle est devenue extrêmement suicidaire lorsqu'elle a appris que ses 13 chats avaient été saisis par Anima-Québec.
- Tout est noir pour elle ces derniers temps.

- A des idées noires.
- Me fait des adieux en me remerciant d'avoir été sa sœur.
- À plusieurs reprises, elle m'a fait ses adieux.
- Il dit avoir choisi de disparaître.
- Il va sur le balcon, se perche comme un oiseau.
- L'intimé a des idéations suicidaires.
- Il mentionne qu'il n'est pas heureux et qu'il veut cesser de souffrir.
- Elle a tenté de se couper les veines avec un verre cassé.
- Il y a un mois, il a consommé une très grande dose de médicaments dans le but de mourir.

Les comportements liés à un abandon de soi suicidaire complètent le tableau du risque de suicide. Dans ces situations, les personnes concernées se laissent lentement mourir en refusant ou en cessant de manger ou de boire, et même en restant dans une inactivité totale.

- Il ne se nourrit pas depuis 15 jours et ne boit rien. Il ne dort plus.
- Elle refuse de manger et aucun indice ne laisse croire qu'elle se nourrit.
- Refuse la nourriture qu'on lui donne.
- Il ne mange plus depuis deux jours.
- Elle ne mange plus et a perdu 50 lb dans la dernière année.
- Il ne s'alimente presque plus.
- Ne consomme même plus d'eau depuis une semaine.
- Elle refuse systématiquement de s'alimenter depuis plus de deux mois.
- Madame est maigre parce qu'elle ne se nourrit pratiquement pas.
- Grande passivité, ne fait plus rien, néglige son hygiène personnelle, n'a aucune activité, ne voit plus personne.
- Elle reste clouée au lit.

- Il est en train de se laisser mourir.
- L'intimé dit qu'il veut se laisser mourir.

La vulnérabilité qui correspond à la situation-problème du risque de suicide est semblable à celle de la catégorie analysée précédemment, soit la grande désorganisation mentale, mais comporte quelques nuances. Le contexte dans lequel évoluent les individus présumés suicidaires ou qui se laissent mourir est notamment marqué par l'isolement social et l'arrêt de l'alimentation. À cela s'ajoutent, dans une moindre mesure, les risques découlant de l'insalubrité du logement et d'une possible éviction. Quant à l'isolement, il résulte de la volonté explicite de la personne concernée de couper les liens avec les autres et de refuser toute forme d'aide. Lorsqu'un individu cherche à s'enlever la vie, cette situation redouble sa vulnérabilité et accroît les risques de passage à l'acte.

- Elle est complètement isolée et sans vie sociale aucune.
- Elle refuse toute assistance ou aide de qui que ce soit.
- Ne répond plus aux appels téléphoniques, se coupe du monde.
- Il fuit tout le monde.
- Coupure totale avec les membres de la famille qui tentent de lui apporter de l'aide.
- Madame est complètement isolée.
- Il est isolé et il n'a pas de famille.
- Madame refuse toute forme d'aide de la part des autres.
- Elle s'isole, ne veut voir personne.
- Refuse de se faire soigner.
- Elle a coupé toute communication avec sa famille.
- Elle refuse d'écouter ou de parler à qui que ce soit.
- L'intimé s'isole de plus en plus.

Ici, le jeûne ou l'alimentation inadéquate n'est pas seulement le corollaire de la pauvreté matérielle puisque la volonté de la personne visée de ne pas se nourrir est parfois clairement rapportée. Indépendamment des causes, cette volonté demeure un fait avéré qui rend l'individu vulnérable sur le plan vital à moyen et quelquefois à court terme. Les formulations sont éloquentes.

- Elle ne marche plus, elle se tient sur les murs ou rampe sur le sol pour se déplacer.
- Elle ne subvient pas à ses besoins primaires.
- Madame ne mange plus à moins d'y être forcée et a perdu 10 lb en un mois.
- Il est incapable de sortir parce qu'il est trop faible.
- Il ne se nourrit plus.
- Il s'alimente peu et a perdu 60 lb en 4 mois. Il a cessé de prendre sa médication pour le diabète, pourtant essentielle à sa survie.
- Ne mange pas, ne dort pas la nuit.
- A perdu énormément de poids.
- Ne dort plus, ne mange plus, perte de poids importante.
- Elle a maigri énormément depuis deux ans.
- Elle a déjà perdu 20 % de son poids.

Les questions de l'insalubrité du milieu de vie et des comportements à risque dans le lieu de résidence font aussi partie de la vulnérabilité présente dans cette catégorie de situation-problème. Elles sont entremêlées avec de graves difficultés financières ou avec de la négligence dans le paiement du loyer et des services, ce qui mène, à court, moyen ou long terme, à l'éviction de la personne déjà hautement fragilisée de son logement.

- Elle vit dans un logement insalubre. Il y a risque d'éviction.
- Risque de se retrouver à la rue à cause de l'absence totale d'entretien.
- Les factures et le loyer sont impayés et l'odeur de brûlé persistante a suscité des plaintes de la part des voisins.
- Il a causé un feu sur la cuisinière et n'a pas réagi, le laissant

se propager. Il a été incapable d'expliquer son absence de réaction.

- L'appartement est très insalubre. Elle y est toujours couchée avec les lumières éteintes.
- Celle-ci ne prend plus soin de son hygiène corporelle, de son appartement, de son budget. Elle s'isole complètement.
- N'a plus d'argent et ne paye plus son loyer depuis deux mois.

Comme dans la catégorie de la désorganisation mentale, les allusions au monde du travail, à l'emploi ou aux ressources financières sont pratiquement absentes. Toutefois, à la différence de cette catégorie, les personnes concernées paraissent beaucoup moins intégrées au monde de l'assistance sociale et de la santé (CLSC, centres hospitaliers, ressources communautaires, centres de crise), même si elles semblent l'être aux programmes de sécurité du revenu à cause de leurs difficultés évidentes en matière d'emploi. La présence de la famille est très importante et dépasse la moyenne de l'ensemble des situations-problèmes (85 % contre 76,71 %), et ce, peu importe le sexe de l'individu visé. Les liens de soutien, d'aide et de dépendance à l'égard du réseau naturel semblent pouvoir être maintenus plus facilement lorsque la dimension du mental perturbé ne concerne pas les figures de la folie classique (délire, hallucinations, persécution, comportements déréglés). Les situations-problèmes comportant des idéations ou des gestes suicidaires ainsi que l'abandon inquiétant de soi sont probablement moins épuisantes ou plus supportables pour les proches malgré leur caractère dramatique indéniable. En général, les intervenants sociaux (travailleurs sociaux, intervenants communautaires) sont donc moins associés aux requêtes pour évaluation psychiatrique que dans la moyenne de l'ensemble des situations-problèmes (12 % contre 17 %). Il s'agit ici d'un autre type d'effondrement psychique moins lié au passé psychiatrique lourd et à l'étrangeté troublante de la folie classique qui est caractérisé par la présence de réseaux qui sont cependant rejetés par les personnes concernées.

Le risque de suicide ou l'abandon de soi grave apparaît comme une affaire d'hommes jeunes et de femmes d'âge moyen, même si la fréquence des cas diminue au fur et à mesure que les individus vieillissent. Le contexte de grande vulnérabilité que nous constatons est notamment marqué par l'isolement souvent volontaire et la sous-alimentation inquiétante. Presque aucune trace d'agressivité ou de dérangement ne figure aux dossiers. Sans surprise, les dispositifs souvent activés dans cette catégorie sont les services ambulanciers, la police et les urgences hospitalières. Dans plus de la moitié des dossiers (53 %), l'un de ces trois dispositifs est mentionné à un moment ou à un autre.

Les catégories de la désorganisation mentale et du risque de suicide incarnent bien les figures extrêmes de la vulnérabilité mentale et sociale grave que l'expression « danger pour soi-même » prétend décrire dans le cadre de la loi P-38. Toutefois, elles sont fort différentes en termes de contenu, de symbolique et de réaction sociale. La désorganisation mentale renvoie à l'image la plus classique et emblématique de la folie telle que nous la concevons en termes de dérangement mental provoquant le rejet et l'isolement social, souvent par l'épuisement du réseau des proches. C'est la discontinuité essentielle avec les coordonnées générales de l'individualité ordinaire qui appelle des interventions fortes, spécialisées et soutenues dans le temps, comme les trajectoires psychiatriques le démontrent avec les hospitalisations, les diagnostics et la prise de médication psychotrope lourde. La deuxième catégorie, le risque de suicide, est certes liée à un effondrement mental désespérant, mais sans pour autant opérer une discontinuité avec le monde ordinaire. Cette épreuve dramatique de détresse extrême sans déconnexion de la réalité suscite davantage la compassion et la solidarité que l'inconfort et le rejet. Dans la désorganisation mentale, les personnes visées par le dispositif de la loi P-38 finissent par être rejetées, alors que dans le risque de suicide elles finissent par rejeter les autres.

CHAPITRE 6

Du dérangement à la violence : le rapport troublé aux autres

L'enfer, c'est les autres.

JEAN-PAUL SARTRE, *Huis clos*

Dans les deux catégories de situations-problèmes décrites au chapitre précédent, le cœur des événements tourne autour du rapport à soi déréglé et inquiétant dont le délire et le suicide constituent les figures les plus dramatiques. Dans ce contexte, les « autres » jouent un rôle relativement secondaire dans la définition du caractère problématique de la situation, tantôt en tant que témoins impuissants rapportant une situation désespérée, tantôt en tant que demandeurs d'aide faisant appel *in extremis* à un dispositif contraignant afin d'agir d'urgence. Ces situations-problèmes, qui représentent entre 20 et 25 % de l'ensemble des requêtes pour évaluation psychiatrique selon les années, sollicitent en fin de compte soit la psychiatrie classique (hôpitaux, cliniques de jour, psychiatres, médicaments), soit les services ambulanciers. Toutefois, le rapport radicalement troublé au réel et le risque concret de suicide surviennent dans un contexte de grande vulnérabilité globale et complexe que ni la psychiatrie ni l'intervention ambulancière d'urgence ne peuvent bien entendu prendre en compte comme étant de leur compétence. Nous sommes donc ici dans l'univers de la vulnérabilité psychosociale chronique où les ressources d'aide et les dispositifs d'intervention disponibles s'emploient surtout à gérer les risques les plus visibles, aigus et sérieux.

Les trois quarts restants des situations-problèmes impliquant le dispositif de la dangerosité mentale mettent en jeu de différentes manières le rapport aux autres comme élément central du caractère problématique de la situation. Les autres sont ici les proches (membres de la famille, amis), l'entourage physique (voisins, concierges, corésidents) et les étrangers (passants, commerçants). Ce qui est mis en évidence dans ce cas, c'est surtout la conflictualité psychosociale qui se présente essentiellement sous la forme de trois passages à l'acte concrets : le dérangement, l'agressivité et les comportements violents. Ceux-ci se combinent, s'hybrident et se permutent en fonction de plusieurs variables situationnelles (identité de l'autre, lieu où l'acte est accompli, contexte plus large, informations connues ou inconnues sur l'individu concerné) qui vont moduler leur définition en tant que gestes problématiques plus ou moins dangereux, plus ou moins urgents. Dans ce chapitre, nous analyserons en détail deux catégories de situations-problèmes où l'autre participant de la conflictualité est soit une personne faisant partie de l'entourage physique de l'individu visé sans pour autant être un proche, soit un étranger qui ne le connaît pas. La catégorie des conflits avec l'entourage non familial représente environ 17 % de l'ensemble des requêtes, et celle des conflits avec les étrangers environ 14 %.

Conflits avec l'entourage : voisins, concierges et corésidents

Les conflits avec l'entourage physique de la personne concernée par la requête pour évaluation psychiatrique se produisent dans le contexte de la vie quotidienne et sous de multiples formes qui vont de la friction occasionnelle dégénérant parfois en une querelle violente

Graphique 22. — Conflits avec l'entourage selon l'âge et le sexe

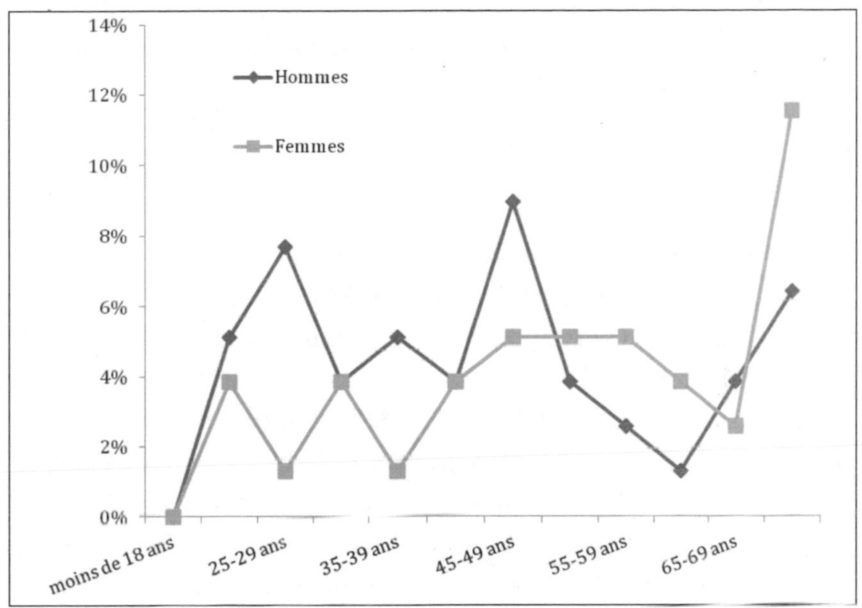

avec un voisin, un concierge d'immeuble ou un corésident, à divers types de dérangements persistants ou sporadiques. Environ 30 % des individus concernés par cette catégorie de situation-problème ont reçu un diagnostic psychiatrique, la moitié d'entre eux pour de la schizophrénie, le quart pour de la bipolarité et le dernier quart pour de la paranoïa et de la psychose évoquées de manière générale. Dans 35 % des dossiers, il est clairement signalé que la personne visée a arrêté, néglige ou refuse explicitement de prendre la médication psychiatrique prescrite. Comme la catégorie de la désorganisation mentale, celle des conflits avec l'entourage se distingue des autres en raison de l'âge des individus visés. En moyenne, ces derniers ont dix ans de plus que les personnes concernées par d'autres types de conflits (famille et étrangers) et qui présentent un risque de suicide. En général, les hommes sont plus nombreux dans les groupes d'âge de moins de 50 ans et les femmes dans ceux de plus de 50 ans. Cela revient à dire que les conflits avec l'entourage diminuent avec l'âge chez les hommes et augmentent avec l'âge chez les femmes.

Cependant, à partir de 60 ans chez les hommes et de 70 ans chez les femmes, ce type de situation-problème augmente en fréquence.

Perdus dans le temps et l'espace

Comme pour la catégorie de situation-problème du risque de suicide, la dimension du mental perturbé des conflits avec l'entourage est relativement pauvre. Les composantes ne sont toutefois pas les mêmes. La caractéristique du mental perturbé dominante est la confusion, qui est mentionnée clairement dans 45 % des dossiers, suivie par le délire, surtout qualifié globalement de paranoïde (32 %), et par l'absence d'autocritique par rapport à la situation de détresse et de vulnérabilité dans laquelle la personne concernée se trouve (30 %).

L'évocation de la confusion ne donne pas lieu à de longs développements, même si les requérants affirment clairement que l'individu visé est confus, que ses propos sont incohérents, que son jugement est pauvre, qu'il a des pertes cognitives, que son discours est désorganisé et qu'il a de la difficulté à se repérer dans le temps et dans l'espace. Pour la première fois, la perturbation cognitive simple en matière d'orientation, de cohérence et de mémoire est à l'avant-plan de ce qui est mentalement perturbé. L'idée de « déficit cognitif » est très utilisée pour caractériser la situation, notamment lorsque les personnes concernées sont plus âgées.

- Déficits cognitifs importants et jugement altéré. Il ne réalise pas ses pertes cognitives.
- Monsieur a des propos incohérents, des associations d'idées bizarres et un blocage de la pensée.
- Il ne sait plus ce qu'il fait, il est tout le temps confus.
- Il accuse des pertes de mémoire. Il devient de plus en plus confus, incohérent. Il perd la notion du temps.
- Discours incohérent et confus.
- A de la difficulté à retrouver son domicile et s'égare aussi dans sa pensée.

Graphique 23. — Composantes du mental perturbé pour la catégorie de situation-problème des conflits avec l'entourage

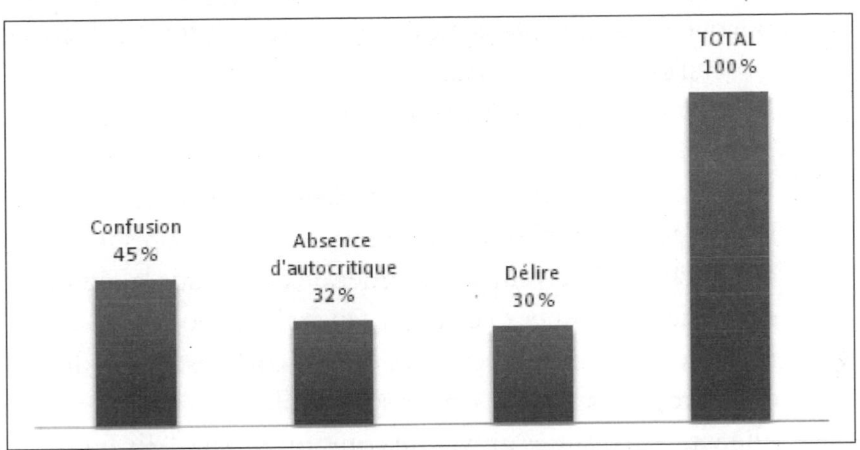

- Tient des propos et a des comportements incohérents.
- Le jugement du défendeur est sérieusement affecté.
- Sa mémoire est déficiente.
- L'intimé tient des propos décousus et incohérents.
- Il a de la difficulté à avoir les idées claires.
- Son jugement est gravement altéré, aucune discussion sensée n'est possible.
- L'intimé tient un discours incohérent.
- Ses propos sont de plus en plus incohérents.
- Mélange les phrases, incapable de s'exprimer correctement, perd le sens de la réalité.
- Augmentation des pertes cognitives et de mémoire.
- La cliente souffre de troubles cognitifs (multifactoriels) : elle est incapable de comprendre le processus.
- Il a déjà été diagnostiqué avec troubles cognitifs. Trous de mémoire importants, désorientation dans le temps.
- Elle est confuse, non située dans le temps.

Pour ce qui est du délire, la caractéristique qui domine est la thématique du complot ou de la persécution. Il ne s'agit pas ici simplement d'idées ou de sentiments de persécution, lesquels, tout compte fait, pourraient s'avérer plausibles, mais de récits plutôt structurés avec des détails clairement irréels ou fantaisistes.

- Dans son délire, elle affirme que Fidel Castro viendra bientôt la chercher.
- Il tient un discours soutenant des idées paranoïaques selon lesquelles il fait partie d'un complot. Le complot se résoudra dimanche et il ne veut pas donner de détails sur la façon dont cela se terminera, ce qui me fait craindre pour sa sécurité et celle des autres locataires. Son discours est de l'ordre du délire et n'est en rien centré sur la réalité.
- Elle vit des épisodes graves de comportement délirant et pense que le gouvernement veut lui enlever la vie.
- Idées délirantes paranoïaques et de persécution. Elle refuse de manger, de sortir et d'ouvrir les fenêtres, car elle dit avoir une « déclaration solennelle » d'un juge qui lui a interdit de poser ces gestes sous peine d'être condamnée à mort. Elle dit que l'armée ou la police risque de se pointer chez elle à tout moment.
- Elle croit que quelqu'un est là pour la tuer et a préparé trois couteaux pour se défendre.
- L'intimée tient des propos délirants sur la persécution que lui feraient subir le coordonnateur du CLSC et son voisin (complot pour l'expulser de son logement). Ils auraient posé des micros dans les murs pour la surveiller, et des gens viennent souvent la voler.
- Il affirme qu'il y a des micros partout, qu'il y a un complot avec George W. Bush qui menace de le tuer.
- L'intimée appelle la police pour signaler que les voisins l'espionnent, que sa ligne téléphonique est sur écoute, qu'elle se fait voler (des boîtes de conserve) et que son chat est victime de harcèlement.
- Elle croit qu'elle porte actuellement plusieurs bébés dans son ventre et que l'un d'eux est Satan.

La dernière composante marquante du mental perturbé pour cette catégorie de situation-problème est l'absence flagrante d'autocritique et le déni tenace de la personne concernée par rapport aux problèmes psychologiques et sociaux dont elle souffre. Dans les requêtes, cela est souvent présenté comme une difficulté majeure pour aider l'individu à améliorer sa qualité de vie, à éviter certains risques de santé ou à entamer un traitement de manière régulière. Le refus fréquent des soins proposés par les intervenants sociaux et de santé est associé à ce manque d'autocritique, mentionné dans 32 % des dossiers dans lesquels cette situation est formulée systématiquement comme problématique. Il se peut toutefois que le recours à la formule consacrée « absence ou manque d'autocritique » soit dû, comme nous le verrons plus loin, à la surreprésentation des travailleurs sociaux parmi les requérants de cette catégorie, eux qui utilisent souvent cette expression dans leurs interventions. Plus rarement, les requêtes font allusion à de la manipulation ou à la mise en œuvre de comportements stratégiques de la part de la personne concernée qui peuvent signaler sa volonté d'avoir un minimum de contrôle sur des interventions psychosociales envers lesquelles elle éprouve une certaine méfiance, voire son refus d'être placée en position de minorisation. Tout comme pour l'état de confusion, les formulations concernant l'absence d'autocritique ne fournissent pas beaucoup de détails. Il s'agit surtout de souligner une attitude de l'individu envers lui-même et sa situation qui est doublement problématique puisqu'elle le met en danger et empêche les aidants, soignants ou intervenants d'agir de façon appropriée.

- Monsieur ne reconnaît pas l'urgence de la situation ni la nécessité de recevoir les soins appropriés même si c'est évident. Monsieur signe toujours des refus de traitement même si sa vie est en péril. Pas d'autocritique.
- Monsieur dit qu'il n'est pas malade, que tout va pour le mieux. Il refuse de se faire soigner.
- Absence totale d'autocritique. Négation systématique de ses

actions dérangeantes et qui le mettent à risque. Refus de collaborer avec les intervenants du CLSC.

- De plus en plus revendicateur. Ne suit plus les consignes. Son déni par rapport à sa situation précaire met sa santé à risque.
- Il refuse de consulter et refuse l'aide, car il affirme ne pas en avoir besoin malgré son manque flagrant d'autonomie.
- Monsieur refuse toute aide extérieure. Il ne fait confiance à personne et se dit autosuffisant. Il n'a pas d'autocritique.
- Nie systématiquement son besoin d'être soignée. Pas d'autocritique, très méfiante. Refuse d'aller dans un hôpital et toute forme d'aide.
- L'intimé est un excellent manipulateur devant l'autorité. Pas d'autocritique.
- Elle dira qu'elle n'a pas besoin d'aide et que tout va pour le mieux.
- La faible autocritique de l'intimé empêche les intervenants de l'aider.
- Aucune autocritique. Nie avoir des problèmes, n'a pas le sens des réalités.
- Absence de jugement et d'autocritique.
- L'intimé ne reconnaît aucunement la problématique et renvoie principalement la responsabilité aux autres. Incapable d'autocritique ou de la moindre introspection.

Pauvreté, maladie, isolement et dérangement

Le portrait qui émerge de l'analyse de la dimension du social problématique dans les dossiers est également propre à cette catégorie de situation-problème. En effet, même si la vulnérabilité est présente de différentes manières et constitue la caractéristique la plus importante du point de vue quantitatif (65 % des dossiers), c'est plutôt le dérangement (55 %) qui apparaît comme le véritable trait distinctif

Graphique 24. — Composantes du social problématique pour la catégorie de situation-problème des conflits avec l'entourage

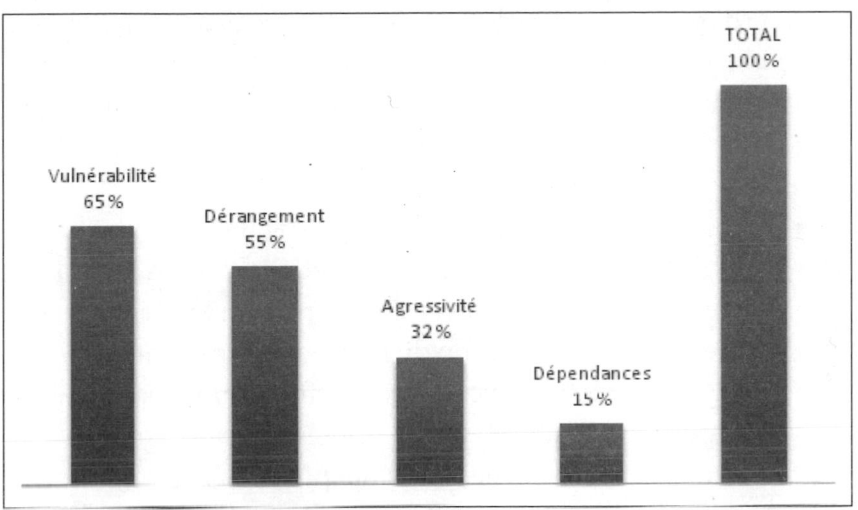

des conflits avec l'entourage. L'agressivité (32 %) et les dépendances (15 %) complètent le tableau.

La vulnérabilité dans la catégorie des conflits avec l'entourage est largement marquée par la pauvreté et la fragilité du réseau social. Ces deux conditions semblent cependant tellement ancrées dans la vie des personnes concernées qu'elles sont souvent indiquées à titre contextuel ou au passage, ici et là. Ce qui rend ici la vulnérabilité particulièrement problématique, ce sont l'insécurité résidentielle et la fragilité de l'état de santé global de l'individu. Cela peut avoir un rapport avec la moyenne d'âge plus élevée des personnes visées que dans d'autres catégories, mais aussi avec des trajectoires de vie mortifiantes en termes de qualité de vie minimale. Il est également fréquent de constater leur combinaison dramatique lorsque les requérants affirment que l'individu « n'a pas les moyens » ou « n'a plus les moyens » de devenir itinérant à cause de sa santé fragile, de son âge avancé ou du risque d'abus de toutes sortes. Dans certains cas, les situations semblent si désespérées, et ce, à tous les points de vue, que nous avons l'impression de frôler les limites de la vie sociale et biologique.

L'insécurité résidentielle pourrait se résumer à trois possibilités :

le risque d'éviction à cause de l'incapacité de payer le loyer, le risque d'éviction en raison de l'insalubrité du logement et des plaintes des voisins, et la situation franche d'itinérance. Pour ce qui est de la première, les liens entre pauvreté matérielle extrême et vulnérabilité sont patents.

- En raison du non-paiement des impôts et du loyer, tous les actifs de l'intimée ont été gelés. Elle est maintenant à court d'argent pour les nécessités de base comme la nourriture et les médicaments. Expulsion du logement imminente.
- Processus d'éviction en cours par l'Office municipal d'habitation. Réseau naturel épuisé à tous les niveaux. Impossibilité d'aide financière de la part des proches.
- Il risque de perdre de nouveau son logement, car il n'arrive pas à payer son loyer.
- Elle a changé d'hébergement 14 fois en une année. Elle n'a aucune ressource financière. Ce vendredi, elle doit quitter son hébergement et n'a rien de prévu.
- Elle est à risque de perdre son logement et de se retrouver de nouveau en situation d'itinérance. Incapable de payer son loyer.
- La maison de l'intimée a été vendue à cause de taxes impayées. Elle se retrouvera à la rue prochainement.
- Il y a interruption de service électrique depuis un mois. Sa santé physique semble manifestement précaire et il pourrait être jeté à la rue faute de payer son loyer.
- Le client est seul, sans le sou, et pourrait bientôt être expulsé. Il n'y a plus d'aliments dans le réfrigérateur.

Le risque d'éviction est parfois dû à l'insalubrité du logement ou aux plaintes des autres corésidents, locataires ou même du propriétaire de l'immeuble où habite la personne en raison du comportement dérangeant de cette dernière.

- Elle risque de perdre son logement et de se retrouver à la rue parce qu'elle héberge actuellement un homme non inscrit au bail de l'Office municipal d'habitation et en raison de l'insalubrité évidente des lieux [coquerelles, odeur d'urine].

- Insalubrité, stores coupés, portes enlevées et mises devant les fenêtres. Il fait actuellement l'objet d'un processus d'éviction. Il est isolé, se barricade dans son appartement, fuit la présence d'autrui, scelle les portes, les fenêtres et les trappes d'aération, encombre d'objets sa sortie d'urgence, ne répond pas à la porte, n'ouvre pas la porte. Plaintes des voisins. Possibilité de se retrouver sans-abri.
- Madame risque l'éviction. Elle a de la difficulté à faire son entretien et héberge encore un homme qui vient de sortir de prison. Ses voisins veulent que cela cesse.
- Le propriétaire a signifié qu'il préparait des procédures d'éviction. L'intimé dérange et harcèle les autres locataires, qui ont peur de lui et se plaignent constamment.
- Il risque de perdre son logement et de se retrouver à la rue. Il ne répond pas au téléphone et refuse d'ouvrir la porte. Sa famille ne peut pas le voir, nous recevons seulement les plaintes des voisins concernant les risques de feu et les odeurs nauséabondes qui proviennent de son logement.
- La situation est explosive : son éviction est imminente à cause de l'insalubrité de son appartement, le vandalisme pratiqué sur les murs, la violence verbale et le non-paiement du loyer depuis six mois.
- Elle reçoit des menaces d'éviction de son propriétaire, car elle fait tellement de bruit la nuit que les autres résidents ont porté plainte à la police. Son logement est très insalubre.

D'autres fois, la personne est déjà, a été ou retournera dans une situation d'itinérance qui ne fera qu'empirer ses problèmes.

- Elle vit dans les rues de Montréal sans argent ni soutien. Elle est incapable d'effectuer les gestes de la vie quotidienne, comme se nourrir de manière appropriée et avoir une hygiène de base. Elle a perdu contact avec sa famille.

- Il a été sans domicile fixe pendant plus de 20 ans et il habite un OSBL d'habitation avec soutien communautaire depuis 4 ans. Il risque de retourner à la rue, mais sa santé ne le lui permet plus.
- Il est itinérant. Nous notons une perte de poids importante (plus ou moins 15 lb en 2 mois), un jugement pauvre, une hygiène pratiquement absente. Ses vêtements sont souillés de sang. Il est très vulnérable et sa santé est à risque.
- Monsieur ne travaille pas. Il n'a plus d'adresse fixe et il loge la nuit à la [nom du refuge]. Monsieur est connu de nos services. Au cours des derniers mois, Monsieur a perdu 80 lb à cause d'une activité excessive due à son état d'hypomane. La situation est insoutenable.
- Il est depuis longtemps usager de plusieurs refuges. Il semble de plus en plus malade et affaibli, cette situation ne peut plus continuer.

Comme nous l'avons vu dans le contexte de la possible perte du logement ou de l'impossibilité de continuer à vivre ou de retomber dans une situation d'itinérance, l'état de santé physique est extrêmement présent dans la description de la vulnérabilité des individus visés. Certains cas sont multiproblématiques et urgents.

- Il requiert de l'aide pour ses activités de la vie quotidienne et il refuse de se laver, de changer sa couche, de prendre ses médicaments et de descendre à la salle à manger pour prendre son repas. Il boite, il a des problèmes respiratoires et il est souillé d'urine.
- L'état de santé physique se détériore considérablement : obstruction œsophagienne, détérioration de l'état pulmonaire, crache les liquides ingérés, déshydratation, rachitique, fume beaucoup, consomme beaucoup d'alcool, vomit dans

un plat de margarine ou par terre, ses planchers sont collants, odeurs nauséabondes. Monsieur se chauffe avec le four à 500 °F parfois sans surveillance et présente donc un risque de feu.

- L'intimée n'a plus le réflexe de sortir de son logement. Elle passe ses journées presque toujours couchée. Elle n'est plus capable de faire son épicerie ni d'aller à la banque. Elle ne se lave plus. Elle se mobilise difficilement, car elle devient essoufflée au moindre effort. L'état de santé de l'intimée se détériore de plus en plus depuis quelques semaines : hausse de pression, diabète mal contrôlé, œil infecté, jambes enflées.
- Diagnostics de VIH positif, d'hépatite B et d'hépatite C chronique pour lesquels il refuse tout suivi. Nous avons noté un œdème très important au membre inférieur gauche avec suintement, rougeur et perte de sensation.
- Négligence de ses plaies qui met sa vie en danger (risque de septicémie). L'intimé semble immobilisé dans son fauteuil, a une grande difficulté à se déplacer et ne pourrait pas se rendre au téléphone en cas d'urgence.
- Un suivi médical est urgent. Selon lui, tout va bien. Il dit qu'il va guérir tout seul et refuse d'aller à l'hôpital. Il a été hospitalisé pour une infection à streptocoques de type A avec une ténosynovite à la cheville gauche.
- Problèmes cardiaques, diabète, dénutrition, hygiène négligée. Elle émet fréquemment des sons tels des gémissements ou des plaintes de douleur. Madame s'isole et s'enferme dans sa chambre, elle se barricade en disposant valises ou meubles devant la porte. Cette dame dit ne pas avoir de famille ici et aucun autre lien significatif.

Dans d'autres circonstances, c'est la possibilité de maltraitance ou d'exploitation financière qui est mise de l'avant en lien avec l'état de santé détérioré ou handicapant de la personne visée.

- Désorganisé et incapable de gérer son argent, il a une mobilité réduite. Vulnérable à un accident et risque de se faire battre ou maltraiter pour [de] l'argent. Inapte à la gestion de ses biens.
- Monsieur est séropositif et porteur de l'hépatite C. Ses fréquentations sont dangereuses : des junkies entrent dans l'appartement librement. Connu de l'équipe SIDA du [nom de l'hôpital].
- Lors de notre dernière visite, monsieur était couché en position fœtale et ne s'est pas levé. Monsieur n'a pas de réseau fiable. Deux frères qui ne collaborent pas et des amis qui consomment semblent abuser de monsieur.
- L'intimé souffre de la maladie de Parkinson. Il chute régulièrement et est incapable de se relever seul, en plus d'être confiné à un fauteuil roulant. L'intimé a trouvé trois chambreurs qui cohabitent avec lui. Deux d'entre eux nous ont avoué devoir de l'argent pour le loyer non payé. Deux consomment de la bière de façon abusive et vont mendier pour obtenir de l'argent supplémentaire. La caisse populaire où monsieur a un compte a fait un signalement au Curateur public il y a un mois, car plusieurs retraits inhabituels ont été faits ces derniers mois.

La vulnérabilité matérielle, sociale, physique et psychique que nous venons de décrire est à coup sûr problématique pour la vie et même la survie des individus concernés. Mais qu'en est-il de la conflictualité qui leur est reprochée et qui pose problème ? Sa caractéristique fondamentale est le dérangement de ceux qui se trouvent dans l'entourage de la personne. Présent dans 55 % des dossiers, le dérangement se manifeste sous diverses formes, les moins graves étant des bruits persistants, puissants ou à des heures inusitées, des cris et hurlements, des coups sur les murs ou le plancher, des déambulations dans les espaces communs et des crises récurrentes. Parfois, dérangement et comportements agressifs se chevauchent, ce qui pousse les voisins à exprimer leurs peurs et préoccupations au concierge ou au propriétaire de l'immeuble ou à appeler directement la police.

- Il présente des comportements dérangeants, il crie à toute heure du jour et de la nuit, il fait peur aux autres résidents. C'est de plus en plus difficile pour les intervenants de l'encadrer.
- Selon le concierge, il passe ses jours et ses nuits à rentrer et à sortir de son logement. Il fait ses valises, les laisse dans l'entrée puis les remonte et ainsi de suite.
- Les voisins au-dessus se plaignent depuis au moins trois semaines que ça sent la drogue chez eux (même à 7 h 30 du matin), que [nom de l'intimé] met la musique à fond et chante très fort.
- L'intimé a tapé sur le mur de sa chambre, laissant des trous. La nuit, il crie sans raison et il laisse jouer de la musique à un volume élevé.
- Elle a fait des appels répétés au 911 sans raison.
- Suscite la colère du voisinage par les excès de bruits et de cris à toute heure. Une voisine excédée est venue casser la vitre de la porte extérieure.
- Sa voisine a informé le CLSC que le système d'alarme à l'intérieur de la maison de l'intimée se déclenche au moins 15 fois par jour.
- Agitation la nuit (tapage, cris, bruits), interventions policières a répétition (16 fois en 6 mois).
- Selon le concierge de l'immeuble, il crie, parle tout seul et met la musique à un très haut volume durant la nuit.
- Monsieur [nom de l'intimé] crie à tue-tête dans son appar-

tement. Ses voisins se plaignent de ses agissements étranges, ont peur et téléphonent régulièrement à la police.

- Le malade fait des crises au milieu de la nuit. D'après ses voisins, il hurle et lance des objets. Ce bruit dérange le repos des autres locataires, qui veulent entreprendre une action pour l'expulser.
- Il se parle souvent à lui-même, ne dort pas la nuit. Il crie ou rit sans raison. Il est verbalement violent, il maudit sa mère et le propriétaire de son logement.
- Frappe sur son plancher avec un marteau. Doit être avertie par ses voisins en raison de la fumée sortant par la fenêtre. Crie sur son balcon à toute heure du jour et de la nuit.
- Des comportements dérangeants (crie à toute heure du jour et de la nuit, invective ses voisins et les passants dans la rue, crache par terre à l'intérieur comme à l'extérieur, ne s'occupe plus de son hygiène corporelle).
- Il dérange les voisins, il frappe sur les murs et les portes, il parle seul en criant.
- Comportements dérangeants pour les voisins du deuxième étage (frappe sur le plancher, crie, pleure, va frapper sur la porte).
- Trouble tous les jours la paix du voisinage par des cris.

D'autres fois, le dérangement prend la forme de comportements harcelants, déplacés ou impliquant des mouvements brusques ou le maniement d'objets pouvant être projetés dans les espaces communs ou brandis devant les autres. Nous sommes ici à la frontière entre l'agressivité, le harcèlement et le dérangement. Dans ces cas, les risques d'éviction sont très sérieux et des démarches ont souvent déjà été entreprises dans ce sens.

- Il hurle des paroles incompréhensibles durant des heures. Il saute sur son balcon extérieur durant toute la nuit. Il jette également ses meubles contre les murs et même à l'extérieur.

- Harcèle jour et nuit au téléphone, sonne à la porte, parle de relations sexuelles à tous.
- Son proprio actuel a porté plainte à la Sûreté du Québec, car elle a commencé à danser nue sur son balcon et dans les corridors.
- Les locataires sont des personnes âgées, elles craignent de rencontrer [nom de l'intimée] et s'inquiètent de ses prochains dérapages.
- Il fait peur aux gens des appartements voisins et aux passants qui circulent sur la rue, car il se promène armé d'un bout de bois qu'il appelle une « canne ». Il faut qu'il déménage parce qu'il donne des coups partout, il a même donné des coups de bâton sur le véhicule d'une voisine.
- Durant les heures de repos, [nom de l'intimé] pousse les autres pour passer le premier. Il frappe avec impatience sur la porte de la toilette jusqu'à ce que la personne à l'intérieur sorte et lui laisse la place.
- Se fait mettre à la porte parce qu'il est incapable de respecter les règlements. Fait peur aux gens par son comportement brusque et ses propos décousus. Vit selon un horaire inversé.
- Elle jette les restes de ses repas par la fenêtre de sa chambre.
- Lance des discussions portant sur la sexualité, fait des gestes obscènes en public.
- J'avais une relation de bon voisinage avec elle comme avec mes autres voisins, mais elle veut maintenant que je lui fasse un enfant. Elle entre chez moi. J'appelle la police, elle ressort puis entre de nouveau.
- Elle harcèle soit sa voisine, soit tout l'étage durant la nuit en cognant avec un bâton aux portes, et ce, de plus en plus régulièrement, perturbant ainsi la jouissance paisible des lieux.
- Monsieur ne se soumet pas aux règlements de sa résidence

actuelle concernant le fumoir et le bruit. Malgré l'interdiction, il fume dans sa chambre, il éteint ses cigarettes sur le plancher et jette ses mégots dans la poubelle. Lorsque le personnel lui rappelle de ne pas fumer dans sa chambre, monsieur les met à la porte en sacrant. S'il ne sort pas à l'extérieur le jour, il dort durant la journée et se promène la nuit, en plus d'écouter sa télévision avec le volume élevé, ce qui dérange les autres pensionnaires.

Les comportements clairement agressifs figurent dans 31 % des dossiers. Il s'agit notamment de l'endommagement ou de la destruction des biens d'autrui, du harcèlement menaçant, agressant ou inquiétant, des menaces de voies de fait et des insultes violentes. Des voisins, des corésidents, des intervenants, des thérapeutes, des membres du personnel de diverses institutions (CHSLD, résidences, ressources communautaires) sont la cible de ces conduites agressives. Quelques rares dossiers font état de passages à l'acte graves tels que des voies de fait ou des menaces de mort.

- L'intimée s'est introduite sans permission dans la demeure du mis-en-cause [un voisin], a lancé des œufs et fait des graffitis. Elle le harcèle avec insistance.
- Il a arraché un arrangement floral sur une porte et a écrit « evil + evil ». Croit-il que les fleurs ou la personne qui habite ce condo sont le diable ? Cela rend la personne très nerveuse.
- Il a une attitude dérangeante (fixe les gens, pointe du doigt en démontrant de l'agressivité). Imprévisible sur le plan comportemental.
- Mon voisin continue de faire des menaces de mort à mon mari et moi, nous en avons la preuve. Il dit qu'il est en train de creuser ma tombe et qu'il va nous faire frire.
- Il claque les portes et dénigre son intervenante communautaire contre laquelle il a manifesté de l'agressivité.

- Plusieurs locataires sont inquiets des propos violents que leur tient l'intimée au sujet du coordonnateur et du bon voisin. Ils craignent que l'intimée ne passe à l'acte.
- Il tient des propos menaçants et répétés devant la voisine. Il a un scénario délirant à son sujet et a déjà posé des gestes menaçants à son endroit au cours des derniers mois (cogne à sa porte avec une barre de métal ou un marteau et se promène armé dans les corridors).
- Monsieur tient des propos hostiles envers la responsable du foyer, contribuant ainsi à l'instauration d'un climat de tension et d'intimidation.
- Manifestation d'agressivité : claque les portes au nez, s'impose physiquement en voulant faire peur, dérange les locataires la nuit, brise des choses dans son logement.
- Récemment, elle a été bannie du refuge pour femmes pour avoir été agressive envers une autre cliente et vit maintenant dans les rues.
- Il recourt à un discours agressif et à la menace physique s'il n'obtient pas son argent. Antécédent de violence physique.
- A fait éclater une bagarre à la ressource [nom de la ressource où travaille la requérante]. A des antécédents d'agressivité (notamment avec un intervenant qu'il a pris à la gorge).
- Il a des comportements harcelants accompagnés de menaces voilées de s'amener à la clinique pour tout détruire. Monsieur [nom de l'intimé] menace aussi de faire du mal à sa principale thérapeute.
- Le comportement du locataire cause des préjudices sérieux au locateur et aux autres résidents. Il y a eu de la violence verbale et physique. Une dispute verbale puis physique a nécessité l'intervention de la police. Il a fait des hématomes au visage d'un autre résident.
- Perte de confiance par rapport aux intervenants impliqués. Potentiel de représailles ou d'agressivité envers le personnel.

- L'intimé a fait des menaces de mort envers un intervenant. Actuellement, il répète sans cesse qu'il a comme projet de tuer un homme qui le persécute.
- Il profère des menaces aux intervenants de la demanderesse [chef d'unité du CHSLD] et aux résidents de l'établissement, dont des menaces de mort. Il a frappé un résident de l'établissement.

Si on voulait dresser le portrait des personnes qui incarnent cette catégorie de situation-problème, nous pourrions dire qu'il s'agit en général de personnes plus âgées que dans les autres catégories et qui vivent dans un contexte de grande vulnérabilité psychique, physique et sociale nécessitant l'aide constante de plusieurs dispositifs d'assistance. Elles semblent essentiellement en mauvaise condition physique, confuses et dérangeantes. Moins fréquemment, elles sont agressives, mais ne représentent pas, dans la plupart des cas, une véritable menace pour l'intégrité des autres. Les dispositifs impliqués dans la gestion de cette catégorie sont variés. Toutefois, les CLSC, les travailleurs sociaux, les infirmiers et les intervenants des ressources communautaires l'emportent clairement sur la psychiatrie et la police. Lorsque nous analysons l'identité des requérants de la requête pour évaluation psychiatrique, nous constatons pour la première fois une grande proportion de demandeurs institutionnels, nettement au-dessus de la moyenne. En effet, la famille n'exerce cette fonction que dans 37 % des cas chez les femmes et 40 % chez les hommes, tandis que la moyenne pour l'ensemble des catégories de situations-problèmes est de 76 %. En effet, dans le cas des femmes, la majorité des demandeurs institutionnels sont les travailleurs sociaux (24 %) et les intervenants communautaires (13,51 %). Du côté des hommes, c'est l'inverse : les intervenants communautaires arrivent en premier (39 %) suivis loin derrière par les travailleurs sociaux (7 %). Les voisins, les concierges et les propriétaires font appel directement au dispositif de la loi P-38 dans 7 % des cas chez les femmes et dans 10 % des cas chez les hommes.

Ces informations concernant la variété des dispositifs impliqués dans la gestion de ce type de situations complexes, où l'absence de réseau social, la pauvreté extrême, le mauvais état de santé et la détresse psychique se combinent, montrent bien que le codage en termes de dangerosité mentale devient fort inadéquat pour définir la nature problématique de ce qui est en train de se passer et qu'aucune intervention purement psychiatrique ne serait en mesure de régler.

Conflits avec les étrangers : passants, commerçants et quidams

L'étranger à qui nous faisons référence dans cette catégorie de situation-problème représente l'« autre » qui ne connaît pas l'intimé ni son passé et encore moins certaines caractéristiques problématiques de sa personnalité et qui, de ce fait, ne peut pas présenter un seuil de tolé-

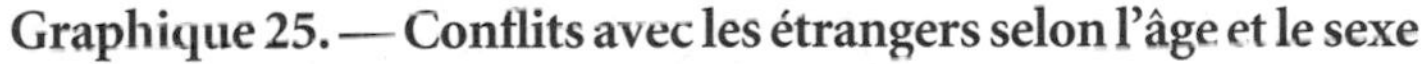

Graphique 25. — Conflits avec les étrangers selon l'âge et le sexe

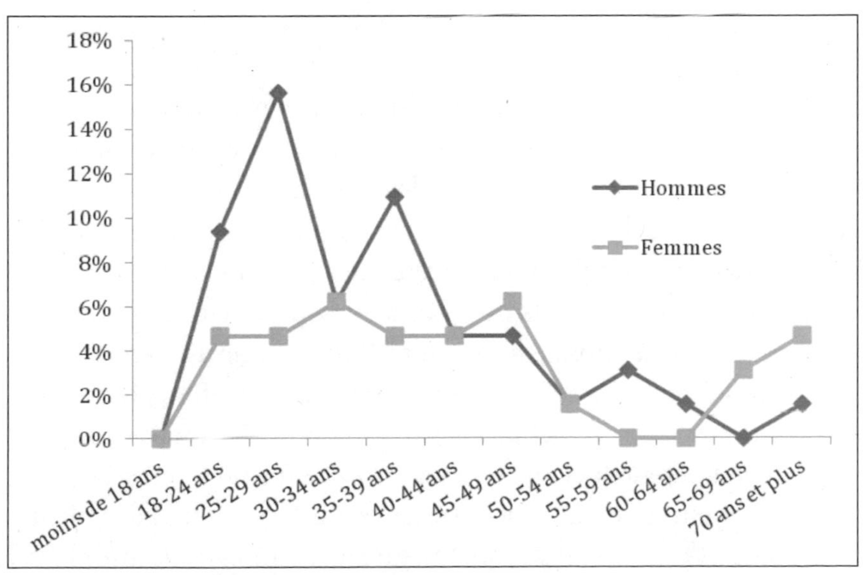

rance aussi élevé, ou du moins aussi flexible, que celui de la famille ou de l'entourage de l'individu. Il n'existe pas chez l'autre de filtre par rapport à certains passages à l'acte désagréables ou dangereux qui seront le plus souvent interprétés directement comme des voies de fait, des agressions ou des atteintes à l'ordre public susceptibles d'être judiciarisées. La catégorie des conflits avec les étrangers concerne environ 14 % de l'ensemble des requêtes pour évaluation psychiatrique et semble être avant tout une affaire d'hommes plutôt jeunes. En effet, les requêtes de cette catégorie ayant un homme de moins de 45 ans comme protagoniste sont presque deux fois plus nombreuses que celles ayant une femme (65 % contre 35 %). Ce sont surtout les groupes de jeunes hommes de la deuxième moitié de la vingtaine et de la trentaine qui se démarquent. Toutes requêtes confondues, l'importance de cette catégorie de situation-problème décline fortement à mesure que les individus visés avancent en âge, notamment à partir du milieu de la quarantaine. La moyenne d'âge des personnes concernées, qui se situe sous la barre des 40 ans, est la plus basse, toutes catégories confondues.

Violence et narcissisme

De manière générale, environ 30 % des requêtes mentionnent un diagnostic psychiatrique explicite, principalement de schizophrénie et de bipolarité. Dans quelque 40 % des dossiers, le requérant signale aussi que la prise d'une médication psychiatrique commence à être négligée ou a été complètement arrêtée. Malgré tout, les traces d'hospitalisation ou de contacts intenses avec la psychiatrie ne sont pas fréquentes dans les dossiers, ce qui indique que nous sommes sans doute en présence d'une situation particulière. En effet, pour ce qui est de la dimension du mental perturbé, on retrouve un portrait passablement différent de celui des catégories précédentes. Ainsi, la caractéristique la plus frappante est la présence d'une personnalité violente, qui apparaît dans 65 % des requêtes. En deuxième et troisième places, mais très loin du premier point, se situent les allusions au délire (25 %) ainsi qu'aux traits de personnalité égocentrique (24 %).

Les individus concernés par cette catégorie de situation-problème sont majoritairement décrits dans les dossiers comme ayant tendance à avoir des attitudes ou des comportements agressifs ou violents à cause de leur manière d'aborder certaines situations qui les expose à la frustration ou à la contrariété. Nous avons eu recours à l'expression « traits de personnalité violente » pour désigner ce qui, dans la description des situations-problèmes, se présente comme une dimension « stable » du caractère des personnes visées, c'est-à-dire, ce qui n'est pas attribuable, ou du moins pas entièrement, à une situation conflictuelle avec les autres, à une crise psychosociale ou encore à un état d'intoxication, mais plutôt à la présence d'un modèle de comportement plus large qui semble établi depuis longtemps et qui se répète dans les situations tendues.

Graphique 26. — Composantes du mental perturbé pour la catégorie de situation-problème des conflits avec les étrangers

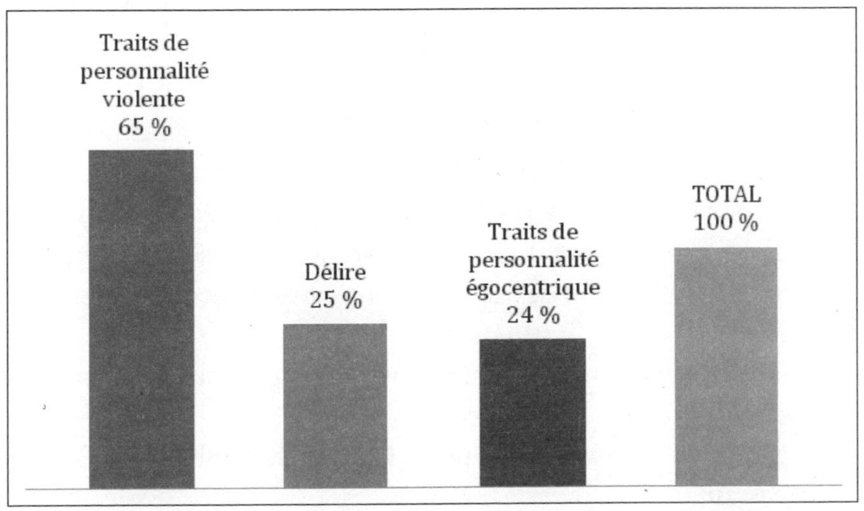

Les mentions claires de la présence de traits de personnalité violente se retrouvent dans au moins 65 % des requêtes et constituent une caractéristique presque exclusive à cette catégorie de situation-problème. On parle ici de « traits de personnalité violente » et non pas de « personnalité violente », car il s'agit d'un type de trait parmi d'autres traits qui caractérisent l'ensemble de la personnalité des individus en question, mais pour lesquels nous n'avons pas d'informations précises. Le fait que les personnes visées ont des traits de personnalité de tel type empiriquement identifiable, en l'occurrence dans notre matériau de recherche, ne veut nullement dire qu'il s'agit de la caractéristique principale ou dominante de leur personnalité. On constate seulement que cette caractéristique a été signalée de manière explicite et souvent à plusieurs reprises dans les dossiers liés aux conflits avec des étrangers.

Les formulations témoignant de traits de personnalité violente sont variées et se recoupent fréquemment. Le but des requérants est cependant de faire état d'un recours répété à la violence physique et verbale provoquant clairement l'angoisse et la peur chez les autres, que ce soient des proches ou des étrangers.

- Domination d'autrui par la violence physique.
- L'intimée a recours à l'agressivité physique au besoin. Agressivité verbale fréquente.
- Elle est intimidante et lance des regards menaçants. Agressive verbalement et physiquement. Elle pourrait nous agresser encore physiquement. Elle l'a déjà fait.
- Agressif physiquement envers les intervenants et les voisins. Tendance à la confrontation physique (coller son visage à celui des autres), crises de colère, comportements très agressifs.
- Les amis et la famille attestent avoir peur pour leur sécurité en sa présence.
- L'intimée a une longue histoire d'agressivité (police, famille, passants).

- Violence verbale et intimidation envers les autres.
- Comportements habituels menaçants et agressifs (cris, poings fermés, regards intimidants).
- Il est agressif même envers les personnes qui le regardent. Il est une bombe à retardement prête à exploser.
- Tout le monde a peur d'elle. Elle devient violente quand on essaie de lui parler, elle nous repousse physiquement.

D'autres dossiers font référence au caractère explosif, intimidant ou colérique des personnes concernées, ce qui nécessite une constante gestion de leur susceptibilité par rapport aux situations potentiellement conflictuelles ou même en tout temps afin d'éviter les passages à l'acte violents.

- Elle est explosive à l'égard des autres.
- Furieux et chaque fois plus imprévisible.
- Il est colérique, il s'enrage et a un faible de seuil de tolérance par rapport au rejet et à la contrariété. L'agressivité de l'intimé est déjà à un niveau élevé puisqu'il ne se contient pas toujours et frappe.
- Tempérament explosif, crie et menace les autres. Comportement provocateur avec les autres.
- Agressive, elle a le regard vide et méchant, elle nous fige. Elle est agressive et devient colérique quand j'essaie de lui parler. Personne avec beaucoup d'agressivité.
- Elle est très agressive et son comportement est de plus en plus menaçant. Elle a été violente dans le passé.
- Il devient agressif et, dans tous les cas, sans juste cause.
- Il est extrêmement hostile sans raison. Il a une faible tolérance à toute forme de frustration. Il ne contrôle pas son agressivité verbale et porte des accusations sans fondement.
- Elle est toujours en colère et agressive. Elle argumente fortement avec les gens.

Le délire est présent dans seulement 24 % des dossiers et sa description est souvent succincte, schématique, voire limitée à la simple mention que la personne est délirante. Parfois, le terme *délire* est employé de façon métaphorique afin de désigner un ensemble de comportements insensés. Dans d'autres cas, un scénario probable de délire peut être reconstruit à partir de certaines hallucinations auditives ou visuelles relatées ici et là dans les requêtes. Contrairement aux thématiques dominantes du délire dans la catégorie de la désorganisation mentale, celles des conflits avec les étrangers, lorsqu'elles sont explicitées, comportent toutefois des allusions à un possible passage à l'acte offensif ou défensif et au maniement des armes, ou encore se sont traduites concrètement par des conséquences physiques pour les autres (blessures et coups).

- Le moteur de son véhicule lui avait parlé et lui avait commandé de « le pousser au bout » et de foncer sur les gens. Ce que l'intimé a fait, causant la mort d'une personne.
- Délire paranoïaque avancé. L'intimé court après des étrangers avec des armes pour les chasser.
- Il croit qu'il y a une caméra cachée chez moi, il voit les voisins comme des démons. Il a perdu le sens de la réalité, c'est-à-dire qu'il entend des voix qui lui disent les méchancetés qu'il devrait faire.
- Il dit qu'il y a des micros et des caméras dans sa télé et qu'il y a des codes cachés dans le journal. Les hallucinations sont de plus en plus présentes, de plus en plus menaçantes et il cherche à s'en défendre.
- Il a mentionné entendre des voix dans sa tête (qui disent, par exemple, « la reine arrive ») et a des craintes lorsqu'il les entend que quelque chose de mauvais arrive. Il pense que son esprit aussi bien que le nôtre est contrôlé par quelqu'un. Il est dans un état constant de paranoïa et de peur. Tout le monde conspire pour le tuer (bandes de motards, personnes dans les rues qui le regardent de manière suspecte). En

conséquence, il porte souvent des « armes », comme un tournevis ou un couteau.
- Dans son état mental actuel, il est arrivé au point de prendre un marteau et de frapper sur le sol pour éviter d'entendre les voix.

Dans une proportion moindre, on retrouve également les thèmes moins inquiétants de la politique, du fantastique, des complots ou de la grandeur.
- Elle a des idées délirantes concernant une invasion de petites personnes.
- Jean Charest [ancien premier ministre du Québec] aurait mis du sperme dans son beurre d'arachide.
- En plein délire, il dirige la circulation dans le métro.
- Il garde son chapelet sur lui sinon il prétend qu'il va se transformer en vampire.
- Elle dit contrôler l'Iran, l'Irak et les États-Unis.
- Elle dit avoir un partenariat d'affaires confidentiel qui lui donne accès à des jets privés et à des projets de plusieurs millions de dollars. Elle n'est pas capable de démontrer aucune forme de raisonnement.

Il existe enfin une autre caractéristique que nous avons classée dans les traits de personnalité égocentrique. Comme dans le cas des traits de personnalité violente, nous n'affirmons nullement qu'il s'agit ici de la caractéristique principale ou dominante de la personnalité des individus concernés. Nous croyons cependant que ces traits semblent être plus permanents que seulement associés à la situation-problème dont il est question. Ainsi, 20 % des requêtes font, entre autres, référence à l'égocentrisme, au narcissisme, à l'arrogance, à la désinhibition, à l'absence ostensible d'autocritique, à l'habitude d'attribuer l'entière responsabilité de la situation aux autres et à la négation argumentée des problèmes. De manière complémentaire, les requérants signalent le recours à la manipulation, au mensonge et même à la tromperie pour atteindre des objectifs ou étayer un point de vue. Ces allusions, qui indiquent que les individus visés par cette catégorie de situation-problème peuvent en quelque sorte parler en leur propre nom, tenir tête et déployer des stratégies réfléchies (argumentation, manipulation) en se centrant positivement et démesurément sur eux-mêmes, représentent une certaine nouveauté par rapport au portrait des personnes évoquées dans les catégories de la désorganisation mentale, du risque de suicide et des conflits avec l'entourage. En fait, elles s'y opposent radicalement, car les individus concernés par les catégories précédentes étaient presque tout le temps placés dans le rôle de victimes tant ils semblaient écrasés par le poids de leur vulnérabilité psychique et sociale paralysante. Il y a sans doute une nuance à faire pour l'absence d'autocritique dans les conflits avec l'entourage, qui ressemblait plus à un recours défensif (et souvent inconscient) qu'à une stratégie argumentative offensive (et souvent consciente) qui renvoie toutes les responsabilités aux autres. Les formulations pour les traits de personnalité égocentrique tels que nous les avons esquissés tournent autour du manque d'autocritique, de l'arrogance, du peu de souci des autres et de la manipulation.

- L'intimé n'a aucune autocritique, il nie tout en bloc lorsque confronté, il ment effrontément sur ses agissements aux professionnels.
- Il dit toutes sortes de mensonges sciemment et sans le moindre rougissement pour favoriser sa situation lorsqu'il est pris en défaut.
- Elle fait preuve de narcissisme et d'égocentrisme, en plus de posséder une grande capacité en matière de manipulation.
- Sa mère âgée est exploitée comme une servante. Il sait comment manipuler les autres.
- Ce sont toujours les autres qui ont des problèmes, pas lui. Il n'a aucune autocritique et refuse de prendre la responsabilité de quoi que ce soit.

- Il est excessivement narcissique. Il abuse et manipule les autres à sa guise.
- Il manque totalement d'autocritique par rapport à tout ce qui lui arrive et à ce qu'il fait.
- Absence totale d'autocritique, se fout royalement des autres.
- Elle est très arrogante envers les autres.
- Monsieur écoute de la musique très fort et danse sur son balcon en sous-vêtements sans égard pour les autres, les provoquant constamment. Pas de souci des autres.
- Elle est à risque d'être expulsée de la résidence, car elle n'a aucune pudeur. Elle montre ses seins et n'a aucune considération pour les autres.
- Adopte des comportements désinhibés (montre ses seins et ses fesses à ses clients du salon de coiffure).

Comportements violents et criminalité

En ce qui concerne la dimension du social problématique, les comportements violents constituent la principale caractéristique de la catégorie de situation-problème des conflits avec les étrangers, et ce, sur le plan tant qualitatif que quantitatif. La violence physique, l'utilisation d'armes pour menacer ou blesser quelqu'un, la destruction violente d'objets, les menaces homicidaires explicites et personnalisées de même que les intimidations violentes verbales ou physiques sont massivement présentes, soit dans 82 % des requêtes pour évaluation psychiatrique. Ces passages à l'acte ne sont pas toujours judiciarisés, car le recours à la loi P-38 tente justement d'éviter la judiciarisation des situations où les problèmes de santé mentale de la personne visée semblent jouer un rôle important dans le comportement reproché. Dans au moins 40 % des dossiers, on retrouve cependant des petits délits (vols, fraudes, prostitution, conduite en état d'ébriété) et, dans certains cas, l'existence de liens avec des milieux marginaux ou criminalisés (gangs de rue, jeu illégal, vente de drogues). Aussi, les allusions aux dépendances, comme la consommation de drogues illicites et parfois l'alcoolisme, sont relativement importantes puisqu'elles apparaissent dans 36 % des requêtes, proportion plus élevée que dans d'autres catégories de situations-problèmes.

Enfin, comme dans toutes les catégories étudiées, la vulnérabilité des personnes concernées par la situation-problème des conflits avec les étrangers est considérable (58 %). Mais elle l'est moins que dans les catégories vues précédemment, elle n'a pas la même nature et, surtout, elle ne constitue presque jamais l'un des motifs principaux ayant mené à la demande d'une intervention formelle des tribunaux.

Ce que nous appelons ici des « comportements violents » ne sont pas des attitudes, des gestes ou des manières de se conduire dont le caractère hétéroagressif prête à interprétation et dont l'urgence est relative, comme c'est le cas lorsqu'on parle d'agressivité générale ou de menaces vagues. Il s'agit plutôt de comportements dont le caractère violent ou les conséquences appréhendées concernant le geste posé ou qui pourrait être posé sont clairs et graves. Certains dossiers font état de situations en soi fort inquiétantes dont le danger présumé est renforcé par des allusions à la possession d'armes, à la volonté

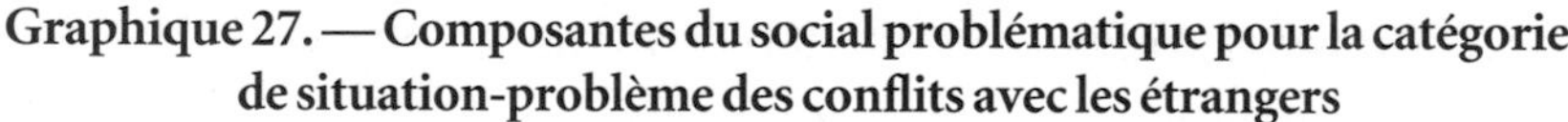
Graphique 27. — Composantes du social problématique pour la catégorie de situation-problème des conflits avec les étrangers

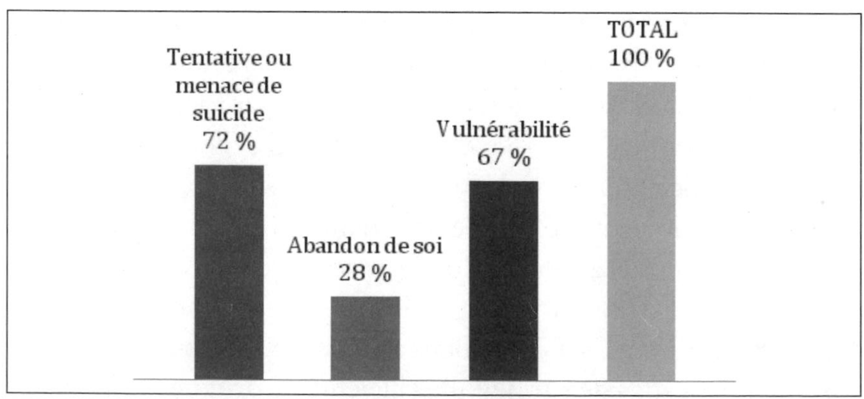

explicite de les utiliser et à l'identification précise des personnes que l'individu concerné a l'intention d'attaquer.

- L'intimé a fait référence au tueur des 32 personnes à l'institution d'enseignement Virginia Tech, Cho Seung-Hui, dans un courriel adressé à la directrice des services étudiants de [nom de l'école]. L'intimé possède des armes blanches dans sa résidence, il dit être un fanatique de ces armes.
- Il a brusquement accéléré et conduit son véhicule à très haute vitesse, et ce, en pleine zone urbaine. Il a brûlé plusieurs feux rouges à très haute vitesse et il a terminé sa course après avoir embouti trois véhicules et fait plusieurs tonneaux. Lors de l'impact, une dame de 72 ans qui se trouvait à bord de l'un des véhicules a été tuée sur le coup.
- Augmentation d'agressivité depuis un mois, menaces faites aux intervenants de [nom du refuge] et de l'UPS-J. Il planifie d'étrangler des escortes dans une chambre de motel après la réception de son chèque d'aide sociale le mois prochain.
- Admet avoir l'intention criminelle de tuer. Profère des menaces visuelles, physiques et verbales à l'égard de ces trois résidents.
- Il tient des propos vulgaires, à caractère sexuel et agressifs. Il a menacé deux professeurs et l'université, contre qui il a écrit vouloir faire une *vendetta.* Il a 20 jours pour se présenter devant le comité d'intervention sinon il sera expulsé de l'université. S'il reçoit un avis d'expulsion ou s'il vit des frustrations, il pourrait être agressif de nouveau.
- Il a menacé de tuer une intervenante sans cause logique. Il a dit à l'intervenante : « Regarde-moi pas parce que je vais te tuer avec un AK-47. » Il parle beaucoup d'aller acheter un AK-47 et de commettre des meurtres.
- Il a frappé une policière qui venait de l'interpeller devant des témoins, [n° de rapport de la police].

- Il a donné des coups de pied à un adolescent. Il a défoncé la porte de la cour et celle de la maison pour aller aux toilettes.
- Voies de fait sur une policière. Il est recherché par la police. Il a sauté deux fois sur le propriétaire.
- Il a été ramassé trois fois par la police d'Ottawa pour des perturbations. Il a été repris par la police de Montréal et amené en prison. Il a jeté un barbecue, un vélo et une grande plante en pot d'un balcon situé au 9e étage sur une rue animée.
- Elle a fait des menaces à la mairesse de [nom de la ville]. Elle a affirmé vouloir aller voir un autre maire, [nom du maire], avec un « convoi funèbre ».

D'autres requêtes font référence à des agressions plus générales envers de purs étrangers, mais dont le caractère violent et préoccupant demeure évident. Dans ces cas, le requérant met souvent l'accent sur une explosion de colère, une crise de violence ou une attitude clairement provocatrice sans motif apparent à l'égard d'individus choisis au hasard ou qui étaient simplement présents au moment de l'incident.

- L'intimé a commencé à crier et est devenu agressif dans un bar sans raison. Il ne voulait pas sortir, il était hors de contrôle et très agité.
- Il répète qu'il veut tuer les autres sans nommer de noms. Il frappe très fort sur les murs et les tables.
- Agressivité verbale et menaces d'agression physique envers les autres (coups de bâton de baseball sur la tête, coups de poing et de pied).
- Monsieur suivait les clients d'un dépanneur, semblait vouloir les intimider, était agressif verbalement.
- Elle a menacé de tuer beaucoup de gens et elle veut une arme pour tuer.

- Il a amorcé un combat avec un passant. Il a une vision déformée de la réalité.
- Récemment, elle a été arrêtée par la police pour avoir provoqué des citoyens. Elle crie, pleure et frappe sur les murs de son logement. Elle a jeté le matelas, un ordinateur et des vidanges par la fenêtre du 3e étage et répand des ordures dans les espaces communs de l'immeuble. Il y a eu encore intervention policière.
- Elle pose des gestes de harcèlement et fait des menaces à outrance envers tout le monde. Elle a dû quitter le CLSC en criant et accompagnée par l'agent de sécurité à deux reprises. Lorsqu'elle est dans la salle d'attente, elle demande de façon intimidante aux autres clients du CLSC leurs noms et les prend en note dans son calepin.

Une autre caractéristique exclusive de la catégorie de situation-problème des conflits avec les étrangers, du moins dans une proportion aussi importante, est le passage à l'acte judiciarisé, qui est mentionné dans environ 40 % des dossiers. Il s'agit tantôt d'événements isolés, tantôt d'une longue série d'incidents. Les démêlés avec la justice correspondent le plus souvent à de petits délits comme la vente de drogue, le vol, la conduite avec facultés affaiblies, les voies de fait, les dettes de jeu et le non-respect des conditions de probation dans les cas où les personnes concernées sont en train de purger une peine d'emprisonnement.

- Elle est allée 14 fois en prison pour cause de prostitution ou vente de drogues.
- Plusieurs antécédents criminels : introduction par effraction et incidents liés à des agressions.
- Liens avec des gens issus des gangs de rue, vente de drogues, plusieurs arrestations à ce sujet. On ne sait pas où il obtient son argent.
- Petits vols à répétition. Il a déjà été en prison.

- Il a commis des vols d'autos et de sacs à main.
- Il a volé une voiture à Dorval et a été appréhendé par la police.
- Il a déjà agressé physiquement des cols bleus et il fait présentement l'objet de procédures judiciaires à ce sujet.
- Arrestations répétées pour conduite en état d'ébriété.
- Elle a forcé la porte de sa voisine et l'a poussée au sol, ce qui a motivé une intervention policière.
- Judiciarisé à maintes reprises pour agressions physiques.
- Arrêté trois fois, ne respecte pas les conditions de la probation et conduit son automobile extrêmement vite.
- A agressé de jeunes enfants et les policiers sont venus pour l'arrêter.
- Il a agressé à coups de pied un adolescent et il a été arrêté.
- Arrêté par la police pour avoir enfreint ses conditions de libération.
- L'intimé manque ses rendez-vous avec son agent de probation. Il semble indifférent aux conséquences légales.
- Il a déjà une accusation d'agression sexuelle et de voies de fait. Il a été emprisonné plusieurs fois.
- Arrestation et casier judiciaire à cause d'une altercation avec le portier d'un bar sur [nom de la rue].
- La fréquence des comportements criminels de l'intimé (menaces de mort, harcèlement, vols) augmente de plus en plus. L'intimé a des comportements sexuels déviants envers les mineurs : attouchements contre leur gré, sollicitation directe ou par le biais d'Internet, harcèlement. L'intimé a été plusieurs fois judiciarisé pour ces faits.

Même si les cas évidents de toxicomanie sont régulièrement dirigés vers d'autres dispositifs spécialisés, ce qui constitue un filtre semblable à celui des services ambulanciers pour le suicide, la consommation excessive de substances psychotropes, voire la dépendance à ces substances, est indiquée explicitement dans 36 % des requêtes, parfois en lien avec les passages à l'acte violents. Certaines personnes concernées suivent un traitement de désintoxication ou de substitution par méthadone au moment des faits rapportés dans le dossier. Puisque beaucoup de ces substances sont interdites (cocaïne, crack, méthamphétamine), les questions de la judiciarisation éventuelle, des risques sanitaires relatifs au partage du matériel d'injection et du contact avec des milieux déjà criminalisés lorsque l'individu visé se prostitue pour consommer se posent également de manière répétée. Les allusions à l'alcoolisme sont aussi nombreuses et s'entremêlent avec des références à l'usage d'autres substances ayant un rapport plus direct avec les passages à l'acte violents envers les autres, y compris la conduite avec facultés affaiblies, et envers soi-même.

- Consomme du *crystal meth*, du crack, du *speed* et souffre d'alcoolisme majeur. Urgence d'une désintoxication pour le *speed*. Appels répétés à la police lorsqu'il est sous l'effet des drogues.
- Elle a une dépendance aux drogues qui s'aggrave. Activités criminelles reliées à la drogue.
- Consomme de l'alcool. Jugement altéré le conduisant à faire des menaces aux autres.
- Abus d'alcool et de drogues. Prend de la cocaïne quotidiennement.
- Lorsque l'intimé prend de la boisson, il peut devenir très agressif. Il a déjà sauté sur d'autres personnes, les laissant avec le visage ensanglanté.
- Elle peut se prostituer pour la drogue. Elle est allée souvent en prison à cause de la prostitution et de la drogue.
- Consomme de l'alcool et de la cocaïne. Il a une grande dépendance à la cocaïne et il est désespéré quand il s'agit de s'en procurer ou d'obtenir de l'argent pour en acheter.
- Partage le matériel d'injection pour les drogues intraveineuses avec des usagers à risque pour le VIH et l'hépatite C.

- Consomme narcotiques et alcool quotidiennement.
- Il a de graves problèmes de jeu, d'alcool ainsi que de consommation de drogues et de solvants.
- Consomme de grandes quantités de drogue et d'alcool.

La vulnérabilité dans la catégorie de situation-problème des conflits avec les étrangers est complexe, variée et spécifique. De manière générale, elle est quantitativement moins importante que dans la désorganisation mentale, le risque de suicide et les conflits avec l'entourage, mais aussi qualitativement différente puisque les situations et les traits de personnalité des personnes concernées en lien avec ce qui pose problème ne sont pas les mêmes. En premier lieu, nous retrouvons la dimension classique de l'alimentation insuffisante ou inadéquate qui est souvent associée à un contexte de négligence globale de soi et du milieu de vie. La plupart du temps, les requérants mentionnent brièvement l'insécurité alimentaire comme étant une conséquence évidente d'une pauvreté générale, mais sans insister parce qu'elle n'est jamais au centre de la situation problématique (« il s'alimente mal », « il néglige son alimentation », « il ne semble pas manger à sa faim », « il ne fait pas attention à ce qu'il mange », « son frigo est toujours vide »). Dans quelques cas minoritaires, les situations décrites sont plus précises, préoccupantes et impliquent, entre autres, une perte alarmante de poids.

- Mange une fois par jour maximum. Néglige son hygiène corporelle et ne s'habille pas selon la température.
- Il a perdu plus que 20 kg sur une période de 3 semaines. Reste dans son appartement sans sortir ni manger. Il ne mange rien, il fume beaucoup.
- Il a réduit sa consommation en nourriture, ne dort pratiquement plus. Son hygiène commence à laisser à désirer. Son entourage s'éloigne de lui.
- L'intimée a perdu du poids (40 lb sur 6 mois), ne s'alimente pas ou peu, dort peu (passe des jours sans dormir).

- Elle a une alimentation inappropriée, elle se nourrit avec de la nourriture périmée. L'intimée fait preuve de négligence concernant sa condition médicale.
- Elle ne mange pas et représente un danger pour elle-même. Refuse les soins.
- Le client a perdu 30 lb. Il est désorganisé et ne tient pas compte de ses besoins physiques.
- Elle ne se nourrit pas très bien et elle a perdu beaucoup de poids.

C'est plutôt sur le plan de la précarité résidentielle que nous retrouvons les cas de vulnérabilité les plus sérieux. En effet, 20 % des individus visés dans la catégorie des conflits avec les étrangers risquent d'être évincés de leur logement et 15 % sont déjà dans une situation franche d'itinérance. C'est lorsqu'il y a itinérance que la méconnaissance du véritable potentiel de dangerosité de la personne concernée par rapport aux étrangers joue un rôle important. Le fait de se trouver en situation d'itinérance expose de manière générale les individus visés à des contacts fréquents et non désirés avec des inconnus, ce qui se traduit parfois par des conflits interpersonnels pouvant donner lieu à une intervention des policiers pour arbitrer le litige. D'un autre côté, l'itinérance entraîne une exposition brutale à toutes sortes de risques en matière de sécurité et de santé, dont la consommation abusive de substances psychotropes et la maltraitance parfois liée à la proximité avec des milieux criminalisés. Voici quelques exemples dans lesquels les personnes concernées sont bien plus en danger que dangereuses envers les autres.

- Errance avec alcool et psychotropes, prostitution, risques de VIH. Grande vulnérabilité et fragilité : il se fait voler et maltraiter.
- Marche dans la rue pieds nus et se déshabille en présence de la police et des intervenants en santé. Elle a été arrêtée par la police.

- Il est sans-abri et a été dans la rue par temps très froid vêtu d'un t-shirt. Il refuse de demander de l'aide ou d'aller dans un refuge.
- Elle a été légalement expulsée de son logement et n'a aucun endroit pour vivre, en plus de ne plus prendre soin d'elle-même.
- L'intimé a quitté le logement qu'il partageait avec un ami et vit présentement dans une camionnette louée.
- L'intimé dit avoir déménagé 20 fois en 2 ans afin d'échapper aux gens qui la persécutent (dettes de drogue et de jeu).
- L'intimé marche dans la rue pieds nus, ne se lave pas et demande de l'argent à des étrangers.
- Elle ne garde aucun logement. Elle vient d'emménager dans un appartement le 1er juillet et le propriétaire veut qu'elle quitte à cause de son comportement violent.
- Il marche à l'extérieur dans le froid de l'hiver sans vêtements appropriés. Il défèque et urine dans son pantalon ou dans un pot dans son appartement. À plusieurs reprises, la police l'a ramassé sans souliers et sans manteau, au point où il avait des blessures aux mains à cause du froid et les pieds en sang tellement il avait gelé. Il vole pour survivre et ne s'occupe plus de lui.
- L'intimé n'a plus de revenus et de domicile fixe. Il demeure présentement chez un ami, il semble ne pas bien s'alimenter et s'entraîner excessivement, ce qui lui aurait fait perdre beaucoup de poids.
- Il fréquente des milieux où il risque d'être supprimé.
- Après avoir pris de la drogue, elle peut partir avec des hommes qui la mettent en danger (violence et maladies).

Contrairement aux autres catégories de situations-problèmes, celle des conflits avec les étrangers comporte très peu d'allusions à l'isolement social. À peine 15 % des requêtes en font mention, de manière non seulement très succincte, mais aussi contextuelle ou descriptive plutôt que problématique. Il est difficile de ne pas voir un lien avec la nature des traits de personnalité évoqués plus haut. En effet, ceux-ci caractérisent des individus centrés sur eux-mêmes pour qui le fait de vivre seul ou même de ne pas avoir de liens significatifs avec les autres n'est pas un signe de vulnérabilité sociale, mais plutôt la conséquence empirique de leur désintérêt envers les autres, dont ils estiment ne pas avoir besoin (traits de personnalité égocentrique) ou de leur difficulté à interagir avec autrui (traits de personnalité violente).

Malgré la difficulté manifeste des personnes concernées en matière d'interaction interpersonnelle, ce sont les membres de leur famille qui ont le plus souvent recours aux requêtes pour évaluation psychiatrique (78 %) afin d'éviter que les situations problématiques marquées par une violence certaine ne dégénèrent (blessures chez les autres, éviction du logement à cause de comportements violents ou déplacés, accidents de voiture) et ne se traduisent par une judiciarisation des individus visés en raison de la nature grave de leurs gestes et du fait que leurs cibles sont majoritairement des étrangers. Même si les événements rapportés dans les requêtes liées aux conflits avec les étrangers sont à coup sûr bien plus préoccupants, violents et sérieux que ceux décrits dans toutes les autres catégories de situations problèmes, la plupart des personnes concernées sont encore en contact avec leurs proches. Il se peut que ces cas, bien que caractérisés par une violence inquiétante, soient moins lourds à porter pour les membres de la famille puisque les individus visés les sollicitent beaucoup moins, qu'ils semblent souvent autonomes et que les incidents problématiques concernent bien davantage des inconnus.

Pour cette catégorie de situation-problème, ce ne sont pas tant la dépendance, la demande constante et le besoin d'aide continuelle qui sont à l'origine de l'épuisement du réseau des proches, comme c'était le cas dans les autres catégories, mais la conflictualité intense et préoccupante avec des étrangers. En revanche, les requêtes provenant des intervenants sociaux et communautaires (environ 13 % de l'ensemble) correspondent la plupart du temps à des cas marqués par l'itinérance, l'isolement et une grande vulnérabilité matérielle, physique et psychique. Dans ces cas, certes minoritaires dans cette catégorie, les hommes sont deux fois plus représentés que les femmes (17,95 % contre 8 %).

Si nous devions résumer les caractéristiques des individus généralement associés à la catégorie de situation-problème des conflits avec les étrangers, nous dirions qu'il s'agit de personnes présentant des traits de personnalité agressive et parfois égocentrique, et qui ont déjà eu des démêlés avec la justice. Cette catégorie met plus souvent en cause des hommes de moins de 40 ans. Les femmes y sont moins nombreuses, et celles qui s'y retrouvent ont en moyenne 10 ans de plus que leurs homologues masculins. Il est intéressant de souligner que même si l'ensemble des individus visés sont défavorisés sur le plan financier, ils ne paraissent pas, pour la plupart du moins, forcément vulnérables. Les dispositifs institutionnels qui sont régulièrement sollicités pour cette catégorie sont les services policiers, les tribunaux et le système correctionnel. Les trois quarts des dossiers pour les conflits avec les étrangers mentionnent au moins une intervention passée ou actuelle de l'un de ces trois dispositifs.

Le contraste entre les deux catégories de situations-problèmes caractérisées par un rapport avec les autres tantôt marqué par le dérangement, tantôt par la violence est fort révélateur. Lorsqu'il est question des conflits avec l'entourage, nous évoluons dans un monde d'une grande détresse globale où des personnes plutôt âgées et vulnérables sur les plans matériel, psychique et physique sont placées objectivement dans des situations de sursollicitation et de dépendance envers les autres (proches, intervenants institutionnels et communautaires) ainsi que de frictions constantes et dérangeantes (voisins, corésidents, concierges) bien que très peu dangereuses pour autrui. Lorsqu'il est question des conflits avec les étrangers, au contraire, on pénètre dans un univers complètement différent, dominé par l'inquiétude que suscitent la fréquence et la gravité des comportements violents des personnes concernées envers les autres et par des trajectoires ponctuées par des contacts avec la police, la justice et le système correctionnel.

Soulignons qu'en ce qui concerne les liens avec le réseau des proches, si important en matière de soutien et de gestion de la folie civile, c'est la dépendance et la sursollicitation reliées à la vulnérabilité globale (et parfois également à l'âge des individus visés) qui semblent être plus épuisantes que les sollicitations associées à la gestion de comportements fortement conflictuels et violents mais adressés à des étrangers par des personnes très souvent relativement autonomes et moins vulnérables.

CHAPITRE 7

De l'invivable à la peur : le rapport troublé aux proches

Comment ne pas avoir peur devant cette absence de raison dénuée de toute folie ?

RAYMOND QUENEAU, *Les Temps mêlés*

La catégorie de situation-problème la plus importante sur le plan quantitatif en matière de folie civile est celle que nous avons nommée « conflits avec la famille ». En effet, plus de 45 % des requêtes pour évaluation psychiatrique décrivent une situation dans laquelle un membre de la famille est présenté par un autre membre comme étant à l'origine d'un conflit comportant un danger pour la personne concernée ou pour autrui, essentiellement en raison de comportements imprévisibles, dérangeants, agressifs ou violents soupçonnés d'être liés à un problème de santé mentale. Ces situations, contrairement à celles des quatre catégories précédentes, semblent également les plus proches de la vie des individus ordinaires puisque leur caractère problématique touche des aspects fort variés de l'existence, dont la vie familiale et conjugale, les relations avec les enfants et la gestion de l'argent.

De ce fait, il n'y a pas en principe de caractéristique dominante pour cette catégorie de situation-problème, à moins que nous considérions cette variété d'événements problématiques affectant différentes dimensions de l'existence ordinaire comme un véritable trait distinctif. Toutefois, nous avons également constaté dans l'ensemble des requêtes appartenant à cette catégorie l'omniprésence des allusions aux souffrances des proches ainsi qu'à leur épuisement physique, psychique et financier. En effet, des phrases comme celles-ci sont présentes dans presque tous les dossiers :

- Les parents sont épuisés.
- La situation à la maison est très tendue.
- Son épouse vit un grand stress à la maison et les enfants n'en peuvent plus.
- On vit dans la peur, il faut que ça cesse.
- Son conjoint est désespéré et craint pour ses enfants.
- Il a fait une tentative de suicide parce qu'il ne pouvait plus la [l'intimée] supporter.
- Les proches se disent trop fatigués pour continuer à l'aider.
- Les membres de sa famille ne peuvent plus la garder chez eux.
- Il m'a mis dans une désolation monétaire épouvantable.
- L'intimée me fait vivre dans un environnement psychologiquement déstabilisant et très stressant sur le plan financier.

Ces exemples montrent clairement que les liens avec les proches sont mis à rude épreuve et qu'ils risquent de se fragiliser ou même de se rompre si rien n'est fait, car la situation continue de se détériorer. Pour la première fois, les enfants des personnes concernées par les requêtes sont cités dans un nombre important de dossiers comme étant les victimes de contextes d'agressivité, de violence ou de négligence.

La fréquence des situations de conflictualité familiale diminue au fur et à mesure que l'âge des individus visés augmente, et ce, tant chez les hommes que chez les femmes. Après 55 ans, cette conflictualité psychosociale s'estompe, sauf pour les femmes autour de la cinquan-

Graphique 28. — Conflits avec la famille selon l'âge et le sexe

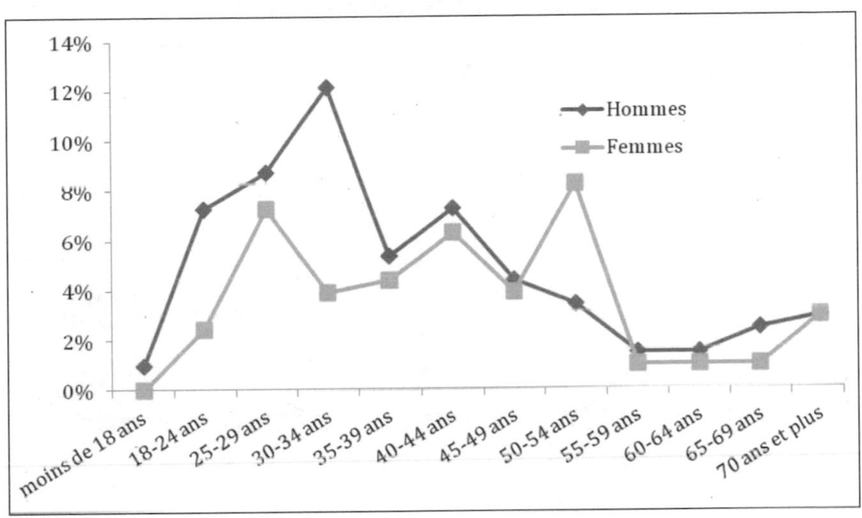

taine, qui sont légèrement surreprésentées, avant de suivre la même courbe déclinante que les hommes. Plusieurs facteurs se combinent au vieillissement pour expliquer la baisse des conflits avec la famille. Le décès des parents, l'épuisement des proches qui commencent à se détacher des personnes concernées et la prise en charge subséquente par d'autres dispositifs contribuent à faire diminuer les différends familiaux, comme nous l'avons vu dans les catégories de situations-problèmes caractérisées par une moyenne d'âge plus élevée des individus visés, telles que la désorganisation mentale et les conflits avec l'entourage.

Impulsivité et persécution

Environ 30 % des requêtes pour évaluation psychiatrique de la catégorie des conflits avec la famille font état d'un diagnostic psychiatrique explicite. Plus de la moitié de ces diagnostics concernent la schizophrénie ou la schizophrénie paranoïde, un quart la bipolarité et le reste les psychoses non spécifiées ou d'autres problèmes beaucoup moins fréquents (trouble obsessionnel-compulsif, borderline,

Graphique 29. — Composantes du mental perturbé dans les conflits avec la famille

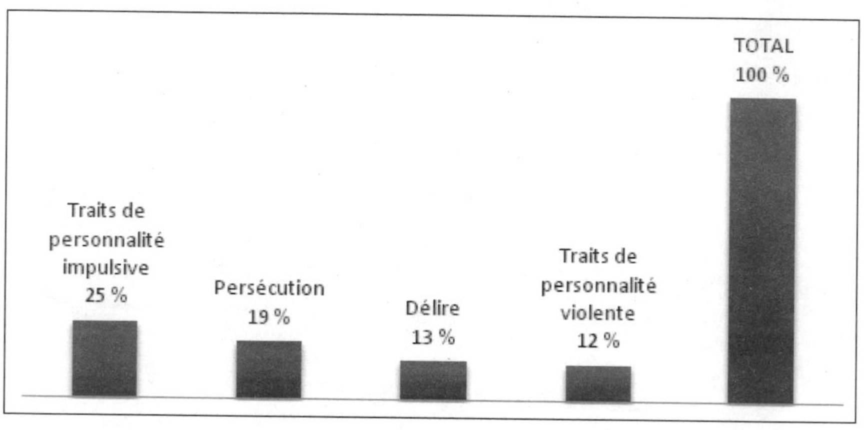

démence). La négligence, l'irrégularité, l'arrêt ou le refus dans la prise des médicaments en lien avec la situation qui pose problème touche un peu plus d'un tiers des dossiers. Quant aux composantes de la dimension du mental perturbé, ce qui surprend avant tout est le peu de poids et de variété que cette principale catégorie de la folie civile offre comparativement à la dimension du social problématique, qui est plus riche et diversifiée. En effet, la composante du mental perturbée la plus importante sur le plan quantitatif est les traits de personnalité impulsive (25 %). Ils sont suivis par la persécution (19 %), le délire (13 %) et les traits de personnalité violente (12 %).

La caractéristique saillante de la catégorie de situation-problème des conflits avec la famille est la présence d'un certain nombre de traits de personnalité qui permettent de comprendre les dynamiques relationnelles, lesquelles s'étalent dans un continuum allant du dérangement à la violence. Nous avons englobé ces traits dans le terme général et approximatif de « traits de personnalité impulsive » qui réfère aux allusions empiriques à cinq traits psychologiques qui se chevauchent, s'imbriquent ou s'équivalent selon les formulations des événements problématiques : impulsivité, agitation, instabilité, manque de contrôle et imprévisibilité. Bien que les descriptions soient souvent succinctes (il ou elle est impulsif, incontrôlable, agité, instable ou imprévisible), elles semblent significatives dans les contextes problématiques décrits et cohérentes avec l'enchaînement d'événements qui dégénèrent et dont l'étincelle est attribuée à un geste précipité, impulsif, incontrôlable ou imprévisible. S'il est vrai que les traits de personnalité impulsive ne sont présents de manière claire et explicite que dans un quart des dossiers de cette catégorie, ils constituent néanmoins une caractéristique spécifique des conflits avec la famille, au même titre que les traits de personnalité violente dans le cas des conflits avec les étrangers.

Comme dans le chapitre précédent, nous avons recours à l'expression « trait de personnalité », car il ne s'agit pas d'une attitude isolée ou peu fréquente de la personne concernée, mais plutôt d'une manière établie d'aborder, d'agir ou de faire face à des situations variées. Encore une fois, « trait de personnalité » ne veut pas dire « personnalité », car ce « trait » n'en est qu'un parmi d'autres (qui nous sont inconnus) même s'il semble pertinent pour comprendre le caractère problématique des événements rapportés dans les requêtes. Ainsi, lorsqu'il est question de décrire le côté imprévisible des individus visés, les requérants mettent l'accent sur le caractère inquiétant d'une situation où ils ne savent pas à quoi s'attendre en fait de comportements et parfois d'humeur de la part de la personne concernée.

- Son comportement est imprévisible.
- Il est devenu imprévisible en permanence.
- Il est imprévisible et on ne sait pas à quoi s'attendre.
- Son humeur est imprévisible.
- L'imprévisibilité du comportement de madame est devenue un problème.
- Il est imprévisible dans ses comportements.
- Elle développe un comportement imprévisible et a mis sa propre sécurité en danger à de nombreuses occasions.
- Ses réactions sont imprévisibles et suscitent la peur. On ne sait pas à quoi s'attendre de lui.

L'agitation de l'individu visé telle que rapportée dans les requêtes est proche de l'excitation, d'un état d'euphorie ou même d'une hyperactivité qui se manifestent par l'impossibilité de rester calme ou de se concentrer sur une chose à la fois. Ici, les allusions à l'humeur sont aussi fréquentes que celles qui concernent le comportement.

- Ses comportements anormaux et agités qui dérangent nous rendent soucieux.
- L'intimé devient excité et agité.
- Il a des sautes importantes d'humeur et provoque des situations limites.
- Manifestation d'agitation constante.
- Il est très agité, impulsif et agressif.
- Son débit verbal est très démesuré, intense et lourd. Ses propos intarissables demandent un effort hors du commun de la part de son interlocuteur. Ça peut se déclencher n'importe quand.
- Super actif et stressé, agité et volubile.
- Il m'invite au restaurant, parle aux serveuses et à tout le monde à haute voix. Il me parle de ses projets de manière extrêmement agitée.
- Toujours très actif, il ne peut rester en place. Il est agité en permanence.

L'« instabilité », l'« impulsivité » et le « manque de contrôle » s'entremêlent dans les récits pour signaler la difficulté à maîtriser certaines situations et exprimer l'impuissance des proches.

- L'intimé est impulsif et incontrôlable.
- L'intimé est impulsif et imprévisible.
- Impulsif, très nerveux, irritable.
- Il est une personne très instable, un homme qui n'est pas en contrôle de lui-même. C'est très difficile de prédire ses réactions.
- Il est instable et d'humeur inégale.

- Il a constamment des sautes d'humeur.
- Il est très nerveux et instable. Je ne peux plus tolérer ses sautes d'humeur.
- Même lorsqu'il est calme, j'ai peur de ses sautes d'humeur trop fréquentes.
- Absolument hors de contrôle.
- Il est incontrôlable.
- Ne se contrôle plus.
- Aucun membre de sa famille n'arrive à le contrôler.
- Elle change d'opinion d'un jour à l'autre. Elle n'a aucun contrôle sur elle-même.

Les allusions aux sentiments ou aux idées de persécution sont tantôt vagues et générales, tantôt centrées sur un membre de la famille en particulier ou encore sur tout le groupe familial. Dans le premier cas, les relations avec les autres sont difficiles parce que l'insécurité, la méfiance et l'inquiétude sont un obstacle non seulement aux interactions, mais aussi à la réalisation des activités quotidiennes les plus ordinaires comme faire l'épicerie, payer les comptes et se présenter à des rendez-vous. Parfois, les personnes concernées finissent par se cloîtrer dans leurs logements.

- Elle se croit constamment menacée, épiée, suivie. Elle a peur du téléphone, de prendre l'autobus.
- Mon frère se sent persécuté.
- Méfiance anormale. Tout le monde veut le détruire, absence de communication.
- Insécurité totale, pensées négatives. Il pense qu'on va le tuer.
- Il se terre dans son appartement.
- Refuse de manger à la maison, pensant qu'on va l'empoisonner.
- Il se sent harcelé sans cause précise.
- Elle ne parvient pas à conserver les aliments dans son réfri-

gérateur et refuse de manger dans son appartement. Elle a peur que quelqu'un tente de l'empoisonner.

- Il a quitté le Québec parce que les gens sont très méchants et qu'ils le persécutent. Il se sent menacé et persécuté. Il dit que les gens autour de lui sont méchants.
- Elle hallucine en pensant que tout le monde va lui faire du mal, ce qui l'empêche de dormir. Elle pense qu'on lui vole son argent.
- Sentiment de persécution constant. Croit que tous sont contre lui.
- Se sent épié par beaucoup de personnes.
- Il croit que des étrangers le regardent à la maison et a écrit des mots agressifs sur les murs.
- Elle croit que les gens sont en train de comploter contre elle afin qu'elle perde son emploi.
- La défenderesse soupçonne tout le monde de lui en vouloir et elle dit qu'elle veut mourir.
- En effet, il s'enferme dans sa chambre, regarde à la fenêtre, verrouille les portes, s'imagine qu'il se fait suivre.

D'autres fois, ce sont les membres de la famille ou les intervenants (médecins, travailleurs sociaux) qui sont au cœur des idées de persécution, des complots ou encore des agressions prétendues ou appréhendées. Il est quand même intéressant de souligner que, dans la description de ces situations, des parcelles de vie ordinaire sont évoquées (disputes à propos d'argent, échanges avec les autres, capacité à entamer des procédures légales), ce qui était exceptionnel dans les autres catégories précédemment analysées. Dans certains cas, les frontières entre persécution et délire paranoïaque ne sont pas faciles à tracer.

- Il dit qu'il se fait voler, et ce, même s'il ne possède rien. Sa sœur profiterait de cette situation pour lui dicter sa conduite (exemple : papiers légaux, compte de banque, serrure).

- S'isole, se méfie de ses proches, des médecins et des intervenants, refuse de consulter ou de se rendre à l'hôpital.
- L'homme en question [l'intimé] pense que sa mère l'empoisonne avec la nourriture.
- Il pense que j'empoisonne son manger et que je [sa mère] devrais payer pour le mal que je lui fais. Me pointe du doigt et me regarde avec des yeux méchants.
- Elle refuse de voir les membres de sa famille et leur a même fait parvenir une « mise en demeure » leur demandant de ne plus s'approcher d'elle et de sa fille. Madame [sa mère] rapporte également que sa fille [nom de l'intimée] vit des difficultés relationnelles avec son entourage et qu'elle les avise de faire attention aux appels téléphoniques qui sont enregistrés.
- Entre autres, il nous accuse, mon fils et moi, d'être dangereux pour lui sans aucun motif raisonnable et manifeste le désir de changer toutes les serrures de la maison.
- Madame accuse monsieur [son époux] de lui voler son argent et ses biens, soutien que tous [époux et enfant] complotent contre elle.
- Il a peur de ses parents, il pense qu'ils vont l'empoisonner et que sa mère va lui donner une malédiction. Il pense aussi que quelqu'un va le tuer.
- Monsieur se réveille toutes les nuits et croit que son épouse le dérange volontairement. Il croit aussi en la présence d'inconnus dans la maison. Il possède des armes de guerre et madame l'a déjà surpris durant la nuit un pistolet à la main.
- Il se sent menacé, craint d'être empoisonné, se sent surveillé. Il croit qu'il y a des micros dans son appartement, il s'y promène avec un couteau à la main.
- Elle dit avoir été violée et, pour cette raison, est toujours armée d'un couteau. Elle accuse son père, son frère et les voisins de viol. Elle casse les fenêtres d'autos sur la rue et

les grafigne parce qu'elle prétend que leurs propriétaires sont des agresseurs.

Des allusions concrètes au délire apparaissent dans environ 14 % des requêtes. Dans plus des trois quarts de ces dossiers, le délire porte sur des thématiques de persécution, de complots, de fraude, de vol ou d'agression envers la personne concernée. Souvent, les références à des personnages imaginaires, à des groupes criminalisés (mafia, Hells Angels, Bandidos), à des agences gouvernementales locales ou étrangères (armée américaine, police, CIA) ou encore à l'installation de dispositifs technologiques dans les logements, dans le cerveau ou sur le corps (micros, puces, capteurs) émaillent les récits délirants des individus visés.

- Des personnes lui enfoncent des aiguilles et lui pissent dans la bouche. Elles auraient mis une puce dans son cerveau avec une lumière infrarouge. Elles lui disent que sa mère l'a vendu aux Hells Angels et qu'elles sont là pour le tuer.
- Elle dit être suivie par la police, le gouvernement ou peut-être la mafia. Elle prétend que des gens rentrent à l'intérieur de notre maison pour subtiliser, remplacer ou déplacer des objets, des papiers d'identité ou des papiers officiels (hypothèque, assurance), que les voisins conspirent contre elle pour provoquer notre séparation et pour lui retirer sa maison, que ses papiers d'identité sont faux et que des gens les ont remplacés par des faux, que la mafia portugaise, arménienne et libanaise lui veulent du mal. Elle se barricade à l'intérieur de la maison en vissant les fenêtres et en rajoutant de multiples serrures et systèmes de sécurité.
- Délire paranoïaque dirigé contre son fils. Prétend que son fils est Mom Boucher, qu'il veut rentrer dans les Bandidos et qu'il veut tuer toute sa famille.
- Délire de persécution. Elle a menacé de mort sa sœur de 26 ans en prenant à témoin ses personnages imaginaires :

« Il faudrait la tuer, l'éliminer, lui faire payer d'avoir vendu son âme au Diable. » L'intimée traite souvent sa fille de 13 ans, dont elle ne peut pas du tout s'occuper, de « pute » et de « salope ». Elle l'a aussi menacée de voies de fait : « Saint-Joseph va venir te démolir avec son gourdin. »

- Un microphone a été installé dans le système de ventilation pour l'espionner. Dans son délire, son frère et ses amis lui ont volé 15 millions de dollars et l'ont violenté et agressé. Il veut protéger des enfants qu'il n'a pas. On lui a volé du sperme.
- Complètement délirant, il affirme que nous avons enlevé son enfant et tué ses parents. Il nous menace de faire la même chose avec nous, s'il confirme que son illusion est vraie. Il a affirmé que nous ne sommes pas ses vrais parents. Il a dit qu'il n'était pas notre fils et que nous avions changé son cerveau.
- Elle a des troubles délirants impliquant un sentiment de persécution. Dans ses délires et hallucinations (auditives, sensorielles, olfactives), elle dit qu'elle va tous les « buter » (Hells, Angels mafia, armée américaine) et amener tout le monde en cour (gouvernement canadien, américain).
- Il se sent persécuté au point où il s'enferme et met le réfrigérateur en face de la porte pour la bloquer. Il pense que sa mère est responsable de tous ses problèmes. Il croit que la famille a mis des puces dans son cerveau.
- Conteste le lien biologique avec ses parents, demande un test d'ADN alors que son lien familial est incontestable (ressemblance, témoins de la naissance et du baptême, papiers très clairs). L'intimée imagine un complot familial impliquant la compromission de deux notaires et d'un directeur de banque. Alerte à la police pour une accusation de vol rapidement rejetée par l'enquête. Importantes procédures judiciaires (saisie) contre son père et ses deux frères [pré-

noms] sur des motifs erronés (l'intimée ne reconnaît plus sa signature pourtant incontestable, car actes notariés).

Dans une moindre mesure, nous retrouvons d'autres thématiques en lien notamment avec la religion, les pouvoirs spéciaux, la sexualité et le fait d'être quelqu'un d'autre.

- Elle dit être enceinte du Saint-Esprit. Quand elle se rend au travail de mon père, elle laisse des papiers traîner tout partout, vide sa sacoche sur les tables. Elle dit que mon père la bat et la viole.
- Elle était aussi très délirante (hallucinations visuelles et auditives). Elle est le Messie et doit chasser le Diable.
- Elle croit qu'elle est Dieu, qu'elle a créé le monde et que tout lui appartient. Elle croit pouvoir ressusciter les morts et guérir les maladies de tout le monde. Elle estime que les gens essaient d'arrêter ses pouvoirs.
- Il se dit doté d'un pouvoir lui permettant le meurtre. Monsieur a tenu des propos délirants et inquiétants et dit entendre des voix. Il a exprimé à plusieurs reprises vouloir aller tuer son père.
- Il a des propos incohérents, il dit qu'il vient juste de coucher avec Janis Joplin.
- Il pense que sa mère a des bibittes dans les veines et il dit savoir comment régler ses problèmes et être le meilleur microbiologiste qui existe même si personne ne le croit. La pluie semble pour lui une source particulière de psychose. Il établit des contacts avec les enfants de [nom de la sœur de l'intimé] pour les aviser que leur cerveau est en danger lorsqu'il pleut parce que la pluie contient de minuscules insectes qui entrent dans leur tête.
- Il prétendait qu'il y avait des corps morts dans le fleuve et qu'il enquêtait. Il disait aux policiers qu'il avait travaillé pour la GRC à Vancouver, ce qui est faux.

Enfin, les traits de personnalité violente, tels que définis au chapitre précédent, sont mentionnés dans environ 12 % des requêtes. Même si la possibilité que la personne concernée devienne violente est indiquée dans à peu près la moitié des dossiers et formulée de manière semblable (« il pourrait devenir violent », « on a peur qu'il devienne violent », « elle devient de plus en plus violente »), nous parlons ici de cas où les traits violents font partie des caractéristiques stables de la personnalité des individus visés et se manifestent dans leur façon habituelle d'aborder certaines situations. La référence aux traits de personnalité violente est presque toujours accompagnée d'une allusion à la peur qu'inspire la personne à ses proches et, parfois, aux craintes de ces derniers que la situation n'entraîne une intervention de la police.

- Possède un caractère violent et intimidant.
- Il est très irritable, colérique et violent.
- Elle est très agressive, on vit toujours dans la peur.
- Il est violent psychologiquement envers sa femme et ses enfants.
- Exige avec autorité, extrêmement violent et menaçant. Détruit ce qu'il veut.
- Il est violent avec tous, sans le moindre égard aux autres.
- Épeurant et menaçant, il compromet sans cesse la sécurité d'autrui et la sienne.
- Il est très agressif et colérique. Il fait des menaces de mort à son entourage et frappe les objets.
- Arrestations fréquentes pour violence et voies de fait. Crises de colère et violence.
- Violent verbalement avec tout le monde.
- Sa violence physique et verbale nous effraie.
- Elle est violente envers ses parents et elle lance des choses : bottes au visage de son père, assiettes lancées, coups aux murs. Quand elle est contrariée, elle se cogne la tête contre les murs.

- Les parents l'ont mise dehors en raison de sa violence et ont peur d'elle. Les policiers ont fait un rapport.
- [Nom de l'intimé] a mordu mon mari au visage. Il est dangereux et imprévisible. Il lui a lancé un objet et il lui a fendu la tête. Avec moi [sa mère], il est violent verbalement. Sa violence n'est plus gérable.
- Monsieur représente un danger pour autrui, car il est violent psychologiquement envers sa femme et ses enfants. Monsieur crie, dénigre et accuse sa femme tous les jours et toutes les nuits, de même que ses trois enfants.
- Le monsieur est un homme violent. Sa femme est en danger et sa famille aussi.

L'invivable quotidien : peur, stress et épuisement

La dimension du social problématique pour les conflits avec la famille est la plus riche et la plus variée, toutes catégories de situations-problèmes confondues. Elle se démarque d'abord par la proportion relativement moins importante d'allusions à la vulnérabilité des personnes, que l'on ne retrouve que dans 40 % des requêtes. Elle est suivie par les références à l'agressivité (34 %), aux comportements violents (19 %) et au dérangement (18 %). Une autre différence réside dans la mention de problèmes avec les enfants (18 %), avec l'argent (13 %) et au travail (8 %), qui sont plutôt rares, voire inexistants, dans les autres catégories. Les risques de fugue (14 %) et les dépendances à l'alcool et aux drogues (16 %) complètent le portrait de ce qui apparaît ici comme socialement problématique.

Dans un sens, il est normal de trouver une vulnérabilité matérielle et sociale somme toute importante, car la plupart des personnes associées à l'univers de la folie civile n'ont pas des moyens réguliers de pourvoir à leurs besoins au moyen d'un emploi puisque le monde du travail demeure pour elles soit inadéquat, soit trop exigeant. Sans programmes de protection sociale, de sécurité du revenu, de soutien et d'entraide communautaire ou sans l'aide financière des proches, on voit mal comment ces individus pourraient conserver leur logement, se nourrir convenablement et avoir une vie sociale minimale. La vulnérabilité dans la catégorie de situation-problème des conflits avec la famille est toutefois particulière. Pour la première fois, elle ne touche pas la majorité des personnes concernées et n'est pas, dans la plupart des cas, aussi grave et dramatique que dans les autres catégories.

Cela ne signifie pas que les individus concernés par la catégorie des conflits avec la famille ne sont pas pauvres et dépendants d'autrui, car la plupart d'entre eux ne travaillent pas. Cela signifie plutôt que, dans la majorité des cas, cette dimension semble gérable soit par les programmes institutionnels en place (aide sociale, sécurité du revenu), soit par l'aide familiale. Le véritable cœur du problème se situe ailleurs. En outre, l'état de santé des personnes concernées par cette catégorie semble moins détérioré que celui des individus visés par d'autres catégories que nous avons analysées, ce qui contribue à

Graphique 30. — Composantes du social problématique dans les conflits avec la famille

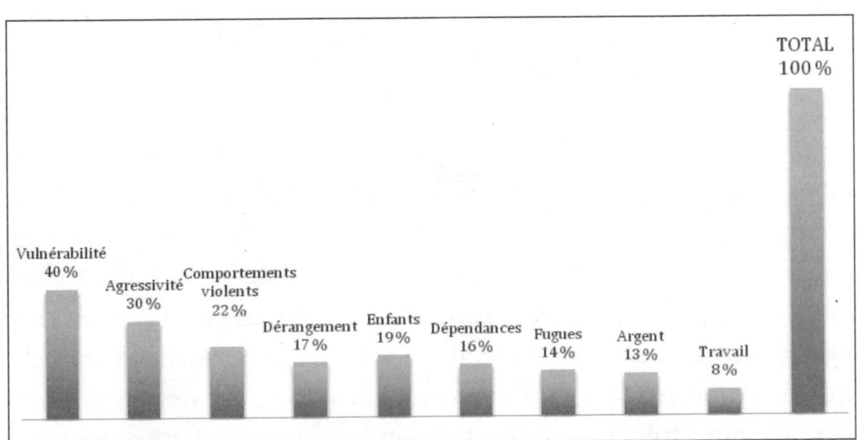

atténuer leur vulnérabilité globale. Lorsqu'elle pose explicitement problème, la vulnérabilité touche, par ordre décroissant d'importance, le rapport à l'alimentation, l'isolement social, l'hygiène personnelle, l'entretien du logement et l'insécurité résidentielle.

Dans la plupart des requêtes relevant des conflits avec la famille, la question de l'alimentation est moins dramatique que dans d'autres catégories de situations-problèmes. Les dossiers révèlent un continuum allant de l'alimentation inadéquate à l'arrêt inquiétant de toute consommation de nourriture, en passant par la perte de poids.

- Il ne semble pas se nourrir adéquatement.
- Il ne mange pas à tous les repas, mais il prend un café le matin. Il a perdu beaucoup de poids.
- Perte de poids importante. Il refuse de manger ou mange très peu.
- Elle ne mange pas assez. Elle a perdu beaucoup de poids depuis les derniers mois.
- Elle a perdu au moins 20 lb en un mois. Elle ne s'alimente plus. Elle ne mange pas ou très peu.
- Elle refuse de se nourrir et consomme de la drogue (marijuana). Perte de poids d'environ 20 lb en 6 mois.
- Elle perd du poids (de 25 à 30 lb).
- Il a perdu une quarantaine de livres en deux mois.
- L'intimée a perdu plus de 40 lb au cours des deux derniers mois. Elle ne se nourrit plus.

Les allusions à l'isolement social ne sont pas seulement un signe que quelque chose ne tourne pas rond avec les personnes concernées. Elles montrent également la préoccupation des proches à l'égard des effets délétères à court, moyen ou long terme de la perte de contact graduelle ou brusque avec les autres. Les requérants soulignent l'aggravation d'une attitude de repli sur soi (ne pas retourner les appels, ne pas répondre à la porte), le déclin de l'intérêt pour des activités qui faisaient autrefois partie de la vie des individus visés (faire des courses ou une promenade, visiter la famille) ou encore la réclusion permanente dans le logement (ne plus sortir, ne plus recevoir personne).

- Le défendeur refuse de répondre au téléphone, sauf pour les appels en provenance de son frère (requérant).
- Il s'isole toute la journée dans une chambre fermée. (Il vit dans la maison avec sa mère.)
- Demeure dans sa maison depuis dimanche, a changé les serrures et mis un cadenas sur la clôture. Ne répond pas au téléphone ni à la porte.
- La semaine passée, il ne voulait pas m'ouvrir, j'étais très inquiet.
- Madame est présentement enfermée dans son domicile. Elle a peur de sortir de chez elle. Elle est méfiante et s'isole de plus en plus.
- Il reste reclus dans son appartement et ne travaille plus. Il a coupé toute forme de communication avec sa famille et de plus en plus avec ses amis au cours de la dernière semaine.
- Demeure une très grande partie de la journée dans le sous-sol de la résidence familiale, sans contact extérieur important depuis huit mois.
- La partie intimée n'a aucun contact extérieur et social, depuis plus de six mois.
- Depuis un an, il a cessé toute activité et a rompu tout contact avec ses amis. Il dort le jour et s'agite la nuit.
- Continuellement enfermé dans son appartement et refuse tout contact avec ses proches.
- Elle s'isole dans sa chambre et sort rarement. Elle est entièrement retirée de la vie sociale, dort toute la journée (en position fœtale) et évite le contact avec les membres de sa famille.
- Rupture dans son développement social : aucun réseau social, s'isole dans sa chambre, a coupé tout lien avec toute figure importante.

- Isolement social complet par choix. Vit complètement en ermite, ne répond pas au téléphone ni à la porte. Refuse toute aide d'autrui.
- Le défendeur s'enferme dans son appartement et nul n'a droit d'y pénétrer.

L'hygiène personnelle négligée est souvent liée à l'isolement social que vivent les personnes concernées, car le souci d'être minimalement présentable pour côtoyer les autres chez soi ou à l'extérieur devient sans objet. Les exemples sont variés, allant du manque de régularité dans l'hygiène personnelle jusqu'à l'abandon total de soi, en passant par des comportements bizarres ou à risque en rapport avec les soins personnels.

- Son hygiène est de plus en plus douteuse.
- Il ne prend pas son bain. Il ne se change pas souvent.
- Elle ne s'est pas lavée depuis longtemps. Elle dégage une odeur repoussante.
- Madame se couche avec son manteau et ses bottes d'hiver.
- Elle ne se lave pas depuis deux mois et a des plaques sur le corps.
- Elle néglige son hygiène personnelle, ne prend pas de douche et n'a pas brossé ses dents pendant des mois.
- Monsieur ne prend pas soin de sa personne et ne se lave plus.
- Ne s'est pas lavé les cheveux depuis un an. N'a jamais enlevé ses bas et ses souliers depuis un an. Ne s'est pas brossé les dents depuis au moins sept mois. Elle a mal aux dents à en pleurer, mais ne veut pas sortir pour aller voir un médecin.
- Elle porte les mêmes verres de contact depuis quatre mois et la saleté dans sa chambre est un danger pour le reste de la maison (désordre, saleté, odeurs).
- L'intimé néglige son hygiène personnelle. Il refuse également de dormir dans son lit et le fait sur une chaise.

Quant aux problèmes liés au logement, l'insalubrité et le caractère non sécuritaire des lieux sont plus souvent cités dans les requêtes que la possibilité d'éviction, qui semble plutôt rare. En effet, seulement 3 % des dossiers dans cette catégorie mentionnent un risque d'éviction ou d'itinérance. Sur le plan de l'insalubrité et de l'aspect non sécuritaire, les requérants parlent essentiellement de l'accumulation d'objets, de la consommation de nourriture avariée, d'odeurs nauséabondes, d'horaires de vie inhabituels et des risques de feu.

- Son appartement est très sale et désordonné. Odeur ambiante d'urine. Ne se lave pas. Refuse absolument de mettre la nourriture au frigo.
- Sa chambre est insalubre et n'est pas sécuritaire.
- L'intimé a toujours habité avec ses parents. Il accumule les objets (papiers et journaux), vit la nuit, parle fort et tout seul, fume et éteint ses cigarettes un peu partout dans la maison. Les autres habitants ainsi que l'intimé sont constamment exposés à un risque de feu.
- Madame oublie que le four ou les ronds de poêle sont allumés et pose des gestes dangereux sans savoir pourquoi. Elle nie tout problème et se dit autonome.
- Monsieur dit que madame oublie tout. Si elle met une casserole sur la cuisinière avec le feu allumé, elle oublie. Son environnement physique n'est pas sécuritaire.
- Danger de feu : mégots laissés partout, brûlures sur les meubles et le tapis. Elle oublie des choses sur le poêle et s'en va dehors.
- Parmi ses comportements dangereux ou étranges : fumer sans cesse dans sa chambre, demander de la nourriture et la déposer dans la poubelle au lieu de la manger, jeter les effets personnels dans le sac à ordures, boire du jus et briser le verre dans la toilette.
- Elle a un problème d'accumulation d'objets (sacs en plastique, journaux et boîtes en carton). Ils sont dispersés dans

plusieurs chambres : le sous-sol en entier, le salon et la chambre à coucher. Les objets sont placés près de prises électriques et des chaufferettes. Le risque de feu est sérieux. Cycle de sommeil et de vie non adéquat (sort la nuit, dort le jour, se fait à manger pendant la nuit, hygiène des mains très excessive, bruits pendant que les parents dorment).

Dans 17 % des dossiers, les références au thème du dérangement sont claires. Les deux formes classiques sont le bruit excessif ou à des heures indues et les appels téléphoniques ou les sollicitations répétées.

- Nous recevons des appels téléphoniques nuit et jour sans arrêt.
- L'intimée soulève la colère des voisins en faisant jouer de la musique très fort au milieu de la nuit.
- Elle fait tellement de bruit la nuit (elle crie et lance des objets) que les enfants ne peuvent plus dormir. Ils pleurent et supplient leurs parents de la faire taire.
- Il crie et frappe sur les murs durant la nuit.
- Il fait des bruits très dérangeants pendant la nuit parce qu'il ne peut pas dormir.
- Elle téléphone à minuit à la maison de ma mère. Elle dit qu'elle est fatiguée d'être l'agneau sacrifié, qu'elle viendra pour régler la question avec ma sœur et que justice sera rendue.
- Plusieurs fois par semaine, il ne dort pas, il parle et rit très fort, nous empêche de dormir et probablement les voisins aussi.
- Depuis plus ou moins un mois, les demandes de mon fils sont très insistantes et il se présente chez moi à toute heure du jour et de la nuit en me demandant de l'aide.
- Elle continue à perturber la vie de mes parents et la police a fait un rapport de ses actes. Elle n'est pas en mesure de tenir une conversation.

- Il met la musique très forte, il ramasse des meubles qu'il trouve dans les vidanges et les apporte dans le logement.
- Fait des crises, crie, frappe les meubles et les murs parfois pendant des heures. Insulte sa mère et son père ou refuse de leur parler, vit la nuit, est manipulatrice, fume au lit et brûle ses couvertures, crache sur les murs et les fenêtres.
- Harcèlement téléphonique : 40 appels le 4 décembre.

Toutefois, il est parfois difficile départager le dérangement d'avec d'autres composantes du social problématique, telles que l'agressivité et les comportements violents, qui s'imbriquent dans la même situation. En effet, les frontières sont floues entre le harcèlement dérangeant, la menace implicite et certaines crises violentes ou formes d'intimidation qui se traduisent en fin de compte par une intervention policière.

- Vient harceler mon père [beau-père de l'intimé] au travail. Lui demande à manger puis il jette la nourriture par terre.
- L'intimée est très anxieuse. Elle ne dort pas la nuit, fait du bruit qui dérange et a fini par assaillir la requérante, qui a contacté la police et obtenu l'intervention de policiers.
- La partie intimée a eu au minimum deux crises d'hystérie et d'impatience aiguë qui l'ont poussée à crier à tue-tête ainsi qu'à frapper les murs et les portes. À un tel point que la police est venue chez le requérant et lui a conseillé de déposer une requête en vertu de la loi P-38.
- Appelle aux trois minutes, écoute la musique à un volume très élevé. Harcèlement verbal et menaces de mort à mon endroit. Emploie un vocabulaire grossier qui n'est pas le sien.
- Il est très nerveux, n'arrête pas de me crier dessus et se bat constamment avec son père. Il a peur des autres et se parle à lui-même.

- Lance du métal dans la cour parce que j'ai appelé le 911 pour le calmer, car ses cris sont insupportables.
- Depuis les deux dernières semaines, c'est l'enfer à la maison. Les cris et les menaces verbales sont continuels.
- Il laisse des messages sur la boîte vocale de son frère plusieurs fois par jour, ses propos sont incohérents et vulgaires. Il est incapable de parler sans crier même s'il est quatre heures du matin, ce qui dérange les voisins. Il dit qu'il criera tant que ma mère l'importunera.
- J'ai peur de me faire évincer par les copropriétaires pour trouble et vacarme intempestifs fréquents. Intimide les voisins, lance des pierres par la fenêtre.
- Il fait vraiment du tort. Il est sournois et intelligent, il nous fait tous vivre son enfer en nous harcelant. Il vit chez sa mère de 88 ans et nous empêche même d'être proches.
- Il crie constamment, se frappe, frappe les murs et il lance et jette tout ce qu'il trouve devant lui. Il parle seul, fait des grimaces et, souvent, il pleure. Il ne travaille plus et reste à la maison toute la journée.

L'agressivité est mentionnée dans 30 % des dossiers. Il s'agit essentiellement de menaces, d'intimidation et d'insultes envers les membres de la famille sans qu'il existe pour autant de la violence physique (bousculades ou coups). Toutefois, les événements décrits sont souvent graves et impliquent, dans certains cas, des menaces de mort, des extorsions d'argent, la destruction d'objets ou la projection de ceux-ci sans que la personne concernée vise nécessairement quelqu'un en particulier. L'impact pour les proches est loin d'être négligeable et va de l'inquiétude à la peur constante du passage à l'acte appréhendé.

- Il fait des menaces à sa mère, devient facilement agressif et brise des objets tels que la télévision. Il oblige sa mère à lui donner de l'argent.

- Il est agressif verbalement envers le père depuis un an. S'il n'a pas d'argent, il devient violent et menace ou intimide l'entourage.
- Fréquentes menaces de mort envers le requérant.
- Verbalement agressif, il agit comme un diable, ne me reconnaît pas toujours et frappe les murs.
- Agressivité en paroles et gestes qui va en s'accentuant, comportement imprévisible, vengeance, menaces verbales.
- Il a menacé de blesser son père et de tuer sa mère, qu'il a déjà poussée à quelques reprises. Il a aussi menacé la vie de sa fiancée.
- Menace de voies de fait et provocations envers sa mère, son père et son frère. Discours délirant et menaçant. Croit que sa mère va l'attaquer avec un couteau.
- Elle fait des crises pendant lesquelles elle fait des menaces violentes à moi [mari], ses enfants et d'autres personnes qui l'ont contactée pour l'aider.
- Discute avec son père et lui fait des menaces telles que : « Je vais venir chez toi pour te frapper. »
- Il devient violent, il crie, il frappe, il fait très peur à son entourage [son frère et sa sœur].
- Son comportement est devenu de plus en plus agressif et il [le requérant] a peur d'elle. Il a dû quitter la demeure familiale parce qu'il ne pouvait plus supporter la violence. La violence verbale est quotidienne et nous craignons des passages à l'acte.

Souvent, l'agressivité présente dans les requêtes est en partie liée à la haine, à la colère ou à un désir de vengeance à l'égard d'un proche ou de toute la famille, ce qui rend les situations à la fois plus personnalisées et plus inquiétantes.

- Beaucoup de haine envers sa mère dans ses propos, menaces verbales à l'égard de cette dernière. Crises, bris de biens dans l'appartement familial, propos offensants. Agressivité envers la vie, la société et surtout ses parents.

- Il voue une grande haine aux membres de son entourage et en particulier à son frère. Il cherche à me contacter, je dois me cacher et changer toutes mes habitudes et mes horaires pour l'éviter. J'ai peur.
- La personne est instable et a un problème grave de gestion de la colère. Elle a déjà fait preuve d'un comportement violent envers la requérante et ses proches.
- Il se croit invincible, mais il est un danger pour lui-même et les autres. Cette fois-ci, sa rage est dirigée vers moi. Il a été arrêté et accusé de harcèlement criminel.
- A des colères de plus en plus imprévisibles et de plus en plus violentes. Donne des coups de poing partout. Défonce les murs. Père craint que l'intimé s'en prenne à lui.
- Elle parle de vouloir tuer ses enfants. Madame s'est réveillée à deux reprises pendant la nuit cette semaine et a dit à sa mère « ramène-moi ma mère ou je vais te tuer ».
- Le 29 avril dernier, en début d'après-midi, mon fils [nom de l'intimé] s'est présenté à mon domicile pour réclamer de l'argent. Il était irritable, agressif et semblait avoir perdu le contrôle. Il m'a arraché mon sac à main et m'a volé de l'argent. J'ai eu très peur qu'il me frappe, j'ai appelé le 911.
- Conflictuelle et instable, elle a promis une vendetta contre sa famille. Elle harcèle sa famille et surtout sa sœur. Elle a un permis de port d'arme et, de ce fait, nous avons peur pour son mari, sa fille et sa propre vie.
- Elle menace de mettre fin à la vie de tous ceux qui ne sont pas d'accord avec elle, y compris les membres de sa propre famille. Elle a frappé mon père et l'a menacé avec un couteau.
- Elle a menacé de me tuer ainsi que son frère et son neveu.

- Menaces et gestes de vengeance envers mon frère. Peut être dangereux pour lui-même, mon frère, mon père et moi.
- L'intimé profère des menaces de mort. Il a dit « je veux le tuer et saccager son logement » en parlant de son fils. Il aurait dit vouloir tuer sa belle-famille.
- Menace actuellement son frère : « je vais le tuer » et « il doit payer de son sang ». Les menaces durent depuis quelque temps.

Les épisodes de violence relatés dans les requêtes ne laissent pas de doute sur le caractère dangereux de la situation que vivent les proches de la personne visée. Ces situations, qui concernent 22 % des dossiers, se caractérisent la plupart du temps par des voies de fait à l'égard des membres de la famille. Dans certains cas, le requérant mentionne le recours à des objets, voire à des armes, pour agresser ou menacer autrui. Les mères sont prises pour cible au moins deux fois plus que les autres membres de la famille (père, frère, sœur, épouse, enfants). Les violences physiques à leur endroit sont parfois mêlées à de l'exploitation financière et entraînent fréquemment l'intervention de la police.

- Violence physique à l'endroit de sa mère (coups de poing à l'abdomen et aux bras, ecchymoses et douleurs). Il l'a acculée contre un mur, poussée, menacée d'expulsion, séquestrée, frappée à la tête avec son doigt, intimidée, en plus de tenir des propos haineux et dégradants.
- A agressé sa mère en soirée sans véritable raison. Avait bousculé sa mère à quelques reprises antérieurement (agression physique).
- Il a battu sa mère et l'a poignardée dans le dos avec un objet pointu. Elle saignait abondamment et a été emmenée à l'hôpital par ambulance. Un rapport de police a été fait, [numéro d'événement]. Il l'avait également battue dans le passé et avait endommagé sa voiture.

- Il frappe sa mère, moi [sa sœur], son père. Ma mère, en particulier, se retrouve souvent avec des bleus. Il nous menace constamment. Par exemple, il dit qu'il va nous saigner à mort. Hier, il est allé voir ma mère avec le thermomètre brisé en disant qu'il avait pris le mercure pour le mettre dans sa tasse de thé quand elle ne regarderait pas afin qu'elle puisse mourir vite.
- Se présente à la maison de ma mère et se met à hurler, puis il la pousse et pousse aussi ma sœur cadette. Ils finissent par se battre et par tomber à terre.
- Elle a sauté sur sa mère et son frère et leur a griffé le cou. Elle devient de plus en plus agressive et insulte verbalement sa mère et son frère ainsi que le reste de la famille, incluant les amis qui veulent lui fournir de l'aide.
- Sous l'influence de la drogue et de l'alcool vendredi dernier, mon frère a serré les bras de ma mère et a mis sa main sur sa bouche pour l'intimider. Cela s'est produit à la suite d'une querelle. Les disputes sont de plus en plus fréquentes et la violence verbale et physique envers ma mère augmente.
- Il m'a battu moi [beau-père] et ma femme [sa mère]. Il nous a dit qu'il allait nous tuer si je ne lui donnais pas ma montre et il a compté jusqu'à 10. J'ai appelé la police et un rapport a été fait.
- Prend ma mère par la gorge, menace mes parents (requérant). Elle a jeté tout le linge de ma mère, de mon père et de mon frère, tous leurs effets personnels. Dans la maison, elle a cassé le four, la télévision, la radio et d'autres objets.
- Mon fils crie, me fait des menaces de mort, vole tout mon argent pour s'acheter de la drogue, me force à lui faire des chèques continuellement, m'agresse physiquement quand je refuse de lui donner de l'argent et des chèques.
- L'intimé veut tuer son entourage, m'intimide et m'agresse physiquement, débranche le téléphone et m'empêche de

sortir ou d'appeler la police, m'accule contre le mur en brandissant son poing devant ma figure.

Dans d'autres dossiers, les cibles sont les deux parents, le père, les frères et sœurs, les beaux-frères ou belles-sœurs, les conjointes ou conjoints, les fils ou les filles, et, plus rarement, les grands-pères et les petits-fils. Parfois, c'est l'ensemble de la famille qui est visé. Dans ces cas, la police est également appelée à intervenir.

- Assauts physiques sur la personne de son frère à la suite de délires paranoïaques. Elle l'accuse de faits inexistants et est de plus en plus agressive. Elle a griffé son frère près de l'œil et lancé des objets en sa direction.
- Hier, il a frappé son frère et tenté de frapper sa sœur. L'intimé fait des menaces de voies de fait et de mort à tout son entourage.
- Il est dangereux. Il possède un bâton de baseball et une hache avec lesquels il prétend vouloir prendre sa vengeance. Il menace de mettre le feu à la maison où nous vivons.
- Agression physique contre son père. Par la suite, il a dit à sa mère qu'il allait tuer son père.
- L'intimée a frappé la requérante [sa sœur] au visage une dizaine de fois. Elle menace de mort son voisin de façon quotidienne. Elle montre des signes d'agressivité tous les jours : crie, hurle, insulte, bave.
- Il a agressé son frère, l'a menacé avec des couteaux et, ensuite, a fendu sa propre poitrine et a accusé son frère de l'avoir fait. Un témoin de l'incident a nié cette version. Antérieurement, il avait été verbalement et physiquement agressif envers sa mère. Il a été incarcéré à plusieurs reprises pour voies de fait.
- Elle est devenue agressive envers mon mari et ses enfants. Elle a provoqué de nombreux conflits qui ont nécessité une intervention de la police. Elle se met facilement en colère.

Elle a tenté d'attaquer mon mari et nous avons dû l'arrêter puis appeler la police. Toute ma famille a peur de son comportement. Elle dit qu'elle veut tuer mon mari.

- L'intimée a déjà tenté d'étrangler ma fille [fille de l'intimée et du requérant]. L'intimée a déclaré avoir l'intention de le refaire.
- Il a menacé et frappé son père avec un aiguiseur à couteaux. A menacé plusieurs fois de le tuer. Ces intimidations verbales et physiques sont parfois quotidiennes. J'ai peur de me faire tuer [sa mère]. Peur de rentrer chez moi. Je suis à bout.
- Il dit être en train d'actualiser son plan de parricide. Monsieur [nom de l'intimé] connaît l'adresse de son père, qu'il a souvent battu, et il s'y est déjà rendu. Il refuse de se rendre à l'hôpital et de recevoir de l'aide, même s'il se sent « sur le point de sauter ».

Vestiges d'une vie ordinaire : travail, argent, enfants

La catégorie de situation-problème des conflits avec la famille est la seule où les références aux mondes somme toute banals du travail, de l'argent et des relations avec les enfants sont relativement importantes sur le plan quantitatif. Même si les allusions explicites à l'emploi, à l'argent et aux enfants des individus visés par une requête pour évaluation psychiatrique ne concernent respectivement que 8 %, 13 % et 20 % des dossiers, elles constituent les vestiges d'une vie ordinaire passée, présentement troublée et dont l'avenir s'avère fort compromis par les événements relatés dans les requêtes. Lorsque les requérants parlent du travail, ils le font invariablement de manière négative. Il est toujours question de la perte d'un emploi, que ce soit en raison de la démission de la personne concernée ou de sa mise à pied, ou de rapports conflictuels avec les collègues ou les patrons.

- Elle a perdu son travail il y a six mois.

- Elle a laissé son emploi.
- Il avait un emploi, mais il s'est fait mettre à la porte après trois semaines. C'est récurrent.
- À cause de son état mental totalement hors de la réalité, elle ne pourra plus retourner à son travail.
- Ne va plus au travail, on ne sait pas pourquoi.
- Il est en arrêt de travail depuis neuf mois, le retour semble improbable.
- Il n'a plus de contact avec son employeur, qui l'a rappelé plusieurs fois pour qu'il retourne au travail.
- Elle perd tous ses emplois en raison de son comportement agressif. Elle a menacé un collègue avec un marteau et elle a dit qu'elle voulait tuer son patron. Elle ne va plus ni au travail ni à l'école.
- A perdu son emploi il y a un an et a entrepris des poursuites judiciaires qui se sont soldées par une décision de la Commission des relations de travail (CRT) fort négative à son endroit.
- L'intimé ne travaille plus depuis huit mois et vit sur le crédit et de l'aide sociale.
- Il a donné sa démission au travail après 18 ans de service. On ne sait pas très bien pourquoi.
- L'intimée ne peut plus travailler et refuse depuis trois mois de recevoir ses prestations de la sécurité du revenu. Elle n'a plus de revenu.

Le rapport problématique à l'argent figure dans 13 % des requêtes. Il s'agit le plus souvent de dépenses excessives ou farfelues, d'achats compulsifs ou d'un endettement préoccupant qui mettent en évidence les difficultés, voire l'incapacité de la personne à gérer ses finances personnelles.

- Dépenses excessives. La banque a bloqué ses comptes.
- Il a dépensé plus de 27 000 $ avec ses cartes de crédit au

cours des derniers mois sans consulter sa femme. Il a au moins 15 ou 20 cartes de crédit.

- N'est pas apte à gérer son argent. Ne paie pas son loyer, fait des dons à l'église et à des inconnus.
- L'intimée est incapable de gérer ses biens depuis le décès de son mari. Elle a accumulé des dettes personnelles s'élevant à plus de 30 000 $.
- Elle a des problèmes avec la banque, car elle a un découvert avec sa carte bancaire.
- Il a acheté un billet pour deux à destination de Cuba et de Francfort. Dans la même semaine, il avait des vacances de planifiées à Ocean City. Après cela, il a été hospitalisé. Dès qu'il a eu son congé, il a pris l'avion pour Vancouver. La police de Vancouver l'a contraint à prendre un vol de retour.
- Il a déclaré faillite et doit autour de 10 000 $. Après avoir perdu son emploi, il a fait une offre sur une maison de 275 000 $ alors qu'il est sans le sou.
- Le premier de chaque mois, il continue à dépenser tout son chèque d'aide sociale en une journée.

Dans une moindre mesure, les dossiers rapportent du harcèlement, des extorsions, de petites fraudes ou des vols d'argent à l'égard d'un membre de la famille, ou encore le recours à un compte commun familial pour faire des dépenses excessives, farfelues, relatives à une dépendance ou non clairement justifiées. Ces gestes peuvent à certaines occasions mettre en danger la situation financière de la famille.

- Madame nie les transactions faites avec sa carte de crédit, qui portent préjudice à toute la famille.
- Le défendeur prend des décisions illogiques. Il reçoit depuis cinq ans des chèques de dividendes qui n'ont pas été encaissés tandis qu'on manque d'argent pour payer nos comptes. On ne sait pas ce qu'il fait avec l'argent.

- Il n'a pas payé les comptes depuis longtemps (factures, loyer) de sorte que toute la famille se retrouvera bientôt à la rue.
- Mon conjoint a accès à notre compte de banque, j'ai peur qu'il dépense tout dans ses folies.
- Il dit qu'il va recevoir 200 000 $ dans son nouveau compte de banque et emprunte de l'argent à la famille sur la base de cet argument.
- Quand il manque d'argent, il harcèle la famille et met en gage n'importe quel bien matériel afin de se procurer du cannabis.
- Tout son argent passe dans la drogue et nous devons ensuite payer ses comptes.
- Il m'appelle fréquemment pour avoir de l'argent quand il le veut et où il le veut, faute de quoi il laisse planer des menaces.
- Il vole des chèques, imite la signature de son père et essaye de les encaisser à la banque.
- L'intimée vole de l'argent à la requérante [sa mère] et se sert à volonté de sa carte de crédit.

Dans environ 19 % des requêtes, on retrouve des situations problématiques qui touchent les enfants des individus visés, ce qui constitue un trait distinctif de cette catégorie. Près des trois quarts des cas portent sur des menaces, agressions et violences envers des enfants. Le reste concerne la négligence, l'abandon ou le fait de prendre la fuite avec les enfants sans avertir l'autre parent. C'est tantôt la mère, tantôt le père qui est identifié par sa conjointe ou son conjoint comme l'agresseur ou la personne posant problème au sein de la famille à cause de ses comportements. Les situations problématiques décrites dans les dossiers font presque toujours état de la peur, du stress intense et de l'angoisse profonde ressentis par les requérants (conjoint, conjointe, grands-parents) et par les enfants eux-mêmes. La vie quotidienne de ces derniers est parfois gravement perturbée, à un point tel que, dans certains cas, ils doivent quitter le domicile familial pour assurer leur sécurité ou retrouver la paix.

- Les enfants ne peuvent plus réussir en classe à cause de la fatigue accumulée, du manque de sommeil et du stress causé par toutes les crises de l'intimé.
- J'ai peur pour moi et mes enfants. Ils ne veulent pas rester seuls. Il [l'époux] vient me harceler à mon travail.
- Inquiétude pour sa sécurité et celle de ses enfants compte tenu de la violence de son épouse.
- J'ai peur pour sa femme et ses enfants (ces derniers sont dans un refuge pour famille depuis deux mois). Il y a urgence, monsieur peut devenir très violent.
- Depuis trois semaines, je ressens chaque nuit une peur effroyable pour ma vie et celles de mes enfants. J'ai un bébé de cinq mois que je dois allaiter pendant la nuit. Depuis trois semaines, je ne peux pas dormir la nuit, je dois assurer la sécurité de mes enfants. Je suis épuisée physiquement et mentalement. Je ressens une menace imminente pour ma vie et celles de mes deux enfants.
- Il est devenu agressif, il me fait des menaces et je vis dans l'insécurité à la maison, car je dois me réfugier avec mes enfants dans une chambre fermée.
- Les membres de la famille craignent ses comportements et ses menaces de se couper la gorge en leur présence. L'enfant le plus jeune a six ans.
- Elle aurait lancé des assiettes à ses deux enfants. Ces derniers ont déjà quitté la maison pour leur propre sécurité.
- Elle est devenue agressive envers mon mari et ses enfants. Elle frappe les enfants.
- L'intimée a déjà tenté d'étrangler ma fille (fille de l'intimée et du requérant). L'intimée a déclaré avoir l'intention de le refaire.
- L'intimée est souvent confuse et se promène nue dans la

maison. Elle est menaçante à l'endroit de sa fille de 10 ans et est complètement désorganisée. Elle ne fait plus la différence entre le jour et la nuit. Elle a frappé sa fille de 10 ans à quelques reprises par le passé.

- Vendredi dernier, mon fils et moi-même avons dû nous sauver de la maison familiale en raison de la violence physique et verbale de mon conjoint. Il a, entre autres, menacé de m'étrangler.

Dans d'autres dossiers, c'est la négligence à l'égard des enfants, essentiellement en matière d'alimentation, de propreté et de sécurité, qui pose problème. Parfois, la personne concernée abandonne purement et simplement sa progéniture ou, à l'opposé, prend la fuite avec un enfant sans avertir personne ou menace de le faire. Encore une fois, l'intervention de la police ou de la direction de la protection de la jeunesse (DPJ) est fréquente.

- L'intimée a quitté le domicile le lundi 7 mai avec [nom de l'enfant] sans en parler à personne. On était désespérés.
- Ne s'occupe plus de ses enfants. Elles [trois filles] n'auraient pas pris de bain ou douche depuis longtemps et mangeaient peu ou pas. N'aurait pas amené sa fille à l'hôpital après qu'elle se soit blessée en courant alors qu'elle n'arrivait plus à marcher depuis deux jours.
- Elle a abandonné ses filles dont elle avait la garde. Elle a passé deux jours sans les nourrir convenablement, sans les changer et sans les envoyer à l'école. Les enfants étaient laissées à elles-mêmes.
- Laisse fréquemment sa médication et ses seringues utilisées à la portée des gens, dont quatre enfants âgés de trois à neuf ans.
- Il empêche les enfants et sa femme de se nourrir. Il menace sa femme et ses enfants.
- Négligence grave envers ses enfants (un an et trois ans).

- Cela fait un mois qu'elle [fille de la requérante] a quitté la maison sans rien dire, alors je m'occupe de son enfant depuis ce temps.
- Elle croit que je conspire pour la traiter de folle et lui enlever ses enfants. Elle menace de les prendre et de partir à Toronto. Son état ne lui permettrait pas.
- Madame met sa fille de huit ans et elle-même en situation de danger en faisant la fête et en invitant des gens qu'elle ne connaît pas à dormir chez elle.
- L'intimée ne s'occupe plus de sa fille de 13 ans. Elle la traite souvent de « pute » et de « salope », et l'a menacée de voies de fait.
- Elle ne s'occupe plus d'elle-même ni de son bébé. C'est moi [la mère de l'intimée] qui dois m'occuper de l'enfant. Elle sort à minuit avec son bébé sans l'habiller, en le laissant seulement avec la couche.

Les fugues des individus visés par une requête pour évaluation psychiatrique sont une préoccupation dont 14 % des dossiers font état. Parfois, les personnes concernées disparaissent quelques jours ou pendant la journée ou la nuit sans avertir leur famille. Dans d'autres cas, les proches craignent qu'elles ne fuient à l'étranger ou demeurent introuvables. Ils s'inquiètent aussi pour leur sécurité (agression, accident, disparition) ou pour celle des autres lorsqu'elles sont en proie à des crises ou qu'elles fuguent en voiture.

- Fugues en auto jusqu'à tard dans la nuit.
- Elle sortait de la maison pour de longues périodes, voire des jours, et elle ne mangeait pas.
- Crainte d'une fuite vers les États-Unis.
- Elle parle de s'en aller ailleurs (on ne sait où). Elle pourrait disparaître, c'est elle-même qui en parle.
- Elle a décidé d'aller en Inde pour se faire moine et de ne plus garder contact avec la famille.

- Elle s'est perdue dans son quartier qu'elle connaît pourtant très bien.
- Il a quitté le domicile sans aviser personne ni dire quand il reviendra.
- Il a disparu et a été retrouvé trois jours plus tard.
- Elle a abandonné sa demeure pendant deux à trois mois.
- Elle quitte le domicile familial pour plusieurs jours sans donner de signe de vie.
- Elle veut quitter la maison familiale pour aller vivre chez un gars qui habite à côté d'un de ses fournisseurs de drogue.

Les dépendances apparaissent dans 16 % de dossiers et concernent deux fois plus les drogues que l'alcool. Les requérants indiquent également des rapports problématiques avec les médicaments prescrits et le contact avec des vendeurs de drogue qui peuvent mettre en danger la personne et sa famille. Comme nous l'avons vu précédemment, certains individus exploitent financièrement leur mère pour se procurer les substances dont ils ont besoin.

- Il prend beaucoup de drogue et devrait entamer une cure de désintoxication à cause des mélanges avec sa médication habituelle.
- A toujours été un consommateur de drogues douces et a une réserve de narcotiques à la suite d'une grosse opération qu'il a subie récemment.
- Elle consomme trop de crack et de *freebase* (cocaïne épurée).
- Il consomme de l'alcool avec autres médicaments prescrits par son psy.
- L'intimée boit jusqu'à 40 onces de vodka pure dans une journée, en plus de ses antidépresseurs.
- Toxicomanie sévère, consommation de plusieurs drogues. Ses médicaments ne font plus effet.

- Sort pour s'acheter de la drogue et rentre complètement désorienté et décompensé.
- Mon frère habite chez ma mère et, souvent, il sort la nuit pour s'approvisionner en drogue et alcool. Il devient alors intoxiqué, agressif et se tient avec les mauvaises personnes.
- L'intimé vole tout l'argent de sa mère pour s'acheter de la drogue.
- Monsieur consomme de la *freebase.* Il pourrait mourir d'une surdose ainsi que se faire poursuivre ou battre par des gens à qui il doit de l'argent. De plus, il vole de la nourriture pour la revendre et a même volé l'ordinateur de sa fille.
- Elle fait venir des *dealers* de drogue chez elle. Nous sommes en danger.

Sans surprise, les requérants de la catégorie des conflits avec la famille sont des proches de la personne concernée dans plus de 95 % des requêtes, la présence d'intervenants institutionnels ou communautaires étant marginale. La lecture des dossiers montre des membres de la famille inquiets, préoccupés, épuisés, apeurés ou victimes de situations invivables ou les mettant en danger.

Toutefois, le fait d'entreprendre les démarches devant un tribunal afin que l'individu visé soit placé en garde provisoire et évalué sur le plan psychiatrique a des effets ambivalents sur la relation de ce dernier avec ses proches. Si cette relation est déjà fragilisée par les événements décrits dans les requêtes qui mettent à l'épreuve la capacité de contention et d'aide des membres de la famille et tracent une limite, les personnes intimées peuvent aussi vivre l'enclenchement d'une telle procédure de gestion des risques comme une trahison, un désaveu ou, du moins, un manque de confiance. Étant donné que la presque totalité des requêtes sont acceptées par les juges, les souvenirs traumatisants, déconcertants ou douloureux de cette procédure dans laquelle interviennent la police, le magistrat et un psychiatre contre le gré de l'individu visé peuvent marquer la relation entre celui-ci et ses proches de manière positive, nuancée ou négative. Dans le meilleur des cas, la personne concernée comprendra l'impuissance des membres de sa famille, voire leur devoir d'agir en faisant appel à ce moyen exceptionnel. Dans le pire des cas, ce sera le prélude à une rupture, la disparition du reste de confiance qui permettait jusque-là de reconduire les liens d'affection, d'aide ou de soutien malgré le caractère parfois dramatique des situations vécues par toutes les personnes impliquées. Dans la plupart des cas, les effets semblent cependant plus nuancés, ambivalents et complexes, car la requête pour évaluation psychiatrique constitue l'aboutissement d'un parcours mettant en scène des forces contradictoires où l'impuissance, la responsabilité, la peur et l'épuisement se combinent au gré de la particularité des événements problématiques et des ressources disponibles.

Est-il possible de se faire une idée du profil des individus visés par cette catégorie de situation-problème qui comporte des cas très variés ? C'est sans aucun doute la catégorie où les personnes concernées sont les plus difficiles à caractériser par des traits dominants même si elle est la plus importante en matière de folie civile. Nous pouvons quand même évoquer les lignes de faille psychosociales ordinaires qui sollicitent le plus souvent le dispositif de gestion de la dangerosité mentale contemporaine. En général, les individus impliqués dans les conflits avec la famille sont des hommes et des femmes d'âge moyen (de 24 à 44 ans chez les hommes et de 30 à 55 ans chez les femmes) qui semblent plutôt impulsifs (problèmes de contrôle sur soi, d'agitation, d'imprévisibilité, d'instabilité) et couvrent toute la gamme des comportements conflictuels et problématiques (dérangement, violences, menaces) dans leurs relations avec leurs proches. Lorsque ces personnes sont vulnérables, elles ne le sont pas aussi gravement que leurs homologues des catégories précédentes, et c'est surtout la tendance à l'isolement qui ressort le plus. Leur vulnérabilité paraît soit plus récente, soit moins fatale dans le sens où l'espoir de renverser la vapeur n'a pas encore complètement disparu. Quels sont les dispositifs institutionnels d'intervention distinctifs qui se déclenchent lorsque les conflits avec la famille se présentent ? Aucun, ou plutôt, tous (médecin de famille, psychiatre, police, DPJ, travailleur social, intervenant communautaire), ce qui est à l'image de cette catégorie de situation-problème, à la fois la plus importante quantitativement et sans doute la plus représentative des tensions psychosociales ordinaires de la folie civile contemporaine. Bref, cette catégorie est la plus fréquente et la plus riche, mais la moins spécifique et emblématique.

CHAPITRE 8

Les intraitables : être au bout du rouleau

Avec les médicaments, on est lourd. Je suis lourde, je ne peux plus penser comme avant, mais c'est considéré comme normal. L'autre jour, j'ai parlé avec quelqu'un du personnel puis il m'a dit « là, t'es mieux », mais mieux dans quel sens ? Je ne sais pas. T'as pas certains symptômes, mais en même temps… Je ne sais pas.

Claire, une patiente sous traitement psychiatrique contre son gré[1]

Dans les chapitres précédents, nous avons mentionné à plusieurs reprises que l'un des arguments invoqués pour étayer la présence de la dangerosité mentale et déclencher le dispositif de la loi P-38 est la non-observance du traitement psychiatrique par la personne dont les comportements apparaissent préoccupants ou inquiétants. Aujourd'hui, l'élément central de la thérapeutique psychiatrique est sans conteste le médicament psychotrope. Le refus, la négligence ou l'arrêt dans la prise des médicaments psychiatriques est évoqué

1. Citation tirée d'une recherche que nous menons actuellement avec Emmanuelle Bernheim concernant les expériences de personnes touchées par les autorisations judiciaires de soins.

dans environ 30 % de l'ensemble des dossiers. Toutefois, si la loi P-38 permet d'amener contre son gré un individu présumé mentalement dangereux à un centre hospitalier afin qu'il y subisse une évaluation psychiatrique, elle n'autorise plus le traitement involontaire comme pouvait le laisser entendre la notion psychiatrico-juridique de « cure fermée » inscrite explicitement dans la loi de 1972.

Lorsqu'un diagnostic psychiatrique en bonne et due forme relie la dangerosité pour soi ou pour autrui à un trouble mental, comment est-il possible de limiter les risques psychiatriques réels ou pressentis si la personne visée rejette le traitement proposé ? Quels instruments juridiques sont alors mobilisés pour traiter les intraitables et comment fonctionnent-ils ? Quels médicaments ces individus récalcitrants refusent-ils de prendre et quels diagnostics justifient cette médication ? Qui sont ces personnes et que font-elles de dangereux ? Pour répondre à ces questions, qui touchent dans une certaine mesure au noyau dur de la folie civile en fait de situations dramatiques et d'individus somme toute au bout du rouleau, nous nous appuyons sur les données d'une enquête[2] que nous avons menée au palais de justice de Montréal au cours de l'année 2009 et qui porte sur l'ensemble des dossiers des personnes ayant fait l'objet d'une requête judiciaire de la part des établissements hospitaliers montréalais afin qu'elles soient traitées contre leur gré en raison d'un danger présumé pour elles ou pour autrui.

---

2. Ces dossiers concernent les individus ayant fait l'objet d'une décision de la Cour supérieure du Québec pour le district de Montréal en matière de requêtes d'autorisation judiciaire de soins pour l'année 2009. Ils sont classés sous la cote 500-17 qui regroupe l'ensemble des dossiers relatifs aux établissements hospitaliers et aux anciens CSSS. Sur un total de 338 dossiers, 290 correspondent à des hôpitaux et 48 à des CSSS. Nous nous sommes concentrés sur ceux impliquant les établissements hospitaliers et portant exclusivement sur les demandes d'autorisation judiciaire de soins en lien avec la santé mentale. Parmi les 290 dossiers se rapportant à des hôpitaux, nous avons pu en étudier 230, les autres étant soit difficiles d'accès, soit introuvables.

Les autorisations judiciaires de soins : le retour de la cure fermée ?

Le droit au consentement aux soins est explicitement inscrit dans le Code civil depuis 1971, mais il ne semble pas avoir été très respecté dans la pratique psychiatrique de l'époque (Mayrand, 1975 ; Bergeron, 1981). D'une part, un patient qui se trouvait en cure fermée était considéré dans les faits comme incapable de consentir aux soins (Menard, 1998b) et, d'autre part, le fait de refuser un traitement pouvait se traduire par le prolongement *de facto* de l'hospitalisation (Lajoie *et al.*, 1981). L'assimilation illégitime de la maladie mentale à une inaptitude à consentir aux soins semble avoir été longtemps la règle (Dorvil, 2010). Ce n'est qu'à partir de la révision du Code civil du Québec effectuée durant les années 1990 que la question du consentement aux soins a été spécifiquement intégrée au chapitre sur l'intégrité de la personne. Désormais, le consentement de l'individu doit être systématiquement obtenu[3], sauf dans les « cas exceptionnels ». Les autorisations judiciaires de soins (AJS) visent précisément ces cas exceptionnels où un juge de la Cour supérieure du Québec[4] doit décider de l'inaptitude du patient (le défendeur) à consentir aux soins demandés par le médecin traitant ou encore le représentant du centre hospitalier (le demandeur). Si le magistrat conclut que le défendeur est inapte à consentir aux soins, il devra évaluer d'abord la nécessité des soins proposés par le demandeur et ensuite les risques et bénéfices qui y sont associés (Bernheim, 2011). Même si la loi est respectée en tous points et que le juge est obligé selon le Code civil

3. L'obligation d'obtenir le consentement du patient figure aussi dans le Code de déontologie des médecins, mais, comme nous l'avons vu au chapitre premier, les maladies mentales n'ont jamais été des maladies « comme les autres ».

4. Au Québec, c'est la Cour supérieure qui a compétence en matière d'AJS, tandis que les gardes en établissement sont gérées par la Cour du Québec (loi P-38).

d'agir dans le seul intérêt du défendeur, deux problèmes théoriques majeurs se posent, et leurs conséquences pratiques se répercutent sur les droits et le sort concrets des personnes visées.

En premier lieu, les juges ne semblent pas toujours être capables de définir le concept d'inaptitude ou les critères qui le sous-tendent. La thèse de doctorat d'Emmanuelle Bernheim consacrée aux décisions en matière d'hospitalisation et de soins psychiatriques sans le consentement des patients au Québec montre qu'à la question « Comment appréciez-vous l'aptitude à consentir aux soins ? » posée dans le cadre de son enquête, « la majorité des juges a affirmé ne pas savoir définir le concept d'inaptitude. Les réponses évoquent à la place de nombreux éléments comme la normalité ou le danger[5] » (Bernheim, 2010, p. 560). En second lieu, il est évident que la décision du juge en ce qui concerne la nécessité du traitement proposé et ses bénéfices potentiels doit s'appuyer largement sur l'avis d'un expert, qui est la plupart du temps le psychiatre de la partie demanderesse (l'établissement hospitalier). Or, cet avis est un facteur déterminant dans l'issue du processus, voire l'élément décisif dans l'autorisation d'un traitement contre la volonté de la personne[6].

L'AJS est l'un des dispositifs aujourd'hui officiellement intégrés au Code civil du Québec qui conjuguent la légitimité de la loi, la contrainte publique, le bien-être des citoyens et le prestige scientifique des disciplines biomédicales. À l'instar de l'autorisation judiciaire

5. À titre d'exemple, voici le genre de réponses obtenues : « L'hôpital est convaincu que la personne doit être soignée, car elle est dangereuse pour elle-même ou pour autrui », « Tu as le droit d'être fou et libre, tu n'as juste pas le droit d'être dangereux ». Dans d'autres cas, les soins sont autorisés avec une référence explicite à la garde en établissement ordonnée par une juge de la Cour du Québec la semaine précédente, ce qui réintroduit à certains égards la pratique de la « cure fermée » (Bernheim, 2010, p. 560).

6. Le fardeau de la preuve de l'inaptitude à consentir aux soins repose entièrement sur le demandeur, c'est-à-dire sur le médecin traitant et le centre hospitalier.

d'évaluation psychiatrique ou de garde en établissement (loi P-38), l'AJS comporte la possibilité légale d'utiliser des moyens de contrainte (la police) si l'individu visé refuse d'obtempérer à l'ordonnance du juge, laquelle s'appuie presque systématiquement sur l'expertise médicale d'une seule des parties. Il est important de souligner que l'AJS est accordée *in fine* au médecin traitant et à l'établissement où se trouve (ou sera envoyée) la personne concernée. L'établissement hospitalier dispose ensuite d'une marge de manœuvre assez large pour gérer à sa guise la suite de la situation juridico-clinique de l'individu touché par l'ordonnance.

En effet, les mécanismes de révision et de contrôle du traitement, et parfois de l'hébergement, ordonnés par le juge favorisent nettement l'une des parties. Par exemple, la gestion de la durée de l'AJS, qui oscille généralement entre deux et trois ans, est mal balisée et laisse une énorme latitude aux hôpitaux. Dans ce laps de temps, c'est non seulement l'état de santé de la personne qui peut évoluer sensiblement (détérioration, amélioration, non-réaction au traitement), mais aussi sa capacité à consentir qui n'est pas, elle non plus, une donnée immuable. Or, il est étonnant de constater que « la loi ne prévoit aucun mécanisme de révision, peu importe la durée ou les conditions de l'ordonnance » (Ménard, 2007, p. 331-332). C'est plutôt au conseil des médecins, dentistes et pharmaciens de l'hôpital (CMDP) que revient, dans un grand nombre de jugements, la tâche d'effectuer le suivi du traitement en fonction des rapports du médecin traitant. Ce mécanisme très fonctionnel pour la dynamique des établissements hospitaliers est inefficace pour protéger les droits des personnes sous traitement. D'une part, « le tribunal ne peut le contrôler sous beaucoup d'aspects », d'autre part, « la personne la plus affectée par ces décisions est totalement absente de tout et ne peut avoir accès à quelque information que ce soit » (Ménard, 2007, p. 332).

Le recours à l'AJS comporte ainsi de nombreux problèmes éthiques soulevés par divers groupes de défense des usagers, dont le possible détournement de ce dispositif à des fins autres que celles prévues dans le Code civil (Morin *et al.*, 1999). L'AJS peut faciliter tantôt l'internement de l'individu ou son déplacement d'un logement privé à des ressources plus structurées, tantôt l'assimilation trop mécanique du refus de prendre certains médicaments comportant d'importants effets secondaires à l'inaptitude à consentir aux soins. L'une des manières d'y voir plus clair selon les données disponibles est d'analyser le fonctionnement concret des audiences afin de mieux connaître les rapports de force, les ressources disponibles et les droits réels dont les parties disposent lorsqu'il s'agit de prendre des décisions sur le sort des personnes qui rejettent le traitement psychiatrique.

Les intraitables dans la machine juridico-psychiatrique

Les principaux acteurs qui participent généralement aux audiences sont le juge, le greffier et les parties qui s'affrontent. Du côté de la partie demanderesse, on retrouve les avocats du requérant (habituellement un établissement hospitalier) et le psychiatre traitant, présent souvent à titre de témoin expert. Du côté de la partie défenderesse, on retrouve en général la personne intimée et son avocat. Une contre-expertise peut, en théorie, être soumise par un autre psychiatre appelé par la partie défenderesse, mais cette pratique demeure exceptionnelle. Les informations contenues dans les procès-verbaux des audiences permettent de dégager les principaux éléments concernant le déroulement du processus à la cour. On peut connaître notamment la durée moyenne de l'audience, la représentation ou non de la personne intimée par un avocat, la présence de la personne intimée, la présentation de contre-expertises et le délai moyen entre le dépôt de la demande d'AJS et l'audience. Ces éléments peuvent nous donner des indications concernant l'équité du processus et le respect des droits des individus touchés.

Si on prend en considération l'ensemble des 230 dossiers étudiés dans le cadre de notre recherche, nous constatons que 68 juges différents ont traité ce type de requête au cours de l'année 2009. Il est donc possible que les pratiques varient en fonction de différents facteurs tels que la formation, l'expérience et la connaissance de la psychiatrie des magistrats. Quant à la durée des audiences, elle est en moyenne de 54 minutes, ce qui semble aux yeux des juristes un laps de temps exceptionnellement court pour que les parties puissent développer leurs arguments, être interrogées par le juge et bien examiner la situation (Bernheim, 2011 ; Ménard, 2007). Si on analyse de façon plus précise ces données, elles nous permettent de voir que la majorité des audiences durent moins de 45 minutes (54,78 %), et presque 70 % d'entre elles moins d'une heure[7].

Si la durée moyenne de l'audience paraît relativement courte, la représentation par un avocat ainsi que la présence du défendeur donnent davantage d'indices pour savoir si partie défenderesse, c'est-à-dire le patient, a eu la possibilité de faire entendre et valoir son point de vue et ses intérêts. Dans 65,22 % des cas, la partie intimée était représentée par un avocat à l'audience et dans 21,30 % des cas, l'avocat était seul, le défendeur étant absent. Dans environ 50 % des dossiers, le défendeur était présent à l'audience et dans presque 7 % il se représentait seul. Même si la proportion de défendeurs représentés par un avocat est importante, un très grand nombre d'entre eux n'ont pas participé à l'audience (114 sur 230 dossiers). Bien que l'on puisse supposer que l'état de certaines personnes les empêche d'être présentes à la Cour, ce fait demeure problématique. La participation à l'audience de l'individu concerné et de son représentant est fondamentale, car elle permet à l'intimé d'être entendu, d'interroger à l'occasion le requérant et de défendre ses droits. La présence de la partie défenderesse fait en sorte que la décision du juge ne repose pas exclusivement sur le rapport psychiatrique et sur la parole des témoins

7. Seulement 16 requêtes (6,95 %) ont donné lieu à une audience de plus de deux heures.

experts, c'est-à-dire sur le témoignage de la seule partie demanderesse. Même si elle ne permet pas dans la majorité des cas le rejet des requêtes, elle peut cependant influencer certains éléments de l'AJS tels que le choix du lieu d'hébergement (hébergement au choix du défendeur plutôt que du demandeur), la durée ou la nature du traitement (types de médicaments, propositions de thérapies).

Puisque l'enjeu de l'audience est l'hospitalisation de la personne visée ou encore l'obligation pour elle de se rendre régulièrement à l'hôpital durant une longue période (souvent plus de deux ans) afin de recevoir son traitement, il est étonnant que les raisons de son absence ne soient pas spécifiées de manière claire et précise dans les dossiers. De surcroît, les procès-verbaux ne fournissent généralement pas beaucoup de détails sur le déroulement et le contenu des interrogatoires. Nous avons toutefois observé que l'intimé est interrogé par le tribunal dans 61,40 % des cas où il est présent. Bien qu'une majorité d'individus visés soient questionnés, il faut tout de même noter que dans près de 40 % des audiences où la personne est présente, le juge ne s'adresse pas à elle. C'est principalement par l'avocat de la défense que l'intimé est interrogé (75,44 %). Si nous considérons l'ensemble des dossiers indépendamment de la présence ou de l'absence du défendeur, nous constatons que seulement 30,87 % des personnes concernées ont été effectivement interrogées par le tribunal.

L'expertise médicale est l'un des éléments les plus importants pour déterminer la décision du juge. Dans le cadre d'une audience équilibrée, l'expertise de la partie demanderesse ne devrait pas être la seule à déterminer l'état mental de la personne concernée ainsi que la pertinence, les risques et la nature des bénéfices du traitement. C'est pourtant la situation la plus courante. Les mentions de contre-expertise dans les requêtes sont, en effet, plutôt rare. En fait, dans 91 % des cas, il n'y en a aucune. Seulement 6 requêtes (environ 3 %) font clairement état de la présence d'experts mandatés par le défendeur.

Le délai entre le dépôt de la demande d'AJS et la tenue de l'audience est fort important parce qu'il montre le laps de temps dont

Graphique 31. — Expertise psychiatrique de la partie défenderesse

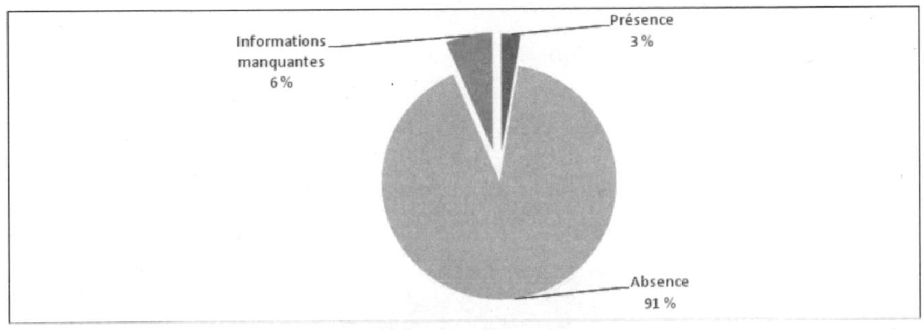

l'intimé dispose pour préparer sa défense. Alors que les établissements hospitaliers bénéficient de plusieurs semaines pour préparer leurs dossiers, les procédures et les expertises, les personnes qui font l'objet de la demande et leurs procureurs, lorsqu'ils sont présents, n'ont que quelques jours pour se préparer. Le déséquilibre entre les parties est ainsi énorme non seulement en fait de délais, mais aussi en fait de ressources, d'expertise et d'expérience dans le recours au dispositif de l'AJS, car ce type de procédure est bien rodée du côté des demandeurs (Ménard, 2007). Environ un cinquième des requêtes montrent que le délai entre le dépôt et l'audience est de moins de cinq jours, ce qui laisse très peu de temps à l'individu visé pour élaborer sa défense. En excluant les dossiers pour lesquels nous ne possédons pas les informations nécessaires, le délai est en moyenne de 9,4 jours.

Les questions du taux d'acceptation et de la durée de l'AJS sont cruciales pour le respect des droits et libertés de la personne concernée. De toutes les demandes d'autorisation de soins, plus des trois quarts (76,96 %) sont accordés par le tribunal. Pour ce qui est de la durée des AJS, environ la moitié des dossiers font état d'une période de 36 mois et plus d'un tiers d'une période de 24 mois. Rares sont les cas (6 % du total) où le demandeur réclame moins que deux ans.

Soulignons que plus de 90 % des AJS durent deux ans ou plus et qu'une tendance à l'allongement semble s'être installée (Bernheim, 2011). La durée de l'AJS ainsi que la plupart des conditions demandées par les hôpitaux sont généralement respectées par les décisions

Graphique 32. — Durée des autorisations judiciaires de soins

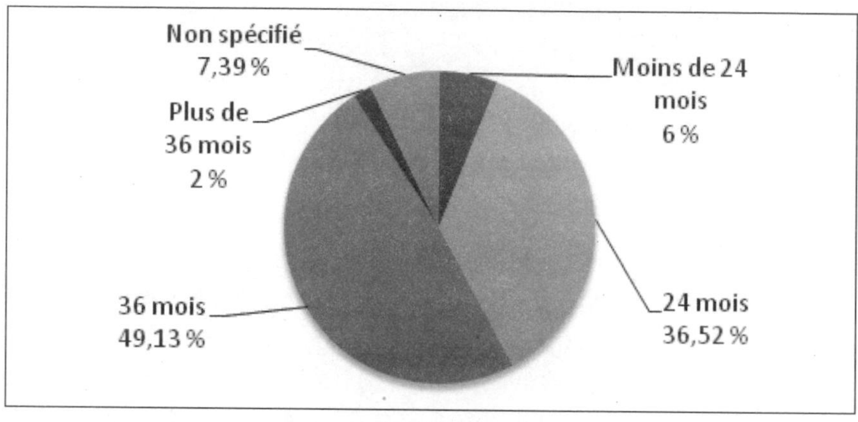

des juges, mais parfois la requête peut être acceptée partiellement. Sur les 230 dossiers analysés, nous n'en retrouvons que 22 dans lesquels la durée a été réduite par le magistrat, c'est-à-dire 9,5 % du total.

Bref, l'ensemble des données disponibles montrent que le dispositif juridico-psychiatrique qui est enclenché pour forcer le consentement aux soins des personnes qui les refusent est à plusieurs égards déséquilibré. L'idée de « cure fermée » que le législateur a voulu évacuer dans l'esprit et la lettre de la loi P-38 ne semble pas avoir été totalement évacuée des pratiques, notamment par AJS interposée. Les déséquilibres sur le plan du matériel, du symbolique et du savoir entre les parties demanderesse (le médecin et le centre hospitalier) et défenderesse (l'intimé) sont reproduits et reconduits dans le contexte concret des audiences, ce qui n'est pas un fait nouveau dans l'histoire des rapports entre les patients, la justice et les institutions de soins (Cohen *et al.*, 1998 ; Dallaire *et al.*, 2001).

Qui sont les intraitables ?

Les dossiers des demandes d'AJS, qui sont parfois incomplets, fournissent divers renseignements qui permettent de reconstruire très sommairement certains aspects du profil sociodémographique et de l'environnement social des intimés. L'âge moyen des personnes qui refusent le traitement psychiatrique est d'environ 45 ans. La répartition par sexe montre une surreprésentation des hommes par rapport aux femmes (56 % contre 44 %), mais surtout un déséquilibre marqué dans la répartition des sexes selon les différents groupes d'âge. En effet, les jeunes hommes sont représentés en nombre plus important que les jeunes femmes, et cette tendance s'inverse de manière nette au fur et à mesure que les individus vieillissent. Le point d'infléchissement se trouve à l'âge de 50 ans, moment où les femmes commencent à être beaucoup plus nombreuses. En résumé, l'univers des intraitables est typiquement caractérisé par des jeunes hommes, notamment le groupe des 19-35 ans, et par des femmes plutôt âgées, dont le groupe des 55-75 ans.

Même si les données sont fragmentaires, imprécises ou ambiguës, nous pouvons néanmoins reconstituer de manière partielle et schématique la situation familiale (état civil, enfants), professionnelle (emploi présent ou passé) et résidentielle (quartier, type de résidence, situation d'itinérance) des intimés. L'examen de l'état civil de la personne concernée peut être éclairant dans la mesure où il donne certains indices sur la possibilité pour l'individu d'obtenir du soutien social proche, direct et rapide durant les audiences. Plus de la moitié des personnes touchées par une demande d'AJS sont célibataires (52 %). Les personnes séparées ou divorcées arrivent au deuxième rang (10,87 %), suivies des personnes veuves (4,35 %). Le nombre de personnes mariées (3,91 %) et en couple (1,74 %) est très faible. Si l'on regroupe célibataires, séparés ou divorcés et veufs, nous approchons de 70 % de l'ensemble. Considérant la forte probabilité que les individus pour lesquels nous ne disposons pas d'informations précises sur l'état civil n'aient pas de partenaire, on peut supposer qu'environ 90 % des intimés se trouvent dans une telle situation.

La présence ou non d'enfants fournit également quelques renseignements sur le réseau social des intimés, notamment lorsque nous avons affaire à des personnes plus âgées. Seulement un quart (24 %)

Graphique 33. — Âge et sexe des personnes faisant l'objet d'une demande d'AJS

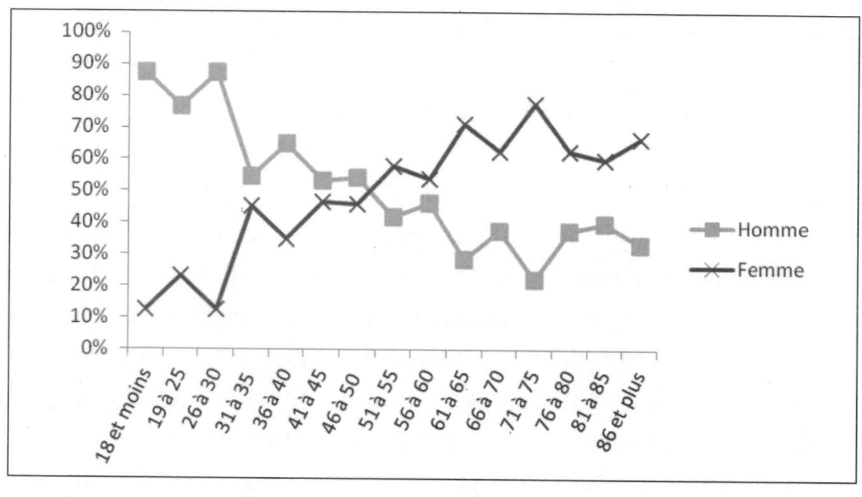

des dossiers mentionnent explicitement l'existence d'un ou de plusieurs enfants dans la vie des individus visés. Plus de la moitié (54 %) indiquent que les personnes concernées n'en ont pas. Étant donné qu'un grand nombre de requêtes ne donnent pas d'informations précises à ce sujet (22 %), il semble probable qu'il s'agit d'individus soit qui n'ont pas d'enfant, soit qui n'ont plus de liens avec eux. On peut donc avancer qu'environ 74 % des intimés n'ont pas d'enfant ou n'ont pas de contacts avec eux.

Si le réseau social des personnes touchées par les requêtes d'AJS paraît fragile et même inexistant, le rapport au travail l'est encore davantage. Seulement 2,6 % des individus visés ont un travail au moment du dépôt de la demande. Pour le reste des dossiers, trois situations sont possibles. Plusieurs indiquent que l'intimé est prestataire d'une aide gouvernementale quelconque, d'autres soulignent clairement que la personne concernée n'a pas d'emploi. Dans le reste des cas, la vie professionnelle n'est pas mentionnée. Il est toutefois fort probable que ces intimés n'ont effectivement pas de travail puisque la plupart des établissements indiquent les renseignements relatifs à l'emploi lorsqu'il y en a un.

Comme pour le dispositif de requête pour évaluation psychiatrique de la loi P-38 vu dans le chapitre trois, les liens entre la défavorisation matérielle et sociale et les demandes d'AJS semblent se vérifier sur l'île de Montréal. En effet, le territoire du CSSS de l'Ouest-de-l'Île, où réside la majeure partie de la population favorisée sur les plans matériel et social, enregistre le nombre de demandes d'AJS le plus faible, c'est-à-dire 0,87 % du total. En revanche, les territoires des CSSS Jeanne-Mance (10,87 %) et Lucille-Teasdale (8,7 %), qui présentent les indices de défavorisation sociale les plus importants de Montréal (respectivement 51 % et 37 %), possèdent les proportions d'intimés les plus élevées de la ville de Montréal. Au sein du territoire du CSSS Jeanne-Mance, c'est au CLSC des Faubourgs que nous retrouvons le plus de personnes touchées par des demandes d'AJS (15 sur les 24 requêtes du CSSS). Du côté du territoire du CSSS Lucille-Teasdale, c'est au CLSC d'Hochelaga-Maisonneuve que le nombre est le plus élevé (8 requêtes sur 20). Sur les territoires de ces deux CLSC, les taux de défavorisation matérielle et sociale combinés sont les plus élevés de Montréal (ASSS de Montréal, 2005 ; DSP et ASSS de Montréal, 2008). Le fait que près de 20 % des individus visés par une demande d'AJS vivent en situation d'itinérance ou ont été évincés de leur logement au moment du dépôt de la demande contribue à l'impression qu'une bonne partie des personnes concernée sont vulnérables sur le plan matériel et social. En outre, environ la moitié des intimés occupent un logement précaire.

Il est possible d'identifier sept grandes catégories de situation résidentielle pour les individus faisant l'objet d'une requête d'AJS : en appartement ou dans une maison, avec des proches, dans un refuge ou une ressource en santé mentale ou spécialisée, dans un hôpital, dans un appartement supervisé, en situation d'éviction et en situation d'itinérance.

Avant leur hospitalisation ou leur contact avec l'établissement hospitalier, 48,7 % des personnes concernées résident en appartement ou dans une maison. Si la plupart d'entre elles semblent habiter seules, presque 15 % demeurent avec un proche (membre de la famille, parents ou amis). Environ 10 % des individus visés sont soit en appartement supervisé (4,35 %), soit hospitalisés depuis longtemps (3,91 %). Dans ce dernier cas, l'adresse figurant au dossier est celle de l'hôpital. Un nombre important d'intimés (18,26 %) sont considérés comme sans-abri ou en situation d'itinérance. On retrouve également un certain nombre de personnes (2,17 %) qui ont été évincées de leur appartement dernièrement ou sont en voie de l'être. Enfin, 3,04 % des individus visés fréquentent une ressource ou un hébergement d'urgence ou transitoire, comme un refuge ou un centre pour femmes violentées. C'est donc près du quart des personnes concernées qui sont sans résidence au moment du dépôt de la demande d'AJS. Le maintien du logement occupé par les intimés avant l'hospitalisation et pendant le traitement ainsi que l'entreposage ou l'éventuelle perte de leurs biens demeurent, hier comme aujourd'hui, un enjeu majeur (Morin et Dorvil, 2008).

À la lecture de l'ensemble des dossiers des demandes d'AJS, nous constatons que la majorité des individus visés ne disposent pas d'un réseau social important (parents, conjoints, enfants, amis) et ne participent pas de manière significative au monde du travail (dépendance aux programmes de sécurité du revenu). La situation résidentielle précaire, la surreprésentation des quartiers les plus pauvres de la ville et la défavorisation matérielle complètent le portrait de vulnérabilité globale de ces personnes, surtout des hommes jeunes et des femmes plutôt âgées, qui font l'objet d'une demande d'AJS.

Quels problèmes posent les intraitables à eux-mêmes et aux autres ?

Bien entendu, le discours déployé dans les demandes d'AJS n'est pas impartial et neutre, car les arguments avancés par la partie demanderesse (médecin traitant, représentant légal, directeur ou expert de l'hôpital) visent, dans un premier temps, à démontrer que la personne est inapte à consentir aux soins et, dans un deuxième temps, à mettre en lumière la nécessité du traitement proposé à cause des risques potentiels ou réels encourus par la personne ou par autrui. Les langues juridique et psychiatrique s'allient pour traduire une expérience brute qui pose problème et qui s'avère fort éprouvante tant pour l'individu visé que, lorsqu'il est encore présent, pour l'entourage soucieux, ébranlé et parfois épuisé. La logique argumentative tend à réduire l'expérience problématique globale que les intraitables vivent dramatiquement à une pathologie psychiatrique qui expliquerait l'essentiel de ce qui pose problème et que le traitement suggéré permettrait d'enrayer. Toutefois, les dossiers des demandes d'AJS fourmillent d'informations disparates qui dépassent ce seul cadre juridico-psychiatrique et essaient de formater l'expérience complexe des intraitables.

Les personnes qui font l'objet d'une AJS vivent en effet de nombreuses difficultés sur plusieurs plans et se font également reprocher également de multiples comportements inquiétants, dérangeants ou encore dangereux. Autrement dit, les intraitables éprouvent des problèmes graves et posent aussi des problèmes graves aux autres. Ce qui ne veut pas dire que les problèmes et les solutions soient seulement ou essentiellement psychiatriques. Il est possible de trouver des allusions aux problèmes des individus visés dans plusieurs sections des dossiers (identification, histoire récente, description de certains symptômes), mais c'est une opération délicate puisque les domaines de la pathologie mentale, de la vulnérabilité sociale et des conjonctures ou contextes de vie particuliers s'entremêlent et se confondent dans les récits qui défendent la nécessité de soins sans le consentement de la personne[8]. Comme la plupart des personnes concernées ont déjà reçu

8. Nous séparons délibérément les difficultés des personnes et leurs comportements problématiques envers les autres des diagnostics psychiatriques officiels, car ces derniers incluent habituellement les précédents, dans le sens où la maladie mentale explique tout : pauvreté, vulnérabilité, violence, toxicomanie, suicides et ainsi de suite.

des diagnostics ou été hospitalisées à de nombreuses reprises dans le passé, ces aspects médicaux ou techniques sont très souvent suffisants aux yeux des demandeurs d'AJS tant pour appuyer leur requête que pour expliquer les difficultés dans la vie des personnes.

De façon générale, on peut distinguer six grandes difficultés qui entravent de manière récurrente et importante l'existence des individus visés par une demande d'AJS, qu'ils aient des problèmes de santé mentale caractérisés ou non : le manque ou la perte d'autonomie (25,6 %), les questions liées à l'hygiène et à la salubrité (23,48 %), l'instabilité résidentielle (18,7 %), les problèmes d'alimentation (18,7 %), la gestion difficile de l'argent (18,3 %) et, enfin, les problèmes de sécurité personnelle (7,39 %). Il est possible de quantifier de façon minimale et non exclusive les références à ces six difficultés dans l'ensemble des dossiers, sans toutefois perdre de vue qu'il s'agit d'une estimation en fonction des seules informations consignées, qui doit donc être considérée avec prudence.

Lorsque nous parlons de problèmes d'autonomie, il s'agit la plupart du temps de l'impossibilité d'accomplir sans assistance des tâches élémentaires de la vie quotidienne. Dans certains cas, les personnes concernées sont sous la protection du Curateur public, et leur manque d'autonomie est attesté par des rapports d'évaluation médicaux et psychosociaux concluant à l'inaptitude totale et permanente de la partie défenderesse à prendre soin d'elle-même et à administrer ses biens. Plus fréquemment, la perte d'autonomie est cependant associée à des problèmes particuliers, dont les déficits cognitifs, la désorganisation de la pensée, les dépendances et les maladies, qui empêchent d'une manière ou d'une autre les individus visés d'assurer eux-mêmes leur bien-être et leur sécurité.

Les questions d'hygiène et de salubrité évoquées dans les demandes touchent principalement à la négligence de l'hygiène corporelle et de l'entretien du logement qui représente un danger pour la santé et la sécurité des personnes concernées. Les descriptions sont souvent brèves, mais elles lient à plusieurs niveaux le soin du corps à celui du lieu de résidence. Pour cette raison, nous les avons regroupées dans la même catégorie, que l'on retrouve de manière claire et explicite dans près du quart des demandes. Les dossiers décrivent des situations différentes mais qui, pour la plupart, existent depuis un certain temps et dont la gravité semble établie. Dans certains cas extrêmes, les demandes font référence à l'évacuation de l'individu visé par la police et des inspecteurs de la Ville en raison de l'insalubrité du logement. Dans d'autres cas, l'insalubrité est l'un des motifs donnés pour évincer la personne touchée à la suite de plaintes de voisins ou du constat des propriétaires. Souvent, les demandes soulignent l'incapacité de la personne à assumer la gestion de son milieu de vie et les risques que cela comporte pour sa santé et, parfois, pour celle des autres.

Les difficultés à se nourrir convenablement sont soulevées à plusieurs reprises dans les dossiers. Elles peuvent avoir plusieurs causes qui se chevauchent comme l'extrême pauvreté, une pathologie ou un délire précis, les effets secondaires de la médication ou le refus de manger. Quant à l'instabilité résidentielle, elle comprend principalement l'éviction, l'incapacité à trouver de l'hébergement ainsi que les difficultés à payer le loyer. Si on exclut les situations d'itinérance, qui sont mentionnées dans les requêtes sans beaucoup d'autres détails, on retrouve des indices de problèmes sérieux liés au logement dans un peu moins d'une demande sur cinq. En tenant compte des cas d'itinérance, on constate que l'instabilité résidentielle est un élément crucial pour au moins 40 % des individus visés par une demande d'AJS. Les évictions ont pour cause des raisons financières ou encore des situations conflictuelles, notamment avec les voisins, les corésidents ou le propriétaire.

La gestion difficile de l'argent, mentionnée dans 18 % des dossiers, n'est pas évoquée dans le détail, mais elle sous-entend autant la gestion délicate d'un maigre revenu (allocations gouvernementales) que le risque éventuel d'exploitation financière. Enfin, les difficultés liées à la sécurité personnelle, qui apparaissent dans environ 7 % des demandes, découlent d'une perte d'autonomie et d'une vulnérabilité sociale graves qui font en sorte que certaines personnes sont incapables de réagir lorsqu'elles se trouvent dans une situation d'urgence, ont des comportements jugés non sécuritaires ou nécessitent une supervision constante (Roy, 2008 ; Morin *et al.*, 2005).

En ce qui concerne les problèmes posés aux autres, une partie des comportements en cause sont bien entendu définis de manière spécifique par la législation pénale. À ce titre, dans la très grande majorité des dossiers (80 %), il n'y a pas de trace de l'existence soit d'un casier judiciaire, soit de démêlés avec la justice. Toutefois, il est important de mentionner que dans 60 % des demandes d'AJS, on retrouve des indices d'au moins un recours préalable à la loi P-38 qui, on le sait, vise les conduites dangereuses pour soi-même ou pour autrui associées à un état mental perturbé. De manière générale, on peut identifier au moins six catégories de comportements socialement problématiques pouvant éventuellement déclencher des dispositifs sécuritaires ou de judiciarisation : comportements déréglés, dépendances, itinérance, errance et fugue, transgression de normes (lois et règles), communication déréglée et comportements suicidaires.

Les problèmes les plus souvent évoqués ont trait à une variété de comportements déréglés (43 %). Par ordre d'importance, nous pouvons distinguer les bizarreries, les comportements dérangeants, les comportements perçus comme dangereux, ceux liés à la sexualité explicite ou à l'exhibitionnisme, les provocations et les postures inhabituelles.

Plus de 33 % des dossiers mentionnent la consommation d'une ou de plusieurs substances psychoactives en relation avec une dépendance présumée ou avérée. Les substances qui reviennent le plus fréquemment dans ce sous-ensemble de requêtes sont le cannabis (59 %) et l'alcool (47 %). Les drogues dites dures sont moins présentes (18 %).

Nous avons vu précédemment que beaucoup des personnes visées par les demandes d'AJS se trouvent dans une situation de précarité ou d'insécurité résidentielle grave. Si plus d'un quart des dossiers font explicitement référence à des situations d'itinérance, d'errance ou de fugue, il est difficile de bien les différencier en fonction des informations données. On peut supposer que les allusions à l'itinérance correspondent à des états durables, que celles à l'errance concernent des situations plutôt transitoires ou intermittentes et, enfin, que celles à des fugues désignent des événements ponctuels. Pour ce qui est de l'errance, les indications se limitent à des phrases telles que « errance nocturne », « errance dans le passé » et « a vécu quelques jours dans la rue ». Les références aux fugues sont un peu plus détaillées et nous estimons, de manière provisoire, qu'elles figurent dans 7 % des requêtes. Il est souvent question d'une fugue de l'hôpital ou de la ressource où l'individu concerné est logé ou traité. Qu'il s'agisse d'itinérance, d'errance ou de fugue, les personnes visées s'en trouvent plus susceptibles d'être interpellées par la police et d'avoir des frictions avec des étrangers, ce qui peut se traduire par des incidents entraînant notamment la judiciarisation et l'imposition d'amendes municipales.

La catégorie de la transgression des normes regroupe le non-respect tant des lois et des règlements municipaux que des règles des établissements hospitaliers, des ressources communautaires et des résidences collectives. Environ le cinquième des demandes en font état (22,17 %).

Quant aux problèmes de comportement liés à la parole ou à la communication, ils sont mentionnés dans 21,74 % des dossiers. De ce nombre, environ 36 % ont trait au soliloque, 20 % au mutisme, 18 % aux rires immotivés et 16 % aux problèmes généraux de contact ou de communication.

Enfin, dans plus de 12 % des demandes, les requérants rapportent des comportements suicidaires ou des tentatives de suicide récentes.

Nul doute que les personnes touchées par les demandes d'AJS, d'une part, éprouvent de nombreuses difficultés qui les vulnérabilisent sur les plans social et psychologique et, d'autre part, posent des problèmes aux autres qui peuvent se traduire par la mobilisation de dispositifs de santé, de sécurité et de judiciarisation. Mais il ne fait pas de doute non plus que ces problèmes, de par leur nature, leur ampleur et leur variété, dépassent largement l'univers des catégorisations et des réponses psychiatriques.

Diagnostics et traitements

Les dossiers fournissent beaucoup de renseignements sur les problèmes de santé mentale prêtés à la personne (le défendeur) qui refuse les soins proposés par la partie demanderesse (médecin traitant, hôpital), laquelle est, rappelons-le, la seule à disposer d'un expert (un psychiatre) durant l'audience. Ils indiquent aussi les diagnostics psychiatriques synthétisant de manière plus ou moins technique un ensemble de symptômes et de signes cliniquement significatifs qui affectent, entre autres, le fonctionnement social, les cognitions et l'humeur de l'individu visé. Dans les demandes, on retrouve souvent plusieurs diagnostics et, parfois, une mention générale quant à la présence de troubles psychotiques ou, plus rarement, de la personnalité. Ainsi, nos catégories ne sont pas exclusives puisque différents diagnostics peuvent être évoqués pour une même personne. Elles nous donnent cependant une idée assez claire de l'univers des catégories psychiatriques auxquelles correspondent l'ensemble des dossiers de demandes d'AJS et du poids relatif de chacune.

Si nous tenons compte du nombre de fois où un diagnostic apparaît dans l'ensemble des dossiers, ce sont clairement les troubles psychotiques[9] (56,09 %) et la schizophrénie (46,52 %) qui se démarquent. Pour le reste des diagnostics, il n'y a pas de différence importante en fait de fréquence entre les troubles schizo-affectifs (13,91 %), la bipolarité avec une prédominance dépressive (14,78 %) ou avec une

9. C'est de cette manière générique que certains troubles sont identifiés dans les dossiers.

prédominance maniaque (12,17 %) et les troubles cognitifs ou la démence (13,04 %). Quant aux troubles de la personnalité, ils sont présents dans un nombre beaucoup plus restreint de demandes, soit dans 4 à 7 % de l'ensemble des dossiers. Il s'agit des troubles ou traits de personnalité égocentrique ou narcissique (4,78 %), des troubles ou traits ou de personnalité borderline (6,52 %), des traits de personnalité antisociale (4,35 %) et des troubles ou traits de personnalité autres ou non spécifiés (6,09 %).

La plupart des intimés possèdent des antécédents psychiatriques et se trouvent déjà dans un établissement hospitalier au moment du déclenchement de la procédure de demande d'AJS. Les trois demandeurs les plus importants sont le Centre hospitalier de l'Université de Montréal (31,3 %), l'Institut Douglas (17,39 %) et l'Institut universitaire en santé mentale de Montréal (ancien Hôpital Louis-H. Lafontaine) (15,5 %). Dans le cas du CHUM, le grand nombre de demandes s'explique probablement par le fait qu'il travaille en collaboration avec l'ancien CSSS Jeanne-Mance, dont le territoire, notamment celui qui correspond au CLSC des Faubourgs, est celui où nous retrouvons une proportion considérable de personnes vulnérables et de ressources d'aide spécialisées (itinérance, centres de crise, toxicomanie, refuges). L'Institut Douglas et l'Institut universitaire en santé mentale de Montréal sont quant à eux des hôpitaux spécialisés en psychiatrie desservant respectivement l'ouest et l'est de l'île de Montréal.

Lorsque la demande d'AJS concerne un traitement[10], la grande majorité des dossiers (81,3 %) fait référence à des médicaments psychotropes. Nous considérons nos catégories de médicaments comme étant non exclusives dans le sens où une demande peut mentionner différents types. La plupart du temps, il s'agit d'antipsychotiques

10. Les dossiers qui ne mentionnent pas de traitement portent sur une demande d'hébergement.

(76,52 %[11]), suivis de loin par les stabilisateurs de l'humeur (35,22 %). Il est intéressant de constater que plus de la moitié des dossiers signalent la présence de médicaments prescrits pour contrer les effets secondaires de la médication psychiatrique principale (63,48 %) et, plus spécifiquement, de médicaments antiparkinsoniens (35,22 %[12]). La quasi-totalité des demandes (92,51 %) où les médicaments sont indiqués précisent que l'administration de ceux-ci doit se faire par injection.

Parmi les principaux effets secondaires identifiés dans les requêtes, on retrouve la somnolence, la baisse de pression, les étourdissements, la sécheresse de la bouche, le gain de poids, le syndrome métabolique, la dyskinésie tardive, les mouvements involontaires et le syndrome neuroleptique malin. Dans le cas des neuroleptiques typiques, les effets secondaires évoqués sont les raideurs musculaires, les tremblements et les réactions dystoniques. Pour ce qui est des neuroleptiques atypiques, on note plus spécifiquement les problèmes parkinsoniens, l'augmentation du risque de diabète de type 2, les problèmes de dyslipidémie, la sédation de même que l'augmentation de l'appétit et du poids.

En ce qui concerne les stabilisateurs de l'humeur (ou thymorégulateurs), il s'agit principalement du lithium et de l'acide valproïque. La demande de prescription de médicaments antidépresseurs ou anxiolytiques, tels Celexa, Effexor, Remeron et Wellbutrin, n'est men-

---

11. Parmi les antipsychotiques figurent les médicaments suivants, identifiés par la molécule chimique et, entre parenthèses, par la marque commerciale. Voici la liste : aripiprazole (Abilify), zuclopenthixol (Clopixol), clozapine (Clozaril), flupentixol (Fluanxol), fluphénazine (Modecate), halopéridol (Haldol), loxapine (Loxapac), olanzapine (Zyprexa), pipotiazine (Piportil), rispéridone (Risperdal), quétiapine (Seroquel), palipéridone (Invega).

12. Les antiparkinsoniens sont souvent identifiés comme étant prescrits pour contrer les effets secondaires, mais pas dans tous les cas. Pour cette raison, nous les avons regroupés dans une catégorie à part.

tionnée que dans 13,9 % des dossiers. Lorsque que des traitements autres que médicamenteux sont indiqués, les demandes indiquent les électrochocs (2,17 %) et des traitements variés (2,61 %) tels que des programmes de réhabilitation ou de désintoxication, des thérapies cognitivo-comportementales ou du milieu, une intervention d'accompagnement familial et, enfin, des stratégies de suivi social par un intervenant social ou une alliance entre psychothérapies et interventions sociales.

Le recours à l'AJS est une mesure juridique exceptionnelle et lourde de conséquences pour les personnes touchées, mais jugée nécessaire par les médecins traitants et les centres hospitaliers qui la demandent. Ce qui frappe d'abord dans le fonctionnement de ce dispositif juridico-psychiatrique, c'est le déséquilibre important entre les ressources dont disposent les parties durant l'audience où le juge doit rendre un verdict crucial pour la vie d'un individu très souvent vulnérable à la fois socialement et psychologiquement. Dans ce contexte, on ne voit pas très bien comment les intimés pourraient contester les expertises qui concluent à leur incapacité à prendre des décisions concernant leur santé, la durée de l'ordonnance ainsi que le type de médicament prescrit, la dose ou le mode d'administration, puisqu'ils se trouvent dans une position de nette infériorité sur tous les plans (matériel, social, symbolique, procédural), du début à la fin du processus. Il nous semble donc que le sort de la personne visée est scellé dès le départ, et ce, qu'elle ait réellement besoin du traitement proposé ou non.

Même si 65 % des individus concernés sont représentés par un avocat, au moins la moitié d'entre eux ne se sont pas présents durant les audiences où des décisions importantes au sujet de leur corps et de leur existence sont prises. Dans les trois quarts des cas, le délai entre le dépôt de la requête et l'audience est de moins de dix jours, ce qui ne permet pas une préparation minimale de la partie défenderesse, laquelle compose déjà avec de nombreux problèmes. Dans ces circonstances, l'absence systématique de contre-expertises n'a rien de surprenant. En effet, comment l'intimé pourrait-il se prévaloir de ce droit qui reste tout à fait théorique, voire rhétorique ? Au bout du processus, les trois quarts des demandes d'AJS sont acceptées et, dans environ 90 % des dossiers, le juge accepte la durée et le type de soins demandés par les hôpitaux. Ces durées sont en outre plutôt importantes : 90 % des AJS sont pour une durée de 24 mois, et environ 50 % d'entre elles pour 36 mois. À la lumière de ces données, on peut se demander si, malgré la nouvelle loi, la pratique de la cure fermée ne continue pas d'exister, du moins pour un groupe particulier de personnes souffrant de problèmes de santé mentale graves.

Si l'âge moyen des individus touchés par les AJS est de 45 ans, les hommes et les femmes sont distribués de manière différente selon les groupes d'âge. Les hommes sont plus nombreux dans les groupes d'âge inférieurs à 50 ans, tandis que les femmes sont plus nombreuses dans les groupes d'âge de 50 ans et plus. La très grande majorité des personnes (entre 70 % et 90 % du total) sont célibataires, séparées, divorcées ou veuves et seulement un quart d'entre elles semblent avoir des enfants. Bon nombre d'intimés habitent des territoires caractérisés par une forte défavorisation sociale et matérielle, et moins de 3 % d'entre eux occupent un emploi. Près du quart de ces individus sont en situation d'itinérance ou n'ont pas de logement, et presque la moitié est dans une situation d'instabilité résidentielle. Si on ne remet nullement en doute la pertinence de s'occuper des enjeux de santé mentale, il est toutefois clair que ces derniers sont dépassés, débordés ou redoublés par une précarité matérielle et sociale qui ne peut que fragiliser les chances de rétablissement des personnes visées.

En ce qui concerne les problèmes qui sont en lien direct avec la demande d'AJS, c'est la perte d'autonomie, modérée ou grave, qui semble la difficulté la plus fréquente et importante pour les intimés. Qu'elle soit due à des déficits ou à des désorganisations cognitives, à des pathologies précises ou au contexte social précaire, la perte d'autonomie se manifeste par l'insalubrité du milieu de vie, la négligence des soins physiques et de l'alimentation, la gestion difficile de l'argent et les risques pour la sécurité physique. Bien de ces problèmes et difficultés répondent à des logiques complexes et parfois circulaires où pauvreté extrême, troubles de santé mentale et différentes formes de stigmatisation s'imbriquent dans des proportions diverses. Dans ce contexte, le thème de l'insécurité résidentielle redevient omniprésent et découle également de sources à la fois diverses et imbriquées : grande pauvreté, conflits avec voisins et propriétaires, rareté des ressources adaptées, pathologies graves. En effet, l'enjeu de la perte du logement, la possibilité du déplacement de la personne concernée vers des ressources spécialisées (parfois rares ou inexistantes) ainsi que le risque concret et imminent qu'elle se retrouve en situation d'itinérance semblent se poser comme corollaires des graves difficultés qu'elle vit.

La grande majorité des individus visés par une demande d'AJS (entre 80 et 90 %) possèdent déjà des antécédents psychiatriques importants. Plus de la moitié des diagnostics concernent les troubles psychotiques et un peu moins de la moitié ont trait à la schizophrénie. Dans un quart des dossiers, il est question de troubles bipolaires tantôt à prédominance dépressive, tantôt à prédominance maniaque. Plus de 20 % des demandes évoquent des personnalités pathologiques diverses, notamment borderline, narcissique et antisociale.

Quant aux traitements ordonnés par le tribunal, essentiellement des antipsychotiques, il est à noter que plus de 60 % des dossiers mentionnent la prescription de médicaments pour contrer les effets négatifs de la médication principale, ce qui n'est sans doute pas étranger aux réticences des personnes qui font l'objet d'une AJS lorsqu'il s'agit pour elles de consentir à certains traitements dont elles ont déjà éprouvé les conséquences désagréables. En outre, les allusions aux traitements autres que médicamenteux sont très rares (2,61 % des dossiers), ce qui n'est pas un fait sans importance. En effet, la quasi-absence de traitements alternatifs, ou ne serait-ce que complémentaires, à la seule option des médicaments psychotropes pose problème. Beaucoup d'intimés opposent des objections argumentées et basées sur leur propre expérience (effets secondaires négatifs importants, désir d'essayer de nouvelles voies thérapeutiques, inefficacité de traitements dans le passé) à la prise de certains médicaments. Cette absence de thérapeutiques autres que le médicament psychiatrique injectable contribue à réduire les choix de l'individu qui se trouve déjà dans une situation fortement structurée par les dispositifs de la psychiatrie et de la justice, dont il ne maîtrise ni les langages ni les logiques de fonctionnement ni les conséquences possibles sur sa trajectoire de vie à moyen et long terme[13].

Il est probable que ceux que nous avons nommés les « intraitables » se retrouvent dans toutes les situations-problèmes que nous avons analysées dans les chapitres cinq à sept. Toutefois, ils semblent davantage correspondre aux profils de la désorganisation mentale et du conflit avec l'entourage, si l'on tient compte du poids de certaines dimensions comme le pourcentage élevé de situations d'itinérance, la grande vulnérabilité matérielle, la fragilité du réseau social, l'importance des antécédents psychiatriques (y compris les hospitalisations), la présence plutôt considérable de délires, la fréquence des allusions au manque d'autonomie et le peu de références aux comportements agressifs ou violents. Ceux et celles qui sont au bout du rouleau dans plusieurs domaines de leur vie semblent davantage un danger pour eux-mêmes qu'une menace envers les autres.

---

13. Dans ce contexte, le refus de prendre certains médicaments comportant d'importants effets secondaires peut être assimilé trop mécaniquement à l'inaptitude à consentir aux soins, ce qui détourne le sens des dispositions du Code civil à cet égard (Action Autonomie, 2005 ; Dorvil *et al.*, 2007 ; Bernheim, 2011).

Conclusion

Depuis que je n'entends plus mes voix, je suis un peu perdu.

Francis, héros du roman *Une histoire de fous*
de John Katzenbach

L'univers de la folie civile tel que nous l'avons décrit dans cet ouvrage juxtapose, rapproche ou hybride folie mentale et folie sociale de différentes manières et en proportions inégales selon les types de situations problématiques concrètes qui se présentent à nous dans la cité. Bien entendu, les situations que nous avons analysées ne constituent que le noyau central d'un univers plus vaste où des cas de figure moins graves et variés se distribuent irrégulièrement comme une série de cercles concentriques chaque fois plus larges, diffus et moins problématiques. Les frontières de cet univers ne sont pas uniformes et encore moins stables, mais foncièrement irrégulières et mobiles. En effet, même les situations les plus caractérisées sont ponctuées de ruptures et de continuités avec les formes liminaires de la socialité ordinaire qui leur donnent tantôt un sens en tant que déviance compréhensible, tantôt un non-sens qui est aussitôt codifié (et rattrapé) par le langage du psychopathologique pour redevenir

« techniquement » signifiant. Peu importe la catégorie nosographique invoquée (de la schizophrénie au trouble de la personnalité, en passant par la bipolarité) pour expliquer ce qui pose problème aux personnes concernées et aux autres, tant la conflictualité que la vulnérabilité psychosociales restituent encore une fois la folie à l'univers vivant de la cité. Car la folie n'existe, n'a jamais existé d'ailleurs, « qu'en société ». Ce qui ne signifie nullement qu'elle ne s'explique « que » par la société. Société et psychisme sont à la fois irréductibles et inséparables. Aussi bien pour comprendre la folie civile que pour tenter d'intervenir efficacement et humainement, il faut tenir compte de ses deux consistances ontologiques bien réelles qui s'hybrident inéluctablement pour définir les situations-problèmes que nous avons étudiées, soit le mental perturbé et le social problématique.

Il est significatif que les catégories des conflits avec la famille (famille biologique et conjoint) et des conflits avec l'entourage (propriétaire du lieu de résidence, voisin, corésident ou personnel d'une ressource que fréquente la personne visée) recouvrent à elles seules plus de 60 % des situations problématiques captées par le dispositif de la loi P-38. Sans sous-estimer le rôle important joué par la dimension du mental perturbé dans la conflictualité avec les membres de la famille et l'entourage, comment ignorer l'imbrication intime de dimensions sociales qui définissent plusieurs des aspects les plus dramatiques des situations décrites comme problématiques ? En effet, il est probable qu'un dispositif comme celui de la garde provisoire contribue de façon importante à la gestion de la conflictualité psychosociale de proximité (famille, amis, voisins, corésidents) dans un contexte de grande vulnérabilité matérielle et/ou sociale. Les proches et l'entourage sont souvent à bout de ressources, impuissants, désorientés ou épuisés et, de ce fait, à la recherche d'une forme de prise en charge plus structurée pour certains membres de la famille vulnérables, démunis, dérangeants et parfois menaçants ou agressifs. N'était-ce pas là l'une des fonctions de l'ancien dispositif asilaire qui, dans un autre contexte normatif, institutionnel et historique, cherchait à gérer une partie des ratés de la socialité ordinaire en mettant l'accent sur la seule dimension du mental perturbé ?

Pour ce qui est des catégories de situations-problèmes du risque de suicide (11 %) et des conflits avec les étrangers (14 %), il est probable qu'elles donnent lieu à des événements pour lesquels les services ambulanciers et la police agissent comme véritables premiers répondants. En effet, les cas gérés dans le cadre du dispositif de la loi P-38 semblent les moins urgents, les moins graves ou bien les moins clairs. Mais est-on encore dans l'univers de la folie civile ou bien dans une sorte de zone grise dessinée empiriquement par des dispositifs qui se chevauchent (services ambulanciers, police, psychiatrie) où sont classés certains risques de suicide moins sérieux et des conflits susceptibles d'être judiciarisés vis-à-vis desquels nous ne savons pas trop comment agir ? On comprend bien, en revanche, l'utilité pour les familles (76 % des usagers de la loi) et les intervenants des diverses ressources (17,09 %) d'un dispositif qui permet, d'une part, d'éviter la judiciarisation de situations qui seraient très susceptibles de l'être et, d'autre part, d'arrimer, voire d'« initier[1] » des personnes traversant un moment difficile dans leur vie aux services de soins psychologiques ou psychiatriques.

Enfin, les situations-problèmes caractérisées de manière claire et importante par des troubles de santé mentale lourds que nous avons regroupées dans la catégorie de la désorganisation mentale (environ 12 % des cas) ne sont pas les plus nombreuses, mais elles sont très emblématiques. Elles sont assurément indispensables matériellement et symboliquement à l'existence même du dispositif de gestion de la dangerosité mentale. Sans la folie mentale classique, faite de délires,

1. Il n'est pas inutile de rappeler que seulement la moitié de l'ensemble des personnes concernées par le dispositif de la loi P-38 avaient préalablement eu des contacts avec le système de soins psychiatriques, ce qui permet d'émettre l'hypothèse que ce dispositif constitue une façon d'initier l'autre moitié au monde de la médecine mentale.

d'hallucinations et de comportements incompréhensibles, comment justifier l'existence de l'univers spécifique du mental dangereux ? Mais aussi, comment justifier la prééminence de la psychiatrique pour interpréter et gérer l'ensemble des situations relevant de la dangerosité mentale hybrides et floues qui incarnent concrètement « ce qui pose problème » dans la cité ?

Toutefois, même dans ces cas minoritaires et caractérisés, nous ne pouvons que constater encore une fois la complexité multidimensionnelle des situations qui posent problème ainsi que le besoin de réponses également complexes. En effet, ces situations mettent en évidence les énormes carences en termes d'aide et de soutien aux individus souffrant de problèmes de santé mentale sérieux ainsi qu'à leurs familles plutôt qu'une dangerosité, mentale ou pas, avérée. Et ce, non seulement sur le plan de l'accessibilité aux soins psychiatriques, mais aussi sur le plan des stratégies novatrices pour contrer la vulnérabilité matérielle et sociale et pour réduire les exigences sociales moyennes d'autonomie et de performance qui ne font pas de distinctions entre les personnes selon leur position sociale respective. Même si, dans les trois quarts des cas de désorganisation mentale, la vulnérabilité globale constitue une dimension dramatique forte pour laquelle aucune médecine mentale ni intervention judiciaire ne peut apporter de véritable secours aux individus visés et à leurs proches, qui assistent impuissants au processus de chronicisation mentale et sociale des situations problématiques, il est toujours difficile de se débarrasser de l'image aussi emblématique que non fondée du fou dangereux. De cela témoignent, par exemple, les tristes épisodes mettant en scène des personnes souffrant de troubles mentaux graves et en situation d'itinérance abattues par le Service de police de la Ville de Montréal, dont la réaction est absolument démesurée par rapport au danger encouru par les policiers et par les citoyens qu'ils sont censés protéger. Et, on le sait, en fin de compte, les policiers et les policières, c'est nous : nous avons les mêmes préjugés et les mêmes peurs.

À la lumière de nos analyses, nous sommes en droit de nous

demander si la Loi sur la protection des personnes dont l'état mental présente un danger pour elles-mêmes ou pour autrui porte bien son nom. L'élimination de l'allusion à la maladie mentale, malgré les protestations de certains psychiatres, permet en effet de penser la folie civile de manière plus empirique, située et relationnelle. C'est-à-dire comme une imbrication inséparable et irréductible entre folie mentale (de la pathologie mentale officiellement répertoriée aux états psychologiques momentanément perturbés) et folie sociale (de la vulnérabilité matérielle et sociale extrême au comportement déviant voisin de la criminalité, en passant par les comportements ambigus ou inquiétants), ce qui semble se rapprocher davantage des usages concrets qu'on fait, en fin de compte, du dispositif de la requête pour évaluation psychiatrique.

Quant au caractère dangereux, grave et immédiat des situations-problèmes, il semble s'appliquer surtout à deux catégories : le risque de suicide (danger pour soi-même) et les conflits avec les étrangers (danger pour autrui). Mais est-ce que le risque de suicide et la présence importante de comportements violents caractérisant les conflits avec les étrangers doivent nécessairement être associés à l'univers du psychopathologique ? La pathologisation de certaines situations n'est-elle pas notre manière culturelle d'expliquer l'inexplicable, l'injustifiable et l'insupportable, l'équivalent des esprits ou des démons qui, dans d'autres cultures, prennent le contrôle de la personne pour l'amener malgré elle à commettre l'innommable[2] ? En effet, la folie n'explique à elle seule ni le suicide ni la violence. Pour le premier, ce n'est pas parce qu'un individu est déprimé qu'il tente de s'enlever la vie. Affirmer cela reviendrait à réduire l'expérience humaine, souvent

2. À ce propos, Alain Ehrenberg rappelle la célèbre formule de Lévi-Strauss – « Tout se passe comme si, dans notre civilisation, chaque individu avait sa propre personnalité pour totem » (1960, p. 284-285) – pour affirmer que c'est là notre théorie indigène de l'agent social : croire que l'essentiel de l'action (troublée ou pas) se déroule à l'intérieur de soi (Ehrenberg, 2004).

dramatique sans être pour autant pathologique, à une poignée de diagnostics élaborés il y a à peine quelques décennies (Otero et Namian, 2009). Pour la seconde, est-ce que les traits de personnalité violente, qui ressortent nettement des analyses de la catégorie des conflits avec les étrangers, doivent être rangés dans l'univers spécifique de la psychiatrie, c'est-à-dire du pathologique, ou bien dans celui non spécifique de la déviance ?

Au cours de son histoire, la psychiatrie a souvent tenu à marquer une distinction claire entre l'axe (ou la liste) des syndromes proprement psychiatriques (dépression, schizophrénie, troubles de l'humeur, etc.) et l'axe des troubles de la personnalité (antisociale, narcissique, borderline, schizoïde, etc.[3]). Il est opportun de rappeler la définition psychiatrique du trouble de la personnalité : « un mode durable des conduites et de l'expérience vécue qui *dévie* notablement de *ce qui est attendu* dans la *culture* de l'individu » (APA, 2000, p. 789 ; c'est nous qui soulignons). Si l'on considère, par exemple, les sept critères diagnostics correspondant au trouble de la personnalité antisociale, on peut se demander platement dans quelle mesure ils sont psychiatriques : « incapacité à se conformer aux normes sociales », « tendance à tromper par profit ou plaisir », « impulsivité ou incapacité de planifier », « irritabilité ou agressivité », « mépris pour sa sécurité ou celle d'autrui », « incapacité à honorer des obligations financières ou d'assumer un emploi stable » et « absence de remords » (*Ibid.*, p. 812). Lorsqu'on attribue un crime grave à un trouble de la personnalité sous-jacent identifié souvent après coup, ne fait-on pas le même genre d'abus que lorsqu'on explique le suicide par la dépression ? N'évacue-

---

3. Distinction claire mais non sans ambiguïtés, hésitations et marches arrière. Le *DSM-5* supprime les axes du *DSM-III, III-R* et *IV* qui distinguaient clairement, entre autres, les syndromes proprement psychiatriques et les troubles de la personnalité. Toutefois, la nouvelle version présente dans la section III (APA, 2013, p. 761-782) l'essentiel de cette controverse en formulant un modèle pour penser autrement les troubles de la personnalité quant au fond, à la forme et au nombre.

t-on pas ainsi tout ce qui est relationnel et social dans le suicide et qui, en fin de compte, lui donne un sens même s'il est insupportable[4] ? On peut comprendre bien entendu la métaphorisation culturelle du « coup de folie », mais à condition de ne pas la prendre au sérieux en la recouvrant de diagnostics qui n'ont aucun lien vraisemblable avec les gestes dont il est question.

Les personnes concernées par le risque de suicide semblent très vulnérables psychologiquement[5], matériellement et socialement, alors que celles qui commettent des passages à l'acte clairement violents paraissent moins vulnérables, plutôt débrouillardes, centrées sur elles-mêmes et même autonomes. Dans les deux cas, fort différents à tous points de vue et même antagoniques, les individus donnent toutefois l'impression d'avoir « toute leur tête » si l'on considère le peu de délire, d'hallucinations ou de confusion présents dans ces deux catégories. Ne

---

4. Les cas retentissants de Guy Turcotte et de Martin Godin montrent bien les abus culturels de la pathologisation tous azimuts pour expliquer l'insupportable. Guy Turcotte, un cardiologue de 36 ans sans histoire ni antécédents psychiatriques, a tué ses propres enfants de 3 et 5 ans à l'arme blanche (19 et 27 coups de couteau respectivement) après avoir découvert la liaison de sa conjointe. Il a été, dans un premier procès, déclaré criminellement non responsable à cause d'un trouble d'adaptation avec humeur dépressive alors que certains psychiatres parlaient d'un trouble de la personnalité sous-jacent. Martin Godin, un éleveur de chiens et ex-infirmier auprès de personnes handicapées, a tué le nouveau conjoint de son ex-conjointe, sa conjointe et ses deux filles de 11 et 13 ans avant de se donner la mort. Il souffrait de troubles bipolaires. Mais en quoi la maladie mentale peut expliquer vraisemblablement ces crimes horribles ? Avons-nous de la difficulté à utiliser l'expression « crime d'honneur » pour expliquer des actes semblables lorsqu'il s'agit d'autres cultures ? Dans un cas, tout semble psychiatrique, dans l'autre, tout semble culturel.

5. On n'insistera jamais assez sur ce point, notamment dans les sociétés contemporaines où tout s'explique par la psychologie, la psychiatrie et la santé mentale : il est possible d'être plus ou moins psychologiquement vulnérable à cause des épreuves de la vie et à un moment donné de notre histoire sans pour autant éprouver des problèmes de santé mentale qui nécessitent une intervention psychologique ou psychiatrique (Otero, 2003).

devrait-on pas restituer un certain nombre d'expériences dramatiques par rapport à soi-même et aux autres au domaine de la conflictualité et de la vulnérabilité psychosociales non forcément pathologiques ? Ne serions-nous pas ainsi amenés à élaborer des stratégies d'intervention moins psychiatriques et plus psychosociales et relationnelles ?

Si l'on se place dans la perspective large des caractéristiques de l'ensemble de situations-problèmes qui incarnent la folie dans la cité, nous sommes ramenés à une interrogation sociologique de fond concernant la manière dont les problèmes sociaux se présentent aujourd'hui : n'avons-nous pas affaire de plus en plus à des « individus » en situation problématique plutôt qu'à des « populations problématiques » (Otero, 2012 ; Otero et Roy, 2013) ? En effet, dans la plupart des cas, c'est davantage la complexité de la situation, y compris la carence de ressources adéquates[6], que les caractéristiques intrinsèques d'une population (fous, toxicomanes, délinquants, itinérants) à laquelle l'individu visé appartiendrait qui déclenche tour à tour les dispositifs d'intervention spécialisés (santé mentale, toxicomanie, criminalité, itinérance).

Dans les faits, lorsqu'on regarde le fonctionnement concret des dispositifs spécialisés comme celui de la requête pour évaluation psychiatrique, on peut se demander si leurs « spécialités » ne sont pas tout autres que celles qu'ils énoncent explicitement[7]. En ce qui a trait

---

6. Comme l'a souvent souligné Robert Castel, « il faut s'efforcer de penser en quoi peuvent consister les protections dans une société qui devient de plus en plus une société d'individus » (Castel, 1995. p. 749).

7. Il n'y a rien d'étonnant à constater que les institutions ne remplissent pas, ou pas seulement, les fonctions qu'elles s'attribuent de manière explicite. Les nombreuses études sociologiques sur la prison comme école du crime ou même sur l'école comme mécanisme de reproduction des inégalités sociales, ainsi que la classique distinction entre fonctions manifestes et latentes (Merton, 1997), permettent de penser de manière plus réaliste les profondes ambivalences dans le fonctionnement concret des institutions les plus familières.

à la dangerosité mentale, nous pourrions formuler l'hypothèse, en tenant compte de la majorité des cas captés par le dispositif, que ce dernier s'est empiriquement spécialisé dans la gestion en dernière instance de situations problématiques dérivant de deux sources. D'abord, la conflictualité psychosociale de proximité (familles, amis, entourage) en contexte de vulnérabilité matérielle ou sociale importante. Ensuite, la vulnérabilité globale extrême incarnée par les nombreux utilisateurs des services urbains de dépannage, de soutien et d'assistance (refuges, centres de crise, soupes populaires) aux prises avec des problèmes graves et multiples (pauvreté extrême, insécurité résidentielle et alimentaire, itinérance, mauvaise santé physique et mentale, marginalisation sociale, isolement, handicaps graves, dépendances).

Toutefois, le fait de gérer quotidiennement ce mélange « civil » de folie mentale et de folie sociale dérangeant, en danger (vulnérable) et parfois dangereux en le frappant d'un même sceau institutionnel, n'était-ce pas là l'une des fonctions extra-psychiatriques de l'ancien complexe asilaire où se côtoyaient fous, marginaux et exclus ? Rappelons-nous un instant l'histoire de Francis, héros du roman *Une histoire de fous* de John Katzenbach. Il est l'un des derniers patients d'un hôpital psychiatrique fermé depuis vingt ans, invité à la cérémonie célébrant la transformation de l'ancien établissement en musée. C'est le point de départ d'un récit concernant des meurtres non résolus dont Francis détient la clé. Au début, il dit ironiquement : « Depuis que je n'entends plus mes voix, je suis un peu perdu. Quelque chose me dit qu'elles sauraient bien mieux que moi comment raconter cette histoire. » Effectivement, c'est bien ce qu'on aime croire, aussi bien les fous que les non-fous, à savoir que les clés des histoires dramatiques, sordides ou insupportables se trouvent dans des récits fantastiques, qu'ils soient mythiques ou pseudo-scientifiques.

Hier comme aujourd'hui, lorsqu'on tente démêler folie mentale et folie sociale, on peut encore affirmer ironiquement, tout comme le personnage du roman de Katzenbach, que dès qu'on n'entend plus de voix on se sent un peu perdus. Perdus où ? Dans la consistance même du social, y compris dans ses failles, hors de laquelle aucune folie n'est pensable ni possible.

Remerciements

Je suis redevable à plusieurs collègues, étudiants et amis qui ont laissé une trace dans cet ouvrage tant par leurs suggestions, critiques et conseils que par l'inspiration de leurs travaux. Je remercie tout particulièrement, pour leur grand professionnalisme et leur finesse, Daphné Morin, Dominic Dubois, Lisandre Labrecque et Audrey-Anne D. Michaud, qui ont participé aux diverses recherches qui nourrissent ce livre. J'ai été privilégié de pouvoir compter sur les suggestions généreuses et rigoureuses de Christine Grou, de Marc-Henri Soulet et d'Emmanuelle Bernheim par rapport à plusieurs aspects du manuscrit. Ma reconnaissance va également à Danilo Martuccelli, à Shirley Roy et à Henri Dorvil qui, de manière directe ou dans le cadre de discussions plus larges, ont contribué à préciser les arguments avancés ici. Plus loin dans le temps, ce livre doit beaucoup dans son inspiration méthodologique aux recherches pionnières de Danielle Laberge et de Pierre Landreville sur les problèmes sociaux complexes au Québec.

Je voudrais adresser ma gratitude aux nombreux professionnels de la santé et intervenants dans les centres hospitaliers, les CLSC et les centres de ressources communautaires, qui ont eu la générosité d'entendre mes présentations sur les hypothèses générales développées dans ce livre et de prendre part à la discussion. Enfin, je remercie la disponibilité des personnes directement touchées par des problèmes de santé mentale graves ainsi que les membres de leurs familles qui ont bien voulu partager leurs épreuves et rendre compte de la complexité de leurs expériences.

Cet ouvrage a été publié grâce à une subvention de la Fédération canadienne des sciences humaines de concert avec le Programme d'aide à l'édition savante, dont les fonds proviennent du Conseil de recherches en sciences humaines du Canada (CRSH).

Je remercie également le soutien inestimable du programme de chercheur-boursier Santé et société du Fonds de recherche en santé du Québec (FRSQ) et du service aux collectivités de l'UQAM (programme PAFARC).

Bibliographie

Action Autonomie (2005), *Des libertés bien fragiles. Étude sur l'application de la Loi sur la protection des personnes dont l'état mental présente un danger pour elles-mêmes ou pour autrui,* district de Montréal, Montréal.

Agence de la santé et des services sociaux de Montréal (2005a), *Indicateurs sociosanitaires, population de 12 ans et plus, Montréal. Résultats de l'enquête sur la santé dans les collectivités canadiennes. Cycle 3.1 de Statistique Canada.*

— (2005b), *Chiffres clés de la situation sociosanitaire de Montréal.*

Agence de santé publique du Canada, Société pour les troubles de l'humeur du Canada, Santé Canada, Statistique Canada et Institut canadien d'information sur la santé (2006), « Mental Health », dans Gouvernement du Canada, *The Human Face of Mental Health and Mental Illness in Canada,* Ottawa.

American Psychiatric Association (1952), *Diagnostic and Statistical Manual of Mental Disorders (DSM I),* Washington, American Psychiatric Association Mental Hospital Service.

— (1968), *Diagnostic and Statistical Manual of Mental Disorders (DSM II),* Washington, American Psychiatric Association.

— (1980), *Diagnostic and Statistical Manual of Mental Disorders (DSM III),* Washington, American Psychiatric Association.

— (1987), *Diagnostic and Statistical Manual of Mental Disorders (DSM III-R),* Washington, American Psychiatric Association.

— (1994), *Diagnostic and Statistical Manual of Mental Disorders (DSM IV),* Washington, American Psychiatric Association.

— (2000), *Diagnostic and Statistical Manual of Mental Disorders (DSM IV-TR)*, Washington, American Psychiatric Association.

— (2013), *Diagnostic and Statistical Manual of Mental Disorders (DSM-5)*, Washington, American Psychiatric Publishing.

Amyot, Arthur, G. Air, C. Charland et L. Robillard (1985), *Rapport du comité d'étude sur les services psychiatriques de la région de Montréal* (tome I), Québec, Ministère des Affaires sociales.

Apparicio, Philippe, Anne-Marie Séguin et Xavier Leloup (2007), « Modélisation spatiale de la pauvreté à Montréal : apport méthodologique de la régression géographiquement pondérée », *Le Géographe canadien / The Canadian Geographer*, vol. 51, n° 4, p. 412-427.

Association des CLSC et des CHSLD du Québec, Conseiller juridique, Loi sur la protection des personnes dont l'état mental présente un danger pour elles-mêmes ou pour autrui (Projet de loi 39), lettre aux directrices et directeurs généraux, 2 avril 1998.

Association des hôpitaux du Québec (1998), *La Garde en établissement. Guide d'application de la Loi P-38*, document de référence n° 6, juin 1998.

Azancot et associés (1998), Loi P-38 (Projet de loi 39, Lois du Québec, chapitre 75), correspondance avec la Corporation d'Urgences-santé, 29 avril 1998.

Barreau du Québec (1998), *Développements récents en droit de la santé mentale*, Cowansville, Éditions Yvon Blais.

Basaglia, Franco (2008), *La Condena de ser loco y pobre*, Buenos Aires, Topia.

Bédard, Dominique, D. Lazure et C. A. Roberts (1962), *Rapport de la Commission d'étude des hôpitaux psychiatriques*, Québec, Ministère de la Santé.

Bellavance, Marie (2008), *Le Faible Revenu au Québec. Un état de la situation*, Québec, Centre d'étude sur la pauvreté et l'exclusion (CEPE).

Bellot, Céline, I. Raffestin, M.-N. Royer et V. Noël (2005), *Judiciarisation et criminalisation des populations itinérantes*, Montréal, Rapport de recherche pour le Secrétariat national des sans-abri.

Bellot, Céline, M.-E. Sylvestre et C. Chesnay (2012), *La Judiciarisation des personnes en situation d'itinérance. Quinze années de recherche : bilan et enjeux*, Toronto, Rapport de recherche du Canadian Homeless Research Network.

Benigeri, Mike (2007), *L'Utilisation des services de santé mentale par les Montréalais en 2004-2005*, Montréal, Agence de la santé et des services sociaux de Montréal.

Bergeron, Viateur (1981), *L'Attribution d'une protection légale aux malades mentaux*, Montréal, Éditions Yvon Blais.

Bernard, Paul et Hicham Raïq (2011), « Le Québec est-il une société égalitaire ? », dans *L'État du Québec 2011*, Montréal, Boréal, p. 49-79.

Bernheim, Emmanuelle (2010), « Les décisions d'hospitalisation et de soins psychiatriques sans le consentement des patients dans des contextes clinique et judiciaire : une étude du pluralisme normatif appliqué », thèse de doctorat, Université de Montréal.

— (2011), *Garde en établissement et autorisation de soins : quel droit pour quelle société ?*, Montréal, Éditions Yvon Blais.

— (2015), « Quinze ans de garde en établissement. De l'état des lieux à la remise en question », dans Barreau du Québec, *La Protection des personnes vulnérables*, vol. 393, [edoctrine.caij.qc.ca/developpements-recents/393/368215264].

Blais, Louise (dir.) (2008), *Vivre à la marge. Réflexions autour de la souffrance sociale*, Québec, Presses de l'Université Laval.

Boudreau, Françoise (2003), *De l'asile à la santé mentale. Les soins psychiatriques : histoire et institutions*, Montréal, Éditions Saint-Martin.

Buchanan, Alec (2008), « Risk of Violence by Psychiatric Patients: Beyond the "Actuarial Versus Clinical" Assessment Debate », *Psychiatric Services*, vol. 59, nº 2, p. 184-190.

Cardinal, Christiane (2001), « La police, un intervenant de première ligne pour le réseau de la santé mentale », dans H. Dorvil et R. Mayer (dir.), *Problèmes sociaux II*, Montréal, Presses de l'Université du Québec, p. 447-469.

Castel, Robert (1973), *Le Psychanalysme*, Paris, Librairie François Maspéro.

— (1995), *Les Métamorphoses de la question sociale. Une chronique du salariat*, Paris, Fayard.

Cellard, André (1991), *Histoire de la folie au Québec*, Montréal, Boréal, 288 p.

Cellard, André et Marie-Claude Thifault (2007), *Une toupie sur la tête. Visages de la folie à Saint-Jean-de-Dieu*, Montréal, Boréal.

Centre de santé et de services sociaux (CSSS) Jeanne-Mance (2009), *Quartiers à la loupe. Un portrait pour l'action*, Montréal, Centre de santé et de services sociaux Jeanne-Mance.

Charbonneau, Johanne, Annick Germain et Marc Molgat (2009), *Habiter seul, un nouveau mode de vie ?*, Sainte-Foy, Presses de l'Université Laval.

Chen, W.-H., John Myles et Garnett Picot (2011), « Why Have Poorer Neighbourhoods Stagnated Economically While the Richer Have Flourished ?

Neighbourhood Income Inequality in Canadian Cities », *Urban Studies*, [usj.sagepub.com/content/49/4/877].

Clément, Michèle (2001), « Dans la ligne de mire des audiences de révision de cure fermée : l'état mental et la dangerosité », *Santé mentale au Québec*, vol. 26, n° 1, p. 9-26.

Cohen, David, G. Thomas, B. Dallaire, P. Morin, R. Fortier et M. McCubbin (1998), *Savoir, pouvoir et dangerosité civile. Une étude des décisions de révision de cure fermée de la Commission des Affaires sociales du Québec*, Montréal, Groupe de recherche sur les aspects sociaux de la santé et de la prévention (GRASP), Université de Montréal.

Collège des médecins du Québec, « Qu'est-ce que l'ordonnance d'examen psychiatrique ? », [www.cmq.org/~/media/630AA11D11584CA4814F3B1F6B10C354.ashx].

Comité de gestion de la taxe scolaire de l'île de Montréal (2008), *Carte de la défavorisation*, Montréal, Comité de gestion de la taxe scolaire de l'île de Montréal.

Comité de la santé mentale du Québec (2001), *Avis concernant l'application de l'article 8 de la loi P-38*, Québec, Gouvernement du Québec.

Commission de réforme du droit du Canada (1975), *Processus pénal et désordre mental. Document de travail n° 14*, Ottawa, Information Canada.

Comité permanent de lutte à la toxicomanie (CPLT) (2003), *La Consom-*

mation de psychotropes. Portrait et tendances au Québec, Québec, Ministère de la Santé et des Services sociaux.

Conference Board du Canada (2011), *Les Performances du Canada 2011. Bilan comparatif*, Ottawa, Conference Board du Canada.

Conseil du médicament du Québec (2008), *Usage des antidépresseurs chez les personnes inscrites au régime public d'assurance médicaments du Québec. Étude descriptive 1999-2004*, Québec, Les Publications du Québec.

Cooper, David (1970), *Psychiatrie et anti-psychiatrie*, Paris, Seuil.

Daigneault, Marie-Michèle (1998), « Le projet de loi 39 : trop ou assez ? L'intervention policière auprès de personnes présentant un danger pour elles-mêmes ou pour autrui », dans Barreau du Québec, *Développements récents en droit de la santé mentale*, Cowansville, Éditions Yvon Blais, p. 43-76.

Dallaire, B., M. McCubbin, P. Morin et D. Cohen (2001), « Civil Commitment Due to Mental Illness and Dengerousness: The Union of Law and Psychiatry Within a Treatment-Control System », dans Joan Busfield (dir.), *Rethinking the Sociology of Mental Health*, Oxford, Blackwell, p. 133-152.

De Koninck, Marie et Didier Fassin (2004), « Les inégalités sociales de santé, encore et toujours », *Santé, société et solidarité*, vol. 2, n° 2, p. 5-12.

Devereux, Georges (1972), *Ethnopsychanalyse complémentariste*, Paris, Gallimard.

— (1977), *Essais d'ethnopsychiatrie générale*, Paris, Gallimard.

Direction de la santé publique et Agence de la santé et des services sociaux de Montréal (2008), *Regard sur la défavorisation à Montréal. Région sociosanitaire de Montréal*, série 1, Gouvernement du Québec.

— (2011), *Rapport du directeur de santé publique 2011. Les inégalités sociales de santé à Montréal. Le chemin parcouru*, Montréal, Direction de santé publique et Agence de la santé et des services sociaux de Montréal.

Dorion, Pierre (2005), « Le fouillis dans le médico-légal en psychiatrie. À en devenir fou ? Des tableaux à conserver », *Santé Inc.*, [www.santeinc.com/file/juil05-10.pdf], p. 28-30.

Dorvil, Henri (2007), « Les inégalités sociales en santé. Le cas spécifique de la santé mentale », dans Henri Dorvil (dir.), *Problèmes sociaux*, tome 3, Québec, Presses de l'Université du Québec, p. 169-202.

— (2010), « Le stigma, une forme spécifique d'inégalité sociale en santé mentale », dans Henri Dorvil et Mic Thériault (dir.), *Problèmes sociaux, médiation communautaire, recherche et santé*, Montréal, cahiers scientifiques de l'ACFAS, n° 112, p. 267-291.

Dorvil, Henri, H. Guttman et C. Cardinal (1997), « Trente-cinq ans de désinstitutionnalisation au Québec, 1961-1996 », dans Comité de la santé mentale du Québec (dir.), *Défis de la reconfiguration des services de santé mentale*, Québec, Gouvernement du Québec, p. 109-175.

Dorvil, Henri et Alain Beaulieu (2004), *L'Habitation comme déterminant social de la santé mentale*, Montréal, Fides.

Dorvil, Henri, Marcelo Otero et Laurie Kirouac (2007), *Protection ou coercition ? Le point de vue des personnes interpellées par la loi P-38*, Montréal, Service aux collectivités, UQAM.

Doucet, Marie-Chantal (2007), *Solitude et sociétés contemporaines*, Montréal, Presses de l'Université du Québec.

— (2011), « Problématisation des dimensions psychiques et sociales dans l'intervention en santé mentale », *Revue Reflets*, vol. 17, n° 1, p. 34-45.

— (2013), « Arrimer l'hétérogène et le singulier. L'exemple de la santé mentale », dans Marcelo Otero et Shirley Roy (dir.), *Qu'est-ce qu'un problème social aujourd'hui ? Repenser la non-conformité*, Montréal, Presses de l'Université du Québec, p. 85-100.

Ehrenberg, Alain (2004), « Les changements de la relation normal-pathologique. À propos de la souffrance psychique et de la santé mentale », *Esprit*, vol. 5, n° 304, p. 133-155.

Elbogen, Eric B., M. T. Huss, A. J. Tomkins et M. J. Scalora (2005), « Clinical Decision-Making About Psychopathy and Violence Risk Assessment in Public Sector Mental Health Settings », *Psychological Services*, vol. 2, n° 2, p. 133-141.

Foucault, Michel (1972), *Histoire de la folie à l'âge classique*, Paris, Gallimard.

— (2001), « La folie et la société », dans *Dits et Écrits I*, Paris, Gallimard, p. 195-197.

— (2001a), « Deux essais sur le sujet du pouvoir », dans *Dits et Écrits II*, Paris, Gallimard, p. 1041-1062.

Frohlich, Katherine, Marie De Koninck, Andrée Demers et Paul Bernard (2008), *Les Inégalités sociales de santé au Québec,* Montréal, Presses de l'Université de Montréal.

Germain, Annick, Mireille Vézina et Martin Alain (2005), « Habiter seul, vivre isolé ? La construction d'un mode de vie », communication présentée dans le cadre des Entretiens Jacques-Cartier, Lyon, 6 et 7 décembre 2005.

Goffman, Erving (2007), *Asiles,* Paris, Éditions de Minuit.

Grimard, Carolyne (2011), « À propos d'une institution paradoxale : les refuges pour hommes itinérants à Montréal : lieux de passage ou lieux d'ancrage ? », thèse de doctorat, UQAM.

Guberman, Nancy, Henri Dorvil et Pierre Maheu (1987), *Amour, bain, comprimé ou l'ABC de la désinstitutionnalisation* (tome I), Rapport de recherche n° 23 soumis à la Commission d'enquête sur les services de santé et les services sociaux.

Guberman, Nancy, Jean Broué et Lindsay Spector (1993), *Le Défi de l'égalité. La santé mentale des hommes et des femmes,* Boucherville, Gaétan Morin, 186 p.

Guienne, Véronique (2006), *L'Injustice sociale. L'action publique en questions,* Toulouse, Erès.

IMS Health (2007, 2011, 2012), [www.imshealth.com].

Institut canadien d'information sur la santé et Santé Canada (2004a), *Rapport de surveillance de la santé des femmes,* Ottawa.

— (2004b), *Rapport de surveillance de la santé des femmes. Chapitres supplémentaires,* Ottawa.

— (2007), *Améliorer la santé des Canadiens. Santé mentale et itinérance,* Ottawa.

— (2008), *Réduction des écarts en matière de santé. Un regard sur le statut socioéconomique en milieu urbain au Canada,* Ottawa.

Katzenbach, John (2008), *Une histoire de fous,* Paris, Presses de la Cité.

Keating, Peter (1993), *La Science du mal. L'institution de la psychiatrie au Québec, 1800-1914,* Montréal, Boréal.

Kirk, Stuart et Herb Kutchins (1998), *Aimez-vous le DSM ? Le triomphe de la psychiatrie américaine,* Paris, Synthélabo.

Laberge, Danielle et Daphné Morin (1993). « Troubles mentaux et intervention pénale : questions entourant les évaluations de la judiciarisation en Amérique du Nord », *Déviance et Société,* vol. 17, nº 3, p. 309-348.

Laberge, Danielle, Pierre Landreville et Daphné Morin (2000), « Pratiques de déjudiciarisation de la maladie mentale : le modèle de l'Urgence psychosociale-justice », *Criminologie,* vol. 33, nº 2, p. 81-107.

Laé, Jean-François (2001), *L'Ogre du jugement. Les mots de la jurisprudence,* Paris, Stock.

Lajoie, Andrée, Patrick Molinari et Jean-Marie Auby (1981), *Traité de droit de la santé et des services sociaux,* Montréal, Presses de l'Université de Montréal.

Langlois, Simon (2010), « Mutations des classes moyennes au Québec entre 1982 et 2008 », *Les Cahiers des dix,* nº 64, p. 121-143.

Laplantine, François (2002), « Pour une ethnopsychiatrie critique », *VST – Vie sociale et traitements,* nº 73, p. 28-33.

Lecomte, Yves, S. Jama et G. Legault (2006), « Présentation : l'ethnopsychiatrie », *Santé mentale au Québec,* vol. 31, nº 2, p. 7-27.

Lefèvre, Sylvain, Gérard Boismenu et Pascale Dufour (2011), *La Pauvreté. Quatre modèles sociaux en perspective,* Montréal, Presses de l'Université de Montréal.

Lévi-Strauss, Claude (1960), *La Pensée sauvage,* Paris, Plon.

Malouin, Marie-Paule (1996), *L'Univers des enfants en difficulté au Québec entre 1940 et 1960,* Québec, Bellarmin.

Martuccelli, Danilo (2005), *La Consistance du social,* Rennes, Presses universitaires de Rennes.

— (2006), *Forgé par l'épreuve,* Paris, Armand Colin.

— (2010), *La Société singulariste,* Paris, Armand Colin.

Mayrand, Albert (1975), *L'Inviolabilité de la personne humaine,* Montréal, Wilson et Lafleur.

Ménard, Jean-Pierre (1998a), « Capacité de consentement éclairé : les droits du patient psychiatrique », dans Pierre Migneault et John O'Neil (dir.), *Consentement éclairé et capacité en psychiatrie. Aspects cliniques et juridiques,* Verdun, Éditions Douglas, p. 123-125.

— (1998b), « Les grands principes de la nouvelle *Loi sur la protection des personnes dont l'état mental présente un danger pour elles-mêmes ou pour autrui*, dans Barreau du Québec, *Développements récents en droit de la santé mentale*, Cowansville, Éditions Yvon Blais, p. 1-19.

— (2007), « Les requêtes en autorisation de traitement : enjeux et difficultés importantes à l'égard des droits des personnes », dans Barreau du Québec, *Autonomie et protection 2007*, volume 261, Cowansville, Éditions Yvon Blais, p. 317-329.

Merton, Robert (1997), *Éléments de théorie de méthode sociologique*, Paris, Armand Colin.

Migneault, Pierre et John O'Neil (dir.) (1988), *Consentement éclairé et capacité en psychiatrie. Aspects cliniques et juridiques*, Verdun, Éditions Douglas.

Ministère de la Santé et des Services sociaux (2011), *Rapport d'enquête sur les difficultés d'application de la* Loi sur la protection des personnes dont l'état mental présente un danger pour elles-mêmes ou pour autrui, Québec.

Morel, Bénédict Augustin (1857), *Traité des dégénérescences physiques, intellectuelles et morales de l'espèce humaine*, Paris, Jean-Baptiste Baillière.

Morin, Daphné, Shirley Roy, Marie-Claude Rozier et Pierre Landreville (2005), « Homelessness, Mental Disorder and Penal Intervention: Women Referred to a Mobil Crisis Intervention Team », dans W. Chan, D. Chunn et R. Menzies (dir.), *Women, Madness and the Law: A Feminist Reader*, Portland (Oregon), Glasshouse Press, p. 127-145.

Morin, Paul, B. Dallaire, M. McCubbin et D. Cohen (1999), *L'Opérationnalisation de la notion de dangerosité civile lors des audiences pour ordonnance d'examen clinique psychiatrique et d'hospitalisation psychiatrique obligatoire. Rapport de recherche soumis au CQRS*, Montréal, Groupe de recherche sur les aspects de la santé et de la prévention, Université de Montréal.

Morin, Paul et Henri Dorvil (2008), « Le logement comme déterminant social de la santé pour les personnes ayant des problèmes sévères de santé mentale », dans E. Baillergeau et P. Morin (dir.), *L'Habitation comme vecteur de lien social*, Québec, Presses de l'Université du Québec, p. 23-40.

Myles, John (2010), « The Inequality Surge: Changes in the Family Life

Course Are the Main Cause », *Inroads*, n° 26, p. 66-73, [www.inroadsjournal.ca/archives/inroads_26/Inroads_26_Quebec_Economy.pdf].

Namian, Dahlia (2012), *Entre itinérance et fin de vie*, Québec, Presses de l'Université du Québec.

Noël, André (2008), « La pauvreté s'étend dans l'île », *La Presse*, 13 décembre 2008.

Nye, Robert A. (2003), « The Evolution of the Concept of Medicalization in the Late Twentieth Century », *Journal of the History of the Behavioral Sciences*, vol. 39, n° 2, p. 115-129.

Organisation de coopération et de développement économiques (2008a), *Growing Unequal ? Income Distribution and Poverty in OECD Countries*, Paris, Éditions OCDE.

— (2008b), *Croissance et Inégalités. L'évolution de la pauvreté et des revenus ces 20 dernières années. Nouvelles données*, Paris, Éditions OCDE.

— (2008c), *Croissance et Inégalités. Distribution des revenus et pauvreté dans les pays de l'OCDE. Résumé*, Paris, Éditions OCDE.

— (2008d), « Country Note: Canada », dans *Croissance et Inégalités. Distribution des revenus et pauvreté dans les pays de l'OCDE*, Paris, Éditions OCDE.

Otero, Marcelo (2003), *Les Règles de l'individualité contemporaine. Santé mentale et société*, Sainte-Foy, Presses de l'Université Laval.

— (2006), « La sociologie de Michel Foucault : une critique de la raison impure », *Sociologie et Sociétés*, vol. 38, n° 2, automne, p. 49-72.

— (2007), « Le psychosocial dangereux, en danger et dérangeant : nouvelle figure des lignes de faille de la socialité contemporaine », *Sociologie et Sociétés*, vol. 39, n° 1, p. 51-78.

— (2008), « Vulnérabilité, folie et individualité : le nœud normatif », dans Viviane Châtel et Shirley Roy (dir.), *Penser la vulnérabilité. Visages de la fragilisation du social*, Québec, Presses de l'Université du Québec, p. 125-145.

— (2012a), *L'Ombre portée. L'individualité à l'épreuve de la dépression*, Montréal, Boréal.

— (2012b), « Repenser les problèmes sociaux », *SociologieS*, 15 novembre 2012, [sociologies.revues.org/4145].

— (2013), « Qu'est-ce que la "folie civile" aujourd'hui ? L'alliance volatile des dimensions sociales et mentales », dans Barreau du Québec, *La*

Protection des personnes vulnérables, vol. 359, Éditions Yvon Blais, p. 33-65.

Otero, Marcelo, Pierre Landreville, Daphné Morin et Ghyslaine Thomas (2005), *À la recherche de la dangerosité « mentale ». Stratégies d'intervention et profils de populations dans le contexte de l'implantation de la loi P-38.001 par l'UPS-J,* Montréal, Collectif de recherche sur l'itinérance, la pauvreté et l'exclusion sociale.

Otero, Marcelo et Dahlia Namian (2009), « Le succès psychiatrique de la dépression : du discret mécanisme de défense au trouble de l'humeur épidémique », dans Sanni Yaya Hachimi (dir.), *Pouvoir médical et santé totalitaire. Conséquences socio-anthropologiques et éthiques,* Sainte-Foy, Presses de l'Université Laval, p. 375-399.

Otero, Marcelo et Geneviève Dugré (2012), *Les Usages des autorisations judiciaires de traitement psychiatrique à Montréal. Entre thérapeutique, contrôle et gestion de la vulnérabilité sociale,* Montréal, Action Autonomie.

Otero, Marcelo et Shirley Roy (2013), *Qu'est-ce qu'un problème social aujourd'hui ? Repenser la non-conformité,* Québec, Presses de l'Université du Québec.

Pampalon, Robert *et al.,* (2008), « Évolution de la mortalité prématurée au Québec selon la défavorisation matérielle et sociale », dans Katherine Frohlich, Maria De Koninck, Andrée Demers et Paul Bernard (dir.), *Les Inégalités sociales de santé au Québec,* Montréal, Presses de l'Université de Montréal, p. 13-36.

Patch, P. C. et B. A. Arrigo (1999), « Police Officer Attitudes and Use of Discretion in Situations Involving the Mentally Ill: The Need to Narrow the Focus », *International Journal of Law and Psychiatry,* vol. 22, n° 1, p. 23-35.

Pelletier, Jean-François, Myra Piat, Sonia Côté et Henri Dorvil (2009), *Hébergement, logement et rétablissement en santé mentale,* Québec, Presses de l'Université du Québec.

Plante, Marie-Carmen (2007), « Les maux de la psychiatrie face à l'itinérance », dans Shirley Roy et Roch Hurtubise (dir.), *L'Itinérance en questions,* Québec, Presses de l'Université du Québec, p. 217-232.

Poirier, Mario (2007), « Santé mentale et itinérance : analyse d'une controverse », *Nouvelles pratiques sociales*, vol. 19, n° 2, p. 76-91.

Pronovost, Gilles, Chantale Dumont et Isabelle Bitaudeau (dir.) (2009), *La Famille à l'horizon 2020*, Québec, Presses de l'Université du Québec.

Protecteur du citoyen (2011), *Les Difficultés d'application de la* Loi sur la protection des personnes dont l'état mental présente un danger pour elles-mêmes ou pour autrui (L.R.Q., c. P-38.001), Québec, Assemblée nationale du Québec, [protecteurducitoyen.qc.ca/sites/default/files/pdf/rapports_speciaux/2011-02_P-38.pdf].

RLRQ c. P-38.001 (1998), *Loi sur la protection des personnes dont l'état mental présente un danger pour elles-mêmes ou pour autrui.*

Robichaud, Jean-Bernard, Lorraine Guay, Christine Colin et Micheline Pothier (1994), *Les Liens entre la pauvreté et la santé mentale*, Boucherville, Gaétan Morin.

Robinson, L. M., L. McIntyre et S. Officer (2005), « Welfare Babies: Poor Children's Experiences Informing Healthy Peer Relationships in Canada », *Health Promotion International*, vol. 20, n° 4, p. 342-350.

Rodriguez del Barrio, Lourdes (2005), « Jongler avec le chaos : effets de l'hégémonie des pratiques biomédicales en psychiatrie du point de vue des usagers », *Nouveau malaise dans la civilisation, Cahiers de recherche sociologique*, n° 41-42, p. 237-255.

Rodriguez del Barrio, Lourdes, Céline Cyr, Lisa Benisty et Pierrette Richard (2013), « Gaining Autonomy & Medication (GAM): New Perspectives on Well-Being, Quality of Life and Psychiatric Medication », *Ciência & Saúde Coletiva*, vol. 18, n° 10, p. 279-288.

Roy, Shirley (2007), « L'itinérance : visibilité et inexistence sociale », dans Viviane Châtel (dir.), *L'Inexistence sociale*, Fribourg, Éditions universitaires de Fribourg, p. 99-114.

— (2008), « De l'exclusion à la vulnérabilité », Viviane Châtel et Shirley Roy (dir.), *Penser la vulnérabilité. Visages de la fragilisation du social*, Québec, Presses de l'Université du Québec, p. 13-34.à

Roy, Shirley et Line Duchesne (2000), « Solitude et isolement : image forte de l'itinérance ? », dans Danielle Laberge (dir.), *L'Errance urbaine*, Sainte-Foy, Éditions MultiMondes, p. 241-252.

Roy, Shirley et Roch Hurtubise (dir.) (2007), *L'Itinérance en questions*, Québec, Presses de l'Université du Québec.

Sartre, Jean-Paul (2012), *Situations II*, Paris, Gallimard.

Silver, E. et B. Teasdale (2005), « Mental Disorder and Violence: An Examination of Stressful Life Events and Impaired Social Support », *Social Problems*, vol. 52, n° 1, p. 62-78.

Soulet, Marc-Henri (2005), « La vulnérabilité comme catégorie de l'action publique », *Pensée plurielle*, vol. 2, n° 10, p. 49-59.

Soulet, Marc-Henri (2008), « La vulnérabilité : un problème social paradoxal », dans Viviane Châtel et Shirley Roy (dir.), *Penser la vulnérabilité. Visages de la fragilisation du social*, Québec, Presses de l'Université du Québec, p. 51-64.

Spencer, Herbert (1898), *The Principles of Sociology*, New York, D. Appleton.

Sterlin, Carlo (2006), « L'ethnopsychiatrie au Québec : bilan et perspectives d'un témoin acteur clé », *Santé mentale au Québec*, vol. 31, n° 2, p. 179-192.

Suissa, Jacob Amnon (2013), « Addictions et surmédicalisation du social : contexte et pistes de réflexion », *Psychotropes. Revue internationale des toxicomanies*, vol. 18, n° 34, p. 145-165.

Teplin, Linda A. (2001), « Policy Discretion and Mentally Ill Persons », dans Gerald Landsberg et Amy Smiley (dir.), *Forensic Mental Health: Working With Offenders With Mental Illness*, Kingston (New Jersey), Civic Research Institute, p. 28.1-28.11.

Torrey, E. F., J. Stanley, J. Monahan, H. J. Steadman et M. S. Group (2008), « The MacArthur Violence Risk Assessment Study Revisited: Two Views Ten Years After Its Initial Publication », *Psychiatric Services*, vol. 59, n° 2, p. 147-152.

Townsend, Peter (1987), « Deprivation », *Journal of Social Policy*, vol. 16, n° 2, p. 125-146.

Turbide, Bertrand et Guillaume Joseph (2006), *Portrait sociodémographique, socioéconomique et scolaire de la région de Montréal*, Montréal, Québec en forme.

Ulysse, Pierre-Joseph et Frédéric Lesemann (2004), *Citoyenneté et Pauvreté*, Québec, Presses de l'Université du Québec.

Van der Geest, Sjaak, et Susan Whyte (1989), « The Charms of Medecines: Metaphores and Metonyms », *Medical Anthropology Quarterly*, vol. 3, n° 4, p. 345-367.

Wachholz, S. et R. Mullaly (1993), « Policing the Desinstitutionalized Mentally Ill: Toward an Understanding of Its Function », *Crime, Law and Social Change*, vol. 19, n° 3, p. 281-300.

Wallot, Hubert (1998), *La Danse autour du fou. Survol de l'histoire organisationnelle de la prise en charge de la folie au Québec depuis les origines jusqu'à nos jours*, Beauport, MNH.

Young, Allan (1995), *The Harmony of Illusions: Inventing Post-Traumatic Stress Disorder*, Princeton, Princeton University Press.

Liste des graphiques et des tableaux

Graphique 1. Utilisateurs des requêtes pour évaluation psychiatrique à Montréal en 2007 65

Graphique 2. Requêtes pour évaluation psychiatrique déposées à Montréal entre 1997 et 2007 68

Graphique 3. Requêtes accordées et rejetées à Montréal en 2007 69

Graphique 4. Requêtes pour évaluation psychiatrique selon la provenance en 2007 74

Graphique 5. Distribution des individus selon l'âge, en 2007 91

Graphique 6. Distribution des individus selon l'âge et le sexe, en 2007 92

Graphique 7. Évolution de la présence du réseau familial et des intervenants sociocommunautaires selon le groupe d'âge, en 2007 96

Graphique 8. Les facteurs déterminants de la santé (Santé Canada, 2006) 101

Graphique 9. Nombre de requêtes proportionnellement à la population des territoires desservis par les CLSC de l'île de Montréal, en 2007 (en ‰) 111

Graphique 10. Nombre de requêtes proportionnellement à la population des territoires des douze CSSS de l'île de Montréal, en 2007 (en ‰) 112

Graphique 11. Fluctuation des variables vitales selon les territoires des trois CLSC du CSSS Jeanne-Mance (ASSS de Montréal, 2005b) 117

Graphique 12. Distribution du poids des rapports déréglés à soi et aux autres comme élément dominant des situations problématiques 132

Graphique 13. Distribution des situations-problèmes en fonction des cinq catégories à Montréal en 2007 143

Graphique 14. Continuum des situations-problèmes en fonction des dispositifs d'intervention déclenchés 144

Graphique 15. Prédominance de la vulnérabilité ou de l'agressivité selon la catégorie de situation-problème 158

Graphique 16. Désorganisation mentale selon l'âge et le sexe à Montréal en 2007 163

Graphique 17. Dimensions du mental perturbé pour la situation-problème de la désorganisation mentale 164

Graphique 18. Dimensions du social problématique pour la situation-problème de la désorganisation mentale 171

Graphique 19. Risque de suicide selon l'âge et le sexe 182

Graphique 20. Composantes du mental perturbé pour la catégorie de situation-problème du risque de suicide 183

Graphique 21. Composantes du social problématique pour la catégorie de situation-problème du risque de suicide 187

Graphique 22. Conflits avec l'entourage selon l'âge et le sexe 195

Graphique 23. Composantes du mental perturbé pour la catégorie de situation-problème des conflits avec l'entourage 197

Graphique 24. Composantes du social problématique pour la catégorie de situation-problème des conflits avec l'entourage 201

Graphique 25. Conflits avec les étrangers selon l'âge et le sexe 213

Graphique 26. Composantes du mental perturbé pour la catégorie de situation-problème des conflits avec les étrangers 215

Graphique 27. Composantes du social problématique pour la catégorie de situation-problème des conflits avec les étrangers 222

Graphique 28. Conflits avec la famille selon l'âge et le sexe 237

Graphique 29. Composantes du mental perturbé dans les conflits avec la famille 238

Graphique 30. Composantes du social problématique dans les conflits avec la famille 249

Graphique 31. Expertise psychiatrique de la partie défenderesse 281

Graphique 32. Durée des autorisations judiciaires de soins 282

Graphique 33. Âge et sexe des personnes faisant l'objet d'une demande d'AJS 284

Tableau 1. Caractéristiques des trois types de garde 61

Tableau 2. Composition des situations-problèmes caractérisées par le danger envers soi-même 154

Tableau 3. Composition des situations-problèmes caractérisées par le danger envers les autres 156

Index

A

Abandon de soi, 152, 172-173 : conflit avec les étrangers, 222 ; suicide (risque), 187-189
Absence d'autocritique, 150 : conflit avec l'entourage, 197, 199-200 ; conflit avec les étrangers, 219-221
Acide valproïque, 294
Agent de la paix, 43, *voir aussi* Police/policier
Âge, 66, 99, 101, 104-105, 109 : autorisation judiciaire de soins (AJS), 283-284, 296 ; conflit avec la famille, 236-237, 271 ; conflit avec l'entourage, 195 ; conflit avec les étrangers, 213-214 ; désorganisation mentale, 162-163 ; suicide (risque), 162
Agitation, 146 : conflit avec la famille, 240
Agressivité, 131, 151-152, *voir aussi* Violence : conflit avec la famille, 248-249, 255-259 ; conflit avec l'entourage, 201, 207-212 ; conflit avec les étrangers, 221-222 ; désorganisation mentale, 171, 177 ; vulnérabilité, 157-158, 172
Ahuntsic, 108, 109, 112
Alcoolisme, 222, 227, 269-270, 290, *voir aussi* Dépendance
Aliénation mentale, 11, *voir aussi* Folie : retrait des chaînes, 31-32
Alimentation, 126-127, 147 : autorisation judiciaire de soins (AJS), 289 ; conflit avec la famille, 250 ; conflit avec les étrangers, 228 ; désorganisation mentale, 172, 174-175 ; suicide (risque), 189-190
Ambulancier, 43-44, 48-49, 226
Antécédent psychiatrique, 78-79, 92-94, 139, *voir aussi* Diagnostic psychiatrique : autorisation judiciaire de soins (AJS), 293, 297 ; désorganisation mentale, 161, 163
Antipsychiatrie, 14, 34
Appartement supervisé, 286
Argent, 128, 152 : autorisation judiciaire de soins (AJS), 289-290 ; conflit avec la famille, 248-249, 263-265
Arme (utilisation), 221-222, 259

Arrogance, 219
Asile, 11, 15, 30, 32-33, 41, 54, 160, 300-301, 307 : demande d'admission, 66 ; désenfermement, 34 ; provisoire de Beauport, 33
Association : des CLSC et CHSLD du Québec, 49 ; des hôpitaux du Québec, 49
Autisme, 29
Automutilation, *voir* Blessure auto-infligée
Autonomie (perte) : autorisation judiciaire de soins (AJS), 288, 296-297
Autorisation judiciaire de soins (AJS), 46, 131 ; à Montréal, 285 ; antécédents psychiatriques, 293, 297 ; arguments, 286-292, 296-297 ; audience, 278-280 ; consentement aux soins (exception), 275 ; contrainte, 276 ; contre-expertise, 278, 295 ; défavorisation matérielle et sociale, 285 ; déséquilibre entre les parties, 277, 281, 282, 295 ; diagnostic psychiatrique, 292-293, 297 ; durée, 281-282, 296 ; éthique, 277 ; expertise médicale, 280-281 ; gestion de la durée, 277 ; inaptitude (concept), 276 ; interrogatoire, 280 ; objectif, 276 ; participation à l'audience, 279-280, 295 ; personnes visées, 97, 282-286, 296 ; pratiques, 278-279 ; représentation par avocat, 279, 295 ; révision et contrôle du traitement, 277 ; situation résidentielle, 285-286, 296-297 ; taux d'acceptation, 281, 296 ; traitement, 293-295, 297-298

B

Basaglia, F., 13, 87, 97
Biologie, 32, 100
Bipolarité, 195, 214, 237, 292-293
Blessure auto-infligée, 140, 150, 152-153 : suicide (risque), 183-184
Borderline, 237, 293

C

Canada : état de santé mentale, 103 ; famille, 104 ; inégalités des revenus, 99-100 ; inégalités sociales, 98, 102 ; modèles des ménages, 104 ; taille des ménages, 104
Castel, R., 34
Centre de santé et de services sociaux (CSSS), 112 : d'Ahuntsic et Montréal-Nord, 112 ; de la Montagne, 112 ; de la Pointe-de-l'Île, 112 ; de l'Ouest-de-l'Île, 111, 285 ; de Saint-Léonard et Saint-Michel, 112 ; du Sud-Ouest–Verdun, 112 ; Jeanne-Mance, 109, 111-112, 114-117, 285, 293 ; Lucille-Teasdale, 112, 285
Centre hospitalier de l'Université de Montréal (CHUM), 293
Centre local de services communautaires (CLSC), 111 : de Lac-Saint-Louis, 107 ; de Saint-Laurent, 107 ; de Saint-Louis-du-Parc, 115-117 ; des Faubourgs, 107, 110, 115-117, 285, 293 ; d'Hochelaga-Maisonneuve, 107, 285 ; du Plateau–Mont-Royal, 115-118

Centre-Sud, 108
Chaudière-Appalaches, 106
Clinique communautaire de Pointe-Saint-Charles, 107
Code civil du Québec, 49, 275-276, *voir aussi* Autorisation judiciaire de soins (AJS)
Code postal, 36
Coercition, 29
Commission de réforme du droit du Canada, 41
Common law, 44
Communautarisation psychiatrique, 42
Communauté, 30, 38 : et sectorisation des services psychiatriques, 36
Communauté religieuse, 34
Complot, *voir* Délire, Persécution
Comportement : autorisation judiciaire de soins (AJS), 291 ; déréglé, 150, 164, 169-170, 178, 207-208, 290 ; problème de santé mentale, 22, 24, 28-29 ; rapport à soi / aux autres, 125-133, 141 ; violent, 151-152, 155, 221-222, 248-249, *voir aussi* Violence
Conduite avec facultés affaiblies, 227
Conflictualité : psychosociale, 50, 53, 307 ; sociale, 147
Conflit, 122, 130-133
Conflit avec la famille, 139, 141-143, 154-157, 235-272, 300 : agressivité, 248-249, 255-259 ; alimentation, 250 ; argent, 248-249, 263-265 ; comportement violent, 248-249, 259-262 ; délire, 238, 242-246 ; dépendances, 248-249, 269-270 ; dérangement, 248-249, 254-255 ; enfants, 236, 248-249, 265-268 ; fugue, 248-249, 268-269 ; hygiène personnelle, 252 ; insécurité résidentielle, 253-254 ; interventions, 259, 261, 267, 270 ; isolement social, 250-252 ; persécution, 238, 241-244 ; selon l'âge et le sexe, 236-237, 271 ; traits de personnalité impulsive, 238-241 ; traits de personnalité violente, 238, 247-248 ; travail, 248-249, 262-263 ; violence, 255-256, 259-262 ; vulnérabilité, 248-250
Conflit avec l'entourage, 139, 141-143, 153-154, 156, 194-213, 300 : absence d'autocritique / déni, 197, 199-200 ; agressivité, 201, 207-212 ; confusion, 196-197 ; délire, 197-198 ; dépendances, 201 ; dérangement, 201, 206-212 ; dimensions sociales, 200 ; état de santé, 204-205 ; exploitation financière, 206 ; insécurité résidentielle, 201-204 ; interventions, 212 ; maltraitance, 206 ; selon l'âge et le sexe, 195 ; vulnérabilité, 201
Conflit avec les étrangers, 139, 141-144, 154-155, 157, 213-233, 301, 303 : abandon de soi, 222 ; absence d'autocritique, 219-221 ; agressivité, 221-222 ; alimentation, 228-229 ; délire, 215, 218-219 ; dépendances, 222 ; dimensions sociales, 221 ; insécurité résidentielle, 229-230 ; interventions, 231-232 ; isolement social, 230-231 ; judiciarisation, 225-226 ; selon l'âge et le sexe, 213-214 ; suicide (risque), 222 ;

traits de personnalité égocentrique, 215, 219-221 ; traits de personnalité violente, 214-217 ; violence, 221-225 ; vulnérabilité, 222, 228-229
Confusion, 128, 139, 146, 150, 153 : conflit avec l'entourage, 196-197 ; désorganisation mentale, 164, 167-168, 171 ; suicide (risque), 183-185
Conseil des médecins, dentistes et pharmaciens (CMDP), 277
Consentement de la personne, 46, 56, 275, *voir aussi* Autorisation judiciaire de soins (AJS)
Contact psychiatrique, *voir* Antécédent psychiatrique
Côte-des-Neiges, 110
Couple : autorisation judiciaire de soins (AJS), 283 ; avec enfants, 104 ; du même sexe, 105-106 ; en union libre, 105 ; marié, 105 ; non cohabitant, 104 ; sans enfant, 104
Cour : du Québec, 47, 64, 72, 75 ; supérieure du Québec, 46, 275
Criminalité, 121-122, 145, 152, *voir aussi* Judiciarisation, Petit délit
Crise psychosociale, 51 : variables d'intervention, 56
Crise psychotique : soutien social, 35
Critère : diagnostique médical, 57 ; légal/administratif, 57
Culturalisme, 135
Curateur public, 288
Cure fermée, 46, 275, 282, 296

D

Danger : déclenchement de la situation problématique, 80 ; détérioration de la situation, 82-83 ; envers autrui, 81, 155-156, 303 ; envers soi-même, 81, 153-154, 160, 303 ; fréquence des comportements problématiques, 80-81 ; marqueurs, 80-81 ; notion, 123 ; potentiel, 81, 128 ; probabilités, 81-82 ; projections, 81
Danger grave et immédiat : définition, 49
Dangerosité mentale, 42-54, 123, 307 : à Montréal, 110-113 ; autorisation judiciaire de soins (AJS), 46 ; démédicalisation, 45 ; estimation, 46 ; et folie civile, 55-86 ; et maladie mentale, 44 ; expert, 46 ; grave et immédiate, 60 ; interventions, 46-52, 57 ; régulière, 60
Darwinisme social, 32
Défavorisation, 103, 285, *voir aussi* Pauvreté : à Montréal, 107-110, 113 ; et santé, 107 ; matérielle, 103 ; sociale, 103
Déficient intellectuel, 37
Déficit cognitif : perte d'autonomie, 288
Dégénérescence (théorie), 32
Déjudiciarisation, 41-43, 52, 54 : au Québec, 60
Délire, 129, 139, 146, 148, 153, 156 : conflit avec la famille, 238, 242-246 ; conflit avec l'entourage, 197-198 ; conflit avec les étrangers, 215, 218-219 ; conjoncture politique, 165 ; de grandeur,

165-166 ; désorganisation mentale, 163-167, 171 ; religieux, 164, 246 ; suicide (risque), 183, 185 ; technologie, 166, 244
Demande d'autorisations judiciaires de soins (AJS), *voir* Autorisation judiciaire de soins (AJS)
Démence, 163, 238, 293
Dépendance, 151-152 : autorisation judiciaire de soins (AJS), 290 ; conflit avec la famille, 248-249, 269-270 ; conflit avec l'entourage, 201 ; conflit avec les étrangers, 222, 226-228 ; perte d'autonomie, 288
Dépression-suicide, 182-183
Dérangement, 132-133, 147, 151-153, 172, 290 : conflit avec la famille, 248-249, 254-255 ; conflit avec l'entourage, 201, 206-212 ; désorganisation mentale, 171, 178-179
Dérèglement, *voir* Comportement, Rapport à soi / aux autres
Déséquilibre mental, 22
Désinhibition, 219
Désinstitutionnalisation psychiatrique, 19, 34-35, 41, 52, 54 : déception, 35, 42 ; protection des populations, 40
Désintoxication, 227, 295
Désordre mental, 22
Désorganisation mentale, 128, 139, 143, 161-181, 301-302 : agressivité, 171, 177-178 ; alimentation, 174-175 ; comportement déréglé, 164, 169-170 ; configuration, 153, 156 ; confusion, 164, 167-168 ; délire, 163-167 ; dérangement, 171, 178-179 ; dimensions sociales, 172 ; hallucination, 164, 170-171 ; insécurité résidentielle, 175-177 ; interventions, 179-180 ; isolement social, 173-174 ; notion, 162 ; persécution, 164, 168-169 ; perte d'autonomie, 288 ; rapport à l'argent, 128 ; selon l'âge et le sexe, 162-163 ; vulnérabilité, 171-172, 179
Détresse psychologique, 22
Devereux, G., 134-135
Déviance, 145, 152 : morale, 121 ; sociale, 25
Diagnostic, 57-58
Diagnostic psychiatrique, 93, *voir aussi* Antécédent psychiatrique : autorisation judiciaire de soins (AJS), 288, 292-293, 297 ; conflit avec la famille, 237 ; conflit avec l'entourage, 195 ; conflit avec les étrangers, 214 ; désorganisation mentale, 161, 163
Diagnostic and Statistical Manual of Mental Disorders (DSM), 11, 21, 25-26
Différence, 152 : cognitive et affective, 29 ; radicale, 122
Directeur de centre hospitalier, 62
Direction de la protection de la jeunesse, 267
Drogue, 222, 226-230, 269-270, 290, *voir aussi* Dépendance
Droit : et psychiatrie, 59 ; grammaire, 57
Droits de la personne : dangerosité mentale, 44, 78
Douglas, J., 33

E

École de Chicago, 37
Égarement, 130
Égocentrisme, *voir* Traits de personnalité (égocentrique)
Électrochoc, 295
Enfant : autorisation judiciaire de soins (AJS), 283-284 ; conflit avec la famille, 236, 248-249, 265-268
Entourage, *voir* Conflit avec l'entourage
Errance, 130, 147 : autorisation judiciaire de soins (AJS), 290-291
Espérance de vie, 102 : à Montréal, 107, 115-116 ; isolement social, 173
Établissement : autorisation judiciaire de soins (AJS), 277, *voir aussi* Hôpital
État civil : autorisation judiciaire de soins (AJS), 283, 296
État mental, 45-46
Éthique : autorisation judiciaire de soins (AJS), 277
Ethnopsychiatre, 134
Étiquetage moral/social, 29
Étranger, *voir* Conflit avec les étrangers
Évaluation / examen psychiatrique, 44, 51, 62-63, *voir aussi* Requête pour évaluation psychiatrique
Excentricité, 128, 152, 290
Ex-détenu, 37
Exhibitionnisme, 290
Expert : autorisation judiciaire de soins (AJS), 280-281 ; état de dangerosité mentale, 46, 78
Exploitation financière, 206, 289

F

Famille, 51, 63, 67, 95-97, 121, *voir aussi* Conflit avec la famille : au Canada, 104-105 ; monoparentale, 105, 106, 108 ; recomposée, 105 ; richesse (au Québec), 101
Femme : autorisation judiciaire de soins (AJS), 283-284, 296 ; conflit avec la famille, 236-237, 271 ; conflit avec l'entourage, 195-196, 212 ; conflit avec les étrangers, 213-214, 232 ; désorganisation mentale, 162, 180 ; espérance de vie, 107, 115-116 ; état de santé mentale, 103 ; famille monoparentale, 105 ; personne seule, 105 ; suicide (risque), 182
Folie : et société, 9, 16, 35, 87 ; et violence, 156 ; « Grand renfermement », 30 ; législation, 10-11, 35, 39 ; maladie mentale, 11, 22 ; méfiance, 10 ; mentale, 15, 22, 29, 32, 119, 134, 145 ; optimisme thérapeutique, 32-35 ; réhabilitation, 15 ; retrait des chaînes, 31 ; sociale, 15, 22, 29, 32, 119, 134, 145
Folie civile, 14, 299, *voir aussi* Fou civil : composantes, 147-153 ; consistance, 119-158 ; écologie, 87-118 ; et dangerosité mentale, 55-86 ; formulation, 72 ; personnes vulnérables, 153-154 ; situation-problème, 134, 136, 138, 143-144, 147-153, 306
Formation : requête pour évaluation psychiatrique, 72-73
Fou civil, 14-15, *voir aussi* Folie

civile : adresse, 95, 97, 110-111 ; âge, 90-91, 96-97 ; citoyens de seconde zone, 15 ; contacts judiciaires, 94-95 ; contacts psychiatriques, 92-94 ; femmes, 90, 91, 93 ; hommes, 90, 91, 93 ; et individus problématiques, 15 ; profil, 89 ; réseau social, 95-97 ; sans adresse, 95
Foucault, M., 12, 19, 30, 87
Fragilité psychique, 153, *voir aussi* Problème de santé mentale
Fugue, 130, 147, 151 : autorisation judiciaire de soins (AJS), 291 ; conflit avec la famille, 248-249, 268-269
Fuite du domicile, 147

G

Garde : en établissement, 46, 61-63 ; préventive, 61, 63 ; provisoire, 60-66, 270, 300
Gestion, 36, 38 : de risques psychosociaux, 51 ; des populations désinstitutionnalisées, 41 ; des situations-problèmes, 159-160, 307
Godin, M., 305
Goffman, E., 12, 35
Grand désenfermement, 34
Grand renfermement, 30

H

Hallucination, 121-122, 129, 146, 148, 156 : désorganisation mentale, 164, 170-171
Hamel, M., 9-10
Handicap (conséquences sociales), 29
Harcèlement, 208, 210, 255
Heisenberg, W. : principe d'incertitude, 135
Hérédité, 32, 100
Hétéroagressivité, 222, *voir aussi* Agressivité, Comportement, Traits de personnalité (violente), Violence
Hétérodangerosité, 132-133, *voir aussi* Dangerosité mentale
Hochelaga-Maisonneuve, 107, 108, 118, 285
Homme : autorisation judiciaire de soins (AJS), 283-284, 296 ; conflit avec la famille, 236-237, 271 ; conflit avec l'entourage, 195-196, 212 ; conflit avec les étrangers, 213-214, 232 ; désorganisation mentale, 162, 180 ; espérance de vie, 107, 115-116 ; état de santé mentale, 103 ; famille monoparentale, 105 ; suicide (risque), 182
Homosexualité, 27
Hôpital : autorisation judiciaire de soins (AJS), 46, 277, 293 ; général (France), 30 ; Saint-Jean-de-Dieu, 33
Horaire de vie, 130
Hospitalisation : problèmes de santé mentale, 100 ; personnes visées par une AJS, 286 ; refus de traitement, 275
Howard, H., 33
Hygiène personnelle, 126-127, 173, 175-176 : autorisation judiciaire de soins (AJS), 288-289 ; conflit avec la famille, 252

I

Idée de persécution, *voir* Persécution
Immigrant, 106
Imprévisibilité, 81
Impulsivité, 146, 149, 155 : conflit avec la famille, 238-241
Inaptitude (concept), 276
Incohérence mentale, 129, 139, 146, 156, 171
Individualisme de masse, 41, 90
Individualité sociale ordinaire, 123-125
Inégalité sociale : défavorisation matérielle et sociale, 103 ; et inégalité de santé, 97, 99 ; inégalité des revenus, 98
Insécurité alimentaire, *voir* Alimentation
Insécurité résidentielle, 147, 175-176, 285-286, *voir aussi* Itinérance : autorisation judiciaire de soins (AJS), 288-291, 296-297 ; conflit avec la famille, 253-254 ; conflit avec l'entourage, 201-204 ; conflit avec les étrangers, 229-230 ; désorganisation mentale, 172 ; insalubrité, 173, 175, 202-203, 288-289 ; risque d'éviction, 176, 202, 229, 289 ; suicide (risque), 190-191
Institut : canadien d'information sur la santé, 100 ; de la statistique du Québec, 101 ; Douglas, 293 ; universitaire en santé mentale de Montréal, 293
Intégrité de la personne, 161 : consentement aux soins, 275
Internement civil, 42, 60
Intervenant d'un service d'aide en situation de crise (ISASC), 46-48, 52, 60 : partage de responsabilités, 48-51
Intimidation, *voir* Menace
Isolement social, 129-130, 153, *voir aussi* Personne seule, Réseau social ; causes, 173 ; conflit avec la famille, 250-252 ; conflit avec les étrangers, 230-231 ; désorganisation mentale, 172-174 ; effets, 173-174 ; suicide (risque), 189
Itinérance/itinérant, 9-10, 37, 95, 121, 130, 302 : autorisation judiciaire de soins (AJS), 286, 290-291 ; conflit avec l'entourage, 203-204 ; conflit avec les étrangers, 229-230 ; désorganisation mentale, 172

J

Jeunes, 104, 116
Judiciarisation, 131, 155 : conflit avec les étrangers, 221, 225-226
Juge : autorisation judiciaire de soins (AJS), 278 ; éléments de preuve, 58, 78 ; requête d'évaluation psychiatrique, 69
Jugement altéré, 129, *voir aussi* Désorganisation mentale
Justice Québec, 63, 68, 70

K

Katzenbach, J., 299, 307

L

Lac-Saint-Louis, 107
Langage : autorisation judiciaire de soins (AJS), 287 ; dangerosité mentale, 51, 72 ; de la folie civile, 85, 299 ; juridique, 73
Le Bon, G., 55
Législation, 10-11, 35, 39, 52-54 : de déjudiciarisation, 54 ; de désinstitutionnalisation, 54 ; d'internement asilaire, 54 ; sur l'internement civil, 42, 60
Lévi-Strauss, C., 145
Limoges, P., 10
Lithium, 294
Logement, *voir* Insécurité résidentielle
Loi : sur la protection des personnes dont l'état mental présente un danger pour elles-mêmes ou pour autrui (P-38), 43, 60, 74, 84, 91, 110, 123, 144, 153, 155, 282, 303 ; sur la protection du malade mental, 40-41 ; transgression, 147, 291
Louis XIV, 30

M

Magloire, A., 9
Maison de santé, 33
Malade mental, 37
Maladie (perte d'autonomie), 288
Maladie d'Alzheimer, 91
Maladie mentale, 11, 15, 22, 38, 122 : consentement aux soins, 275 ; définition, 35, 39 ; et dangerosité, 44 ; et état mental perturbé, 45-46 ; et santé mentale problématique, 23 ; interventions, 52 ; judiciarisation, 41 ; spécificité, 38, 46 ; traitement, 36
Maltraitance, 206, 229
Marginalité, 37-38
Marx, K., 30
Matériel d'injection, 227
Médecin, 51, 62 : autorisation judiciaire de soins (AJS), 46, 277 ; dangerosité mentale, 49 ; intervention, 63-64
Médicalisation : de comportements, 28 ; de la dangerosité mentale, 45 ; et problème de santé mentale, 39
Médicament, 34-35, 84-85 : antidépresseur, 34, 294 ; antiparkinsonien, 294 ; antipsychotique, 34, 293-294 ; anxiolytique, 294 ; neuroleptique, 294 ; psychotrope, 30, 46, 151, 183, 192, 226, 273, 293
Médication : effets secondaires, 294 ; refus, 85, 163, 183, 195, 214, 238, 273
Menace, 147, 152, 172 : conflit avec la famille, 255 ; conflit avec l'entourage, 210 ; conflit avec les étrangers, 222 ; désorganisation mentale, 177 ; suicide (risque), 186-188
Mental perturbé, 146 : catégories, 147-150, 153 ; configuration, 153 ; matériaux mentaux, 146
Mercier–Hochelaga-Maisonneuve, 108
Mésadapté socioaffectif, 37
Méthadone (substitution), 227
Milieu de travail, 131, *voir aussi* Travail
Milieu de vie, *voir aussi* Insécurité

résidentielle, Isolement social, Réseau social : détérioration/destruction, 127 ; entretien, 127
Milieu marginal/criminalisé, 221, 227
Ministère : de la Justice, 41 ; de la Santé et des Services sociaux, 41 ; de la Sécurité publique, 41
Mohammadi, F., 9
Modernité, 31
Montréal, 105 : autorisations judiciaires de soins (AJS), 285 ; défavorisation matérielle et sociale, 107-110, 113 ; espérance de vie, 107, 115 ; événements relevant de la dangerosité mentale, 110-113, 117 ; familles à faible revenu, 106 ; familles monoparentales, 108 ; personnes vivant seules, 108-109 ; requêtes pour évaluation psychiatrique, 109-112, 117-118 ; taux de mesure du faible revenu (MFR), 106 ; vulnérabilité matérielle et sociale, 106-113
Montreal Lunatic Asylum, 32
Montréal-Nord, 108, 109, 110, 112, 118
Mortalité, 102, 107

N

Narcissisme, 219, 293
Négligence, 128
Neurosciences, 11, 24, 172
Névrose, 23
Normativité sociale, 20-30, 120
Normes (transgression), 147, 291
Notre-Dame-de-Grâce, 108
Nouvelle-France : loges, 10

O

Organisation de coopération et de développement économiques (OCDE), 98
Organicisme, 32
Oubli, 128

P

Paranoïa, 130, 139, 163, 195, 237, 242
Parc-Extension, 108, 109
Pascal, B., 119, 159
Pathologie, 152 : mentale, 11, 27
Patient : consentement, 46, 56 ; position subordonnée, 58-59
Pauvreté, 38, 88, 97, 121-122, 145, 147, 153 : à Montréal, 108 ; au Canada, 98-99 ; conflit avec l'entourage, 201 ; dans les pays de l'OCDE, 98 ; désorganisation mentale, 172-173 ; et santé, 99-100
Perros, G., 159
Persécution, 139, 146, 148 : conflit avec la famille, 238, 241-244 ; désorganisation mentale, 164, 166, 168-169, 171
Personnalité, *voir* Traits de personnalité
Personne âgée, 105, 153
Personne seule, 106, *voir aussi* Isolement social : à Montréal, 108-109 ; désorganisation mentale, 172 ; état de santé mentale, 103-104 ; statistiques, 104-105
Personnel médical, 34
Perturbé, 146

Petit délit, 151, 221, 225
Petite-Bourgogne, 108, 118
Peur, 81 : conflit avec la famille, 247-248, 256 ; conflit avec l'entourage, 207-208 ; conflit avec les étrangers, 216
Pinel, P., 31
Plateau–Mont-Royal, 108, 109, 110, 116, 118
Pointe-Saint-Charles, 107, 108, 118
Police/policier, 40-41, 43-44 : dangerosité mentale, 47 ; interventions, 48-51, 259, 261, 267, 277 ; situation de conflit, 144
Population : déplacement, 30-31 ; marginale et marginalisée, 37 ; vulnérable, 37-38
Post-déjudiciarisation (ère), 50
Précarité résidentielle, *voir* Insécurité résidentielle
Prison, 41, 225-226
Problème de santé mentale, 22, 24, 39, 88, 97, 120 : aide, 302 ; complexité, 47 ; comportement social, 24-25 ; et inégalités de revenu, 100 ; problèmes non spécifiques, 122 ; soins psychiatriques, 36
Proche, *voir* Conflit avec la famille
Prostitution, 227
Psychiatrie, 11, 22, 24-27, 91-92, 172, 304 : dangerosité mentale, 47 ; et antipsychiatrie, 14, 34 ; normativité sociale, 20-30, 120 ; sectorisation des services, 36, 39
Psychiatrie-justice, 57, 59, 136, 155
Psychologie, 24, 27, 172
Psychologisme, 120, 134-135
Psychopharmacologie, 172
Psychose, 139, 163, 195, 237
Psychosocial problématique, 50-51 : et dangerosité mentale, 53

Q

Québec, 32 : désinstitutionnalisation, 35, 40 ; espérance de vie, 102 ; famille, 105 ; inégalités sociales, 101-102 ; législation, 40, 43 ; politique de déjudiciarisation, 60
Québec (ville), 106
Queneau, R., 235

R

Rapport à soi / aux autres, 125, 146-147, 193-233 : dérèglement, 125-133, 159 ; situation-problème, 134-138 ; vulnérabilité psychosociale, 129-130
Régie régionale de la santé et des services sociaux, 50, 73
Regroupement de patients, 34
Requête pour évaluation psychiatrique, 306 : à Montréal, 109-112, 117-118 ; accompagnement institutionnel, 67 ; complexité événementielle, 159 ; défense, 68 ; efficacité, 67, 70 ; état de dangerosité mentale (arguments), 125-133, 138, 142, 147, 153-154 ; formation des intervenants, 72-73 ; formulaire, 73 ; interrogatoire de la personne visée, 69-70 ; intervention requise, 84, 159 ; marque du temps, 78 ; profil des personnes visées, 89, *voir*

aussi Fou civil ; rédaction, 77-86 ; requérants, 63-66, 73-76, 95-97, 179, 191, 199, 212, 231-232 ; ressources, 75 ; signification, 68-71 ; utilisation, 64, 74-78, 136, 160
Réseau social, 95-97, 104, 130, 286, *voir aussi* Famille, Isolement social : conflit avec l'entourage, 201 ; désorganisation mentale, 172
Risque, 81 : d'incendie, 128 ; mental, 79-80, *voir aussi* Danger ; psychosocial, 51
Rosemont–La Petite-Patrie, 108, 109

S

Saint-Henri, 108, 118
Saint-Jacques, 115
Saint-Laurent, 107, 115
Saint-Léonard, 112
Saint-Michel, 112
Sainte-Marie, 115-116
Santé, 153 : au Canada, 102 ; au Québec, 102 ; conflit avec l'entourage, 201, 204-205 ; et défavorisation matérielle et sociale, 107 ; et pauvreté, 99 ; et société, 97 ; isolement social, 173
Santé Canada, 100
Santé mentale, 45
Santé mentale problématique, 38 : et maladie mentale, 23, 27
Sartre, J.-P., 137
Schizophrénie, 139, 163, 195, 214, 237, 292
Sciences sociales : et folie, 12-14
Service de police de la Ville de Montréal (SPVM), 9-10, 48, 302
Service de santé : transport de la personne, 60
Sexe, *voir* Femme, Homme
Sexualité, 246, 290
Situation : circonstances, 138, 140-142 ; conditions matérielles, 137, 140 ; état particulier, 138, 140 ; lieu, 137, 140-142 ; notion, 137 ; rapports avec les autres, 138, 140-142
Situation-problème, 134, 306 : analyse, 153-156 ; approche, 136 ; dimension sociale / mentale perturbée, 145-147 ; gestion, 159-160 ; notion, 136-137 ; pathologisation, 303
Social problématique, 146-147 : catégories, 150-153 ; configuration, 153 ; matériaux sociaux, 147
Société : de droit, 55 ; et folie, 9, 16, 35, 87 ; et santé, 97 ; problème de santé mentale, 24-25 ; vulnérabilités des personnes, 55
Sociologie, 23-24
Sociologisme, 28, 120, 134
Soins : personnels, *voir* Hygiène personnelle ; psychiatriques, 84 ; refus, 199
Stabilisateur d'humeur, 294
Stratégie : de résolution des situations problématiques, 51 ; d'intervention, 30, 45 ; traitement, 295
Stress post-traumatique, 28
Sud-Ouest, 108
Suicide (risque), 139, 140, 143, 151-153, 156, 181-192, 301, 303 : abandon de soi, 187-189 ; alimentation, 189-190 ; autorisation judiciaire de soins

(AJS), 291 ; blessures auto-infligées, 183-184 ; conflit avec les étrangers, 222 ; confusion, 183-184 ; délire, 183, 185 ; et dépression, 182-183 ; insécurité résidentielle, 190-191 ; isolement social, 189 ; menaces, 186-187 ; selon l'âge et le sexe, 182 ; vulnérabilité, 187, 305

T

Table de concertation psychiatrie-justice, 41, 60
Thérapeutique : consentement de la personne, 46, 56, 275 ; optimisme, 32-35 ; refus, 199
Toronto, 105
Toxicomane, 37
Toxicomanie, 38 : conflit avec les étrangers, 226-228
Traits de personnalité : antisociale, 293 ; égocentrique, 146-150, 215, 219-220, 293 ; impulsive, 149, 155, 157, 238-241 ; violente, 148-149, 155, 157, 214-217, 238, 247-248, 304
Travail, 131, 248-249, 262-263 : autorisation judiciaire de soins (AJS), 284
Travailleur social, 64-66, 95, 199, 212
Tribunal, 40, *voir aussi* Juge
Tribunal administratif du Québec, 70, 75
Trouble mental : définition, 20-22, 26 ; et déviance sociale, 25 ; motivant un examen ou un traitement *(DSM)*, 26-27 ; vulnérabilité, 156
Troubles : cognitifs, 163, 293 ; de conduite de l'enfance, 26 ; de la personnalité, 157, 293, 304-305 ; de l'attention avec ou sans hyperactivité chez les enfants, 28-29 ; des fonctions psycho-sexuelles chez les adultes, 26 ; envahissants du développement, 29 ; maniacodépressifs, 163 ; obsessionnels-compulsifs, 237 ; psychotiques, 292 ; schizo-affectifs, 292 ; sévères et persistants, 15
Turcotte, G., 305

V

Valeur(s) : personnes vulnérables (prise en charge), 55
Vancouver, 105
Vieux-Montréal, 115
Ville, 31 : marginalisation, 37 ; nouvelles populations vulnérables, 37-38 ; personnes seules, 104
Ville-Marie, 108, 109
Villeray, 108, 109
Villeray–Saint-Michel–Parc-Extension, 108
Violence, 104, 121, 128-131, 146, *voir aussi* Agressivité, Comportement (violent), Traits de personnalité (violente) : conflit avec la famille, 255-256, 159-262 ; conflit avec les étrangers, 214-215, 221-225 ; et folie, 156
Voies de fait, 210, 259
Vulnérabilité : aide/soutien, 302 ; autorisation judiciaire de soins (AJS), 289-290 ; conflit avec la famille, 248-250 ; conflit avec

l'entourage, 201 ; conflit avec les étrangers, 222, 228-229 ; désorganisation mentale, 171-172 ; économique, 147, 172 ; et agressivité, 157-158, 172 ; globale, 153, 307 ; matérielle, 150-151, 153 ; psychosociale, 51, 55, 88, 97, 129-130, 172, 193-194 ; sociale, 147, 151, 153 ; suicide (risque), 187 ; troubles mentaux, 156

Table des matières

Introduction 9

CHAPITRE PREMIER • Le fou social et le fou mental 19

L'angle mort de la psychiatrie : la normativité sociale 20

De l'asile à la communauté 30

Les mille visages du fou dans la cité 35

La loi et l'ordre 38

À la recherche de la dangerosité mentale 42

La vulnérabilité et la conflictualité psychosociales chroniques 50

CHAPITRE 2 • La dangerosité mentale : nouveau visage de la folie civile 55

Les grammaires du droit et de la psychiatrie 57

La garde provisoire : interface entre folie civile et société 60

L'efficacité du dispositif : *rubber stamping* ou filtre institutionnel ? 67

Dire la dangerosité : apprendre à formuler la folie civile contemporaine 72

Déclenchement : l'importance du marqueur temporel 80

Fréquence des comportements problématiques 80

Projections du danger 81

Probabilités de danger : risque, peur, imprévisibilité 81

Détérioration de la situation 82

Porte d'entrée aux soins psychiatriques et prise de médicaments 84

CHAPITRE 3 • L'écologie de la folie civile : individus et milieux 87

Les fous civils : âge, sexe, psychiatrie et justice 89

La santé dans la société 98

La vulnérabilité matérielle et sociale à Montréal 106

Le territoire montréalais le plus « mentalement dangereux » 113

CHAPITRE 4 • La consistance de la folie civile : mental perturbé et social problématique 119

Le rapport déréglé à soi et aux autres : les cas de figure de la non-spécificité 126

Les multiples dimensions des situations problématiques 134

Les cinq catégories de situations-problèmes de la folie civile 138

Les dimensions ontologiques de la folie civile : mental perturbé et social problématique 145

CHAPITRE 5 • Du délire au suicide : le rapport troublé à soi-même 159

Grande désorganisation mentale 161

Délire, hallucinations, bizarreries 163

Grande vulnérabilité, petite agressivité 172

Risque de suicide 181

Se faire du mal 182

Vouloir mourir, vouloir disparaître 186

CHAPITRE 6 • Du dérangement à la violence : le rapport troublé aux autres 193

Conflits avec l'entourage : voisins, concierges et corésidents 194
Perdus dans le temps et l'espace 196
Pauvreté, maladie, isolement et dérangement 200
Conflits avec les étrangers : passants, commerçants et quidams 213
Violence et narcissisme 214
Comportements violents et criminalité 221

CHAPITRE 7 • De l'invivable à la peur : le rapport troublé aux proches 235
Impulsivité et persécution 237
L'invivable quotidien : peur, stress et épuisement 248
Vestiges d'une vie ordinaire : travail, argent, enfants 262

CHAPITRE 8 • Les intraitables : être au bout du rouleau 273
Les autorisations judiciaires de soins : le retour de la cure fermée ? 275
Les intraitables dans la machine juridico-psychiatrique 278
Qui sont les intraitables ? 282
Quels problèmes posent les intraitables à eux-mêmes et aux autres ? 286
Diagnostics et traitements 292

Conclusion 299

Remerciements 309

Bibliographie 311

Liste des graphiques et des tableaux 325

Index 329

Crédits et remerciements

Les Éditions du Boréal remercient le Conseil des arts du Canada
pour son soutien financier ainsi que le Fonds du livre du Canada (FLC).
Canadä

Les Éditions du Boréal sont inscrites au Programme d'aide aux entreprises du livre et de l'édition spécialisée de la SODEC et bénéficient du Programme de crédit d'impôt pour l'édition de livres du gouvernement du Québec.
Québec

Cet ouvrage a été publié grâce à une subvention de la Fédération des sciences humaines, dans le cadre du Prix d'auteurs pour l'édition savante, à l'aide de fonds provenant du Conseil de recherches en sciences humaines du Canada.

Couverture : NI QIN, iStockphoto.com

EXTRAIT DU CATALOGUE

Mark Abley
Parlez-vous boro ?
Robert C. Allen
Brève histoire de l'économie mondiale
Bernard Arcand
Abolissons l'hiver !
Le Jaguar et le Tamanoir
Margaret Atwood
Cibles mouvantes
Comptes et Légendes
Denise Baillargeon
Naître, vivre, grandir. Sainte-Justine, 1907-2007
Frédéric Bastien
La Bataille de Londres
Jacques Beauchemin
La Souveraineté en héritage
Éric Bédard
Années de ferveur 1987-1995
Les Réformistes
Recours aux sources
Carl Bergeron
Un cynique chez les lyriques
Michel Biron
La Conscience du désert
Michel Biron, François Dumont et Élizabeth Nardout-Lafarge
Histoire de la littérature québécoise
Marie-Claire Blais
Passages américains
Jérôme Blanchet-Gravel
Le Retour du bon sauvage
Mathieu Bock-Côté
La Dénationalisation tranquille
Fin de cycle
Gérard Bouchard
L'Interculturalisme
Raison et déraison du mythe
Gérard Bouchard et Alain Roy
La culture québécoise est-elle en crise ?
Serge Bouchard
L'homme descend de l'ourse
Le Moineau domestique
Récits de Mathieu Mestokosho, chasseur innu
Joseph Boyden
Louis Riel et Gabriel Dumont
Georges Campeau
De l'assurance-chômage à l'assurance-emploi
Claude Castonguay
Mémoires d'un révolutionnaire tranquille
Santé, l'heure des choix
Bernard Chapais
Liens de sang
Luc Chartrand, Raymond Duchesne et Yves Gingras
Histoire des sciences au Québec
Jean-François Chassay
La Littérature à l'éprouvette
Julie Châteauvert et Francis Dupuis-Déri
Identités mosaïques
Marc Chevrier
La République québécoise
Jean Chrétien
Passion politique
Adrienne Clarkson
Norman Bethune
Marie-Aimée Cliche
Fous, ivres ou méchants ?
Maltraiter ou punir ?
Collectif
La Révolution tranquille en héritage
Douglas Coupland
Marshall McLuhan
Gil Courtemanche
Le Camp des justes

La Seconde Révolution tranquille
Nouvelles Douces Colères
Tara Cullis et David Suzuki
La Déclaration d'interdépendance
Michèle Dagenais
Montréal et l'eau
Isabelle Daunais
Le Roman sans aventure
Isabelle Daunais et François Ricard
La Pratique du roman
Louise Dechêne
Habitants et Marchands de Montréal au XVIIe siècle
Le Partage des subsistances au Canada sous le Régime français
Le Peuple, l'État et la guerre au Canada sous le Régime français
Benoît Dubreuil et Guillaume Marois
Le Remède imaginaire
Renée Dupuis
Quel Canada pour les Autochtones ?
Tribus, Peuples et Nations
David Hackett Fischer
Le Rêve de Champlain
Dominique Forget
Perdre le Nord ?
Graham Fraser
Vous m'intéressez
Sorry, I don't speak French
Alain-G. Gagnon et Raffaele Iacovino
De la nation à la multination
Robert Gagnon
Une question d'égouts
Urgel-Eugène Archambault. Une vie au service de l'instruction publique
Bertrand Gervais
Un défaut de fabrication
Yves Gingras et Yanick Villedieu
Parlons sciences
Jacques Godbout
Le tour du jardin
Benoît Grenier
Brève histoire du régime seigneurial
Allan Greer
Catherine Tekakwitha et les Jésuites
Habitants et Patriotes
La Nouvelle-France et le Monde
Steven Guilbeault
Alerte ! Le Québec à l'heure des changements climatiques
André Habib
La Main gauche de Jean-Pierre Léaud
Brigitte Haentjens
Un regard qui te fracasse
Chris Harman
Une histoire populaire de l'humanité
Michael Ignatieff
L'Album russe
La Révolution des droits
Terre de nos aïeux
Jean-Pierre Issenhuth
La Géométrie des ombres
Jane Jacobs
La Nature des économies
Retour à l'âge des ténèbres
Systèmes de survie
Les Villes et la Richesse des nations
Stéphane Kelly
À l'ombre du mur
Les Fins du Canada
La Petite Loterie
Thomas King
L'Indien malcommode
Tracy Kidder
Soulever les montagnes
Mark Kingwell
Glenn Gould
Robert Lacroix et Louis Maheu
Le CHUM : une tragédie québécoise
Céline Lafontaine
Nanotechnologies et Société
Yvan Lamonde et Jonathan Livernois
Papineau, erreur sur la personne
Daniel Lanois
La Musique de l'âme
Monique LaRue
La Leçon de Jérusalem
Suzanne Laurin
L'Échiquier de Mirabel
Adèle Lauzon
Pas si tranquille
Michel Lavoie
C'est ma seigneurie que je réclame
Pierre Lefebvre
Confessions d'un cassé
David Levine
Santé et Politique
Jean-François Lisée
Nous
Pour une gauche efficace
Sortie de secours
Jean-François Lisée et Éric Montpetit
Imaginer l'après-crise
Jonathan Livernois
Remettre à demain
Jocelyn Maclure et Charles Taylor
Laïcité et liberté de conscience

Marcel Martel et Martin Pâquet
Langue et politique au Canada et au Québec
Karel Mayrand
Une voix pour la Terre
Pierre Monette
Onon:ta'
Patrick Moreau
Pourquoi nos enfants sortent-ils de l'école ignorants ?
Claude Morin
Je le dis comme je le pense
Michel Morin
L'Usurpation de la souveraineté autochtone
Wajdi Mouawad
Le Poisson soi
Christian Nadeau
Contre Harper
Liberté, égalité, solidarité
Antonio Negri et Michael Hardt
Multitude
Pierre Nepveu
Gaston Miron
Geneviève Nootens
Julius Grey. Entretiens
Samantha Nutt
Guerriers de l'impossible
Marcelo Otero
Les Fous dans la cité
L'Ombre portée
Jean Paré
Conversations avec McLuhan, 1960-1973
Roberto Perin
Ignace de Montréal
Daniel Poliquin
René Lévesque
Le Roman colonial
John Rawls
La Justice comme équité
Paix et Démocratie
Nino Ricci
Pierre Elliott Trudeau
Noah Richler
Mon pays, c'est un roman
Jeremy Rifkin
L'Âge de l'accès
La Fin du travail
Yvon Rivard
Aimer, enseigner
Antoine Robitaille
Le Nouvel Homme nouveau
Régine Robin
Nous autres, les autres
François Rocher
Guy Rocher. Entretiens
Simon Roy
Ma vie rouge Kubrick
Ronald Rudin
L'Acadie entre le souvenir et l'oubli
Michel Sarra-Bournet
Louis Bernard. Entretiens.
John Saul
Dialogue sur la démocratie au Canada
Le Grand Retour
Mon pays métis
Doug Saunders
Du village à la ville
Simon-Pierre Savard-Tremblay
Le Souverainisme de province
Michel Seymour
De la tolérance à la reconnaissance
Une idée de l'université
Patricia Smart
De Marie de l'Incarnation à Nelly Arcan
Les Femmes du Refus global
Paul St-Pierre Plamondon
Les Orphelins politiques
David Suzuki
Lettres à mes petits-enfants
Ma dernière conférence
Ma vie
Suzuki : le guide vert
David Suzuki et Wayne Grady
L'Arbre, une vie
David Suzuki et Holly Dressel
Enfin de bonnes nouvelles
Charles Taylor
L'Âge séculier
Les Sources du moi
Pierre Trudel
Ghislain Picard. Entretiens
Chris Turner
Science, on coupe !
Jean-Philippe Warren
L'Art vivant
L'Engagement sociologique
Honoré Beaugrand
Hourra pour Santa Claus !
Une douce anarchie
Martin Winckler
Dr House, l'esprit du shaman
Kathleen Winter
Nord infini
Andrée Yanacopoulo
Prendre acte

Ce livre a été imprimé sur du papier 100 %
postconsommation, traité sans chlore, certifié ÉcoLogo
et fabriqué dans une usine fonctionnant au biogaz.

MISE EN PAGES ET TYPOGRAPHIE :
LES ÉDITIONS DU BORÉAL

ACHEVÉ D'IMPRIMER EN OCTOBRE 2015
SUR LES PRESSES DE MARQUIS IMPRIMEUR
À MONTMAGNY (QUÉBEC).